Baldam l'improbable

COLLECTION POLYGRAPHE
créée et dirigée par
Éric de Larochellière et Alain Farah

Le Quartanier Éditeur
4418, rue Messier
Montréal (Québec) H2H 2H9
www.lequartanier.com

CARLE COPPENS

Baldam l'improbable

roman

COLLECTION POLYGRAPHE

Le Quartanier

L'auteur remercie la Fondation Hachette pour son appui,
qui a rendu possible l'écriture de ce livre.

—

Le Quartanier remercie de leur soutien financier
le Conseil des Arts du Canada
et la Société de développement des entreprises
culturelles du Québec (SODEC).

Gouvernement du Québec – Programme de crédit d'impôt
pour l'édition de livres – Gestion SODEC.

Le Quartanier reconnaît l'aide financière
du gouvernement du Canada
par l'entremise du Fonds du livre du Canada
pour ses activités d'édition.

—

Diffusion au Canada : Dimedia
Diffusion en Europe : La librairie du Québec (DNM)

Dépôt légal, 2011
Bibliothèque et Archives nationales du Québec
Bibliothèque et Archives Canada

ISBN : 978-2-89698-001-7

Pour et malgré P.

On a engagé pour le premier sketch l'étonnant Homme Numéroté. Il était numéroté de un à trente-cinq, et chaque segment était mobile. Et il était aimable et poli en dépit des pressions auxquelles le soumettait son métier difficile. Il ne manquait jamais de dire « Bonjour » et « Au revoir » et « Pourquoi pas ? ». Nous étions heureux de l'avoir dans le spectacle.

DONALD BARTHELME
Voltiges

I

I

JE M'APPELLE Mas Baldam, la prise de contrôle date d'il y a environ trois mois et je ne suis pas en ce moment au sommet de ma forme. À preuve, je me retrouve dans les journaux d'aujourd'hui coincé entre Fushius Daronchik et Eva Longfellops, elle-même arrivée au classement à un creux historique. Je ne m'inquiète pas. C'est embêtant, bien sûr, mais je ne m'inquiète pas : regardez derrière, autrui piaffe et trépigne par centaines de milliers. Il existe des réserves intimidantes de moins bien classés que moi. Je pourrais tomber jour après jour, me laisser choir et il en resterait toujours autant pour amortir ma chute. Une glissade de quelques centaines de places, les choses auraient pu tourner plus mal. Si l'on considère mes activités des derniers jours, ce résultat pourrait même apparaître tout à fait honorable. En dehors des heures passées au travail chez Monolite, de toutes celles gaspillées à tenter d'ordonner la séquence des événements m'ayant mené jusqu'ici, à quoi me suis-je consacré ? Je l'avoue sans gêne, à presque rien. J'ai consenti à quelques kilomètres d'un jogging modéré, le long de la rivière qui mousse derrière la maison, mais le cœur n'y était pas. Je me suis aussi astreint à terminer la biographie d'une vedette du sport dont le mantra consiste à respecter l'adversité pour être respectée par elle, ce qui ne me sera pas d'une grande utilité. À force de nous fréquenter, mon adversité et moi sommes déjà comme cul et chemise. Nous nous tenons d'instinct en grand respect.

J'ai rangé le placard de la salle de bain où ma femme entrepose des produits de beauté dont la date de péremption flirte avec un autre millénaire avant de m'attaquer, sur ma lancée, à celui de la cuisine. J'ai pensé à Alice, à son corps mesurant très exactement la largeur de notre lit. Les femmes qui dépassent, ça promet toujours des ennuis, avait coutume de dire mon père. Mieux vaut savoir les choisir à sa taille, ajoutait-il en regardant ma mère, qu'il dominait pourtant d'une dizaine de centimètres. Sinon, on a beau chercher, on ne s'y retrouve plus et il faut tout changer en soi pour espérer les garder.

Quand il daignait ouvrir la bouche, mon père parlait vraiment comme ça. Ce n'est pas moi qui enjolive ou qui tente de le rendre plus spirituel qu'il ne l'était en réalité. Cela reviendrait à le trahir et il a déjà été bien servi de ce côté, merci. J'ai pensé à Alice, à ses hanches rapides, à ses lèvres que j'aime, légèrement pincées quand elle refuse d'être embrassée, légèrement pincées quand elle accepte. Ses lèvres que je ne dois pas quitter des yeux lorsque me vient l'envie d'y coller les miennes tant l'espace est comprimé au centre de son visage. Il me faut avancer de biais selon un angle d'attaque que j'ai mis des années à déterminer, la trajectoire précise de ma bouche vers la sienne, comme une capsule spatiale qui entre dans l'atmosphère et qu'une dérive d'un degré à peine risque de désagréger.

J'ai baigné les enfants doubles, les ai coiffés, cajolés en n'abordant pas la question de la prise de contrôle, puisqu'ils n'y sont pour rien, cela au moins ne fait aucun doute. Suivant les conseils d'une pharmacienne qui portait sous le sarrau un cache-cœur transparent, j'ai acheté à Estampes, à deux pas du bureau, une teinture d'un blond cendré qui n'entretient qu'une vague correspondance avec la couleur de mes cheveux. J'ai combattu mentalement des problèmes qui exigeaient des solutions concrètes, des actions précises, coordonnées, susceptibles d'être déployées sur le terrain. Pas de quoi bouleverser ces messieurs dames les jurés, ni me concocter un bulletin d'intimité explosif, soyons honnêtes. Un recul de quelques centaines de places au classement cette semaine, vous voyez, je m'en sors bien.

Tandis qu'autrui fait des pieds et des mains, s'active, s'exalte, voyage autour du globe, explore, défriche, se démarque, avale des kilomètres, des médicaments en période de test, des bouquins de trois mille pages, des araignées, des camions en pièces détachées, tandis qu'autrui triomphe aux championnats d'orthographe, d'alexandrins, de cunnilingus, s'entasse à quarante dans une Fiat Uno pour battre le record, organise des événements, monte des pièces, des projets, des associations, souffre, se dilate, s'apitoie, se rebelle, réalise ses rêves, apprivoise les ténèbres ou ses échecs à l'aide de guides spécialisés, s'acoquine, divorce, escalade à mains nues des immeubles lisses comme le sommeil de l'autre quand on ne dort pas, s'enthousiasme, tombe de haut, jure de se venger, change de sexe, de pays, de religion, se lance dans le premier vide qu'il trouve, se précipite au secours de peuples, de dialectes, d'insectes, pendant que partout le spectacle bat son plein pour s'attirer les faveurs des jurés, les distraire, les émouvoir, pendant que partout autrui s'affaire à présenter une individualité active, oxygénée, triomphante, ou à l'inverse contrite, douloureuse et méritoire – celle-là permet aussi de progresser au classement à condition de savoir l'exploiter avec talent, ce n'est pas simple, mais la table des équivalences sait se montrer généreuse avec ceux qui souffrent –, pendant qu'autrui s'augmente, s'intensifie, se polarise pour susciter l'adhésion, gesticule sous les capteurs pour générer de l'avant, tente tout et son contraire dans l'espoir d'insuffler du tonus à son bulletin d'intimité, moi, je parcours distraitement le journal, un pyjama en viscose sur le dos, les jambes croisées, évaluant mes chances de me débarrasser de ce qui m'a tout l'air d'un début de fièvre.

Face à l'adversité, perdant débonnaire, je préfère différer la confrontation. Afin de me ménager, je choisis de ne pas écouter jusqu'au bout le reportage vantant la détermination d'un homme de mon âge, ancien consultant en entreprise, ayant réalisé, si l'on s'en tient à l'introduction, la traversée de l'Atlantique en solitaire sur une chambre à air.

2

JE NE SUIS PAS sympathique. Je ne suis pas non plus ce que l'on appelle un bon vivant. On ne m'entendra jamais m'exclamer, alors que la soirée tire à sa fin et que le serveur, imperceptiblement, mais avec ce que des années de métier lui ont enseigné d'astuces, pousse son monde vers la sortie : « Pourquoi on ne terminerait pas ça à la maison ? »

On ne me verra pas m'exhiber torse nu dès les premiers rayons du soleil, ni porter de chemise à même la peau ou prêter ce qui m'est cher, quoique je donne volontiers, ce n'est pas la même chose, je ne m'attends pas à récupérer ce que je viens d'offrir. On ne m'a jamais vu le geste large, la voix qui porte, planté au centre d'un groupe d'amis et de connaissances plus lointaines dont les visages unanimement tournés vers moi n'attendent que le signal de s'esclaffer, ni pratiquer de sport où les contacts sont permis, parier sur quoi que ce soit ou prendre d'autostoppeurs, même sous les capteurs. On ne me surprendra pas à défiler dans la rue ou à beugler au milieu du bétail des slogans imaginés par d'autres. Mon implication nécessite un recul. L'espace d'où je prends position est légèrement surélevé et garantit de multiples possibilités de retraite. Peu importe mon humeur, je ne juge pas utile de distribuer de viriles bourrades dans le dos de collègues attendant qu'on les serve au comptoir de la cafétéria de chez Monolite. Je dors mieux dans mon lit. Il y a peu de chances que je prononce tout haut ce que chacun pense tout bas. Je patrouille loin de ces eaux-là. Quand je dis que je ne suis pas sympathique, que l'on ne m'imagine pas pour autant en homme amer, solitaire ou renfrogné. Au contraire, ma présence à l'intérieur du petit cercle que je fréquente me paraît des plus nécessaires. On ne le remarque pas toujours, mais j'assure un acquiescement tranquille, une neutralité bienveillante parmi ceux qui se disputent l'attention. Je suis l'interlocuteur de secours, qui soutient le regard, qui reste disponible alors que les autres se sont détournés.

Sans aller trop loin dans les détails, je dois à la vérité de préciser que je ne suis pas de ceux auxquels les femmes se donnent sans façon, à cause d'un sourire, d'un verre offert ou d'une amie qui aurait pris en charge les présentations. Je suis loin d'être un cas, mais quand d'autres, gueules d'amour, beaux parleurs ou fous furieux, volent au-dessus de la mêlée, emballent sans effort, je progresse centimètre par centimètre, fantassin du sexe poussé au front, malgré les infortunes, par un inexplicable désir de prouver sa valeur. (Cette règle n'a connu qu'une exception : ma rencontre avec Alice, ma femme, la mère des enfants doubles. Je vous raconterai.)

On me prête un certain charme, à tout le moins le potentiel de plaire. En m'apercevant, les femmes se disent qu'elles pourraient arriver à quelque chose avec moi, qu'il leur suffirait d'un peu de temps pour me transformer en un parti honorable. J'ai le visage long, une silhouette élancée, un corps d'homme d'avant la musculation, un corps d'homme des années soixante-dix avec des jambes plutôt fortes si on les compare à mon torse. En fait, le haut et le bas de mon anatomie pourraient très bien appartenir à deux personnes différentes tant la pilosité du tronc ne correspond pas à celle des membres inférieurs. Égaré parmi des centaines d'autres victimes, je ne serais pas facile à reconstituer s'il m'arrivait un accident d'avion, par exemple. J'aime penser que ces jambes athlétiques me viennent des heures de jogging auxquelles je m'astreins depuis des années, mais il se peut que j'aie simplement développé une morphologie de fuyard. Mon père disait que l'on ne se met pas à courir comme ça sans raison. Mon père ne dit plus rien. Il est mort couvert de honte.

Je ne suis pas sympathique mais je me rends compte que ce que je présente comme une évidence pourrait être contesté. Il existe certainement des gens pour me trouver sympathique. En ce moment même, quelqu'un quelque part réfléchit sans doute qu'il lui plairait de passer plus de temps en ma compagnie. Je ne me trouve pas sympathique, voilà ce que j'aurais dû dire. D'ailleurs, et cela pourrait être interprété comme une marque d'intérêt tangible, je reçois depuis peu, glissées sans façon à l'intérieur d'enveloppes ne portant pas d'adresse de retour, des photos d'inconnues dans leur troublante nudité. Je ne devrais pas m'en vanter, il paraît que les prisonniers en reçoivent aussi, les meurtriers, les violeurs, les multirécidivistes, des photos de femmes soi-disant sensibles à la réclusion des malheureux. En choisissant un détenu, ces pin-up d'occasion me semblent plutôt chercher à limiter la possibilité d'interférences, les chances qu'une autre, plus vive, plus jeune ou jolie, vienne leur chiper celui-là aussi. Ces femmes se sont repliées sur un terrain protégé. Elles ont choisi un microclimat dans lequel l'amour qu'elles inspirent leur paraît avoir davantage l'occasion de s'épanouir.

Je me dis qu'en préparant son envoi hebdomadaire, ayant découvert mon existence sur les ondes de Nouvelles d'autrui ou en se promenant dans le quartier, ce n'est pas exclu – cette large banderole accrochée aux saules détonnait dans le voisinage –, songeant que j'étais à ma manière privé de liberté depuis la prise de contrôle, donc éligible à ses charmes, je me dis que l'une d'entre elles a simplement décidé d'ajouter un jeu de photos où son corps devient évasion. Une femme à la peau blanche, transparente, presque bleue aux articulations a ainsi fixé pour moi chacun des moments de sa journée, découvrant ses jambes au réveil, emmêlées dans des draps d'un jaune lumineux, son ventre et son sexe dans ce qui semble être l'ascenseur d'un immeuble modeste, son cul dans une pièce que je ne parviens toujours pas à identifier, son dos, sa nuque, tout son corps, à l'exception notable de ses seins auxquels je n'ai pas eu droit. J'y pense de temps à autre : pourquoi ai-je été privé des seins de cette femme ? Suis-je censé me manifester, réclamer la pièce manquante du puzzle ? Existe-t-il un marché noir où il serait possible de troquer une blonde au saut du lit contre une brune frondeuse, à demi nue sur le comptoir d'un bar ? J'ai montré ces photos à Alice, non pas dans l'idée de la provoquer, mais pour qu'elle se rende compte de l'attrait que d'autres me prêtent depuis l'annonce de la prise de contrôle. Elle a regardé avec indulgence quelques-uns des clichés, critiquant la lumière ou le cadrage, en a mis certains de côté à cause des bras que l'on devinait tendus pour tenir l'appareil puis elle a dit :

— Si l'on voulait photographier la solitude, on ne s'y prendrait pas autrement.

3

LA FRÉNÉSIE qui a suivi la prise de contrôle n'aura pas duré longtemps. Quelques jours de fébrilité où l'on a pleuré ce qui venait de m'arriver, durant lesquels j'ai été projeté à l'épicentre des préoccupations d'individus aussi prompts à s'émouvoir qu'à se détourner de l'objet de leur indignation. J'aimerais pouvoir affirmer le contraire, mais cette soudaine poussée vers le sommet du classement n'a rien à voir avec des qualités que j'aurais pu déployer pour combattre l'adversité. Relayée par Nouvelles d'autrui, qui claironnait au quart d'heure de ne pas s'éloigner, qu'on livrerait sur ses ondes les derniers développements, l'annonce de la prise de contrôle a braqué sur moi l'attention de mes contemporains. Il faut les comprendre. On ne découvre pas tous les jours un homme de ma qualité.

Par suite de l'annonce, on m'a téléphoné, écrit, envoyé des fleurs, des photos de femmes mourant d'envie de me consoler, alanguies sur des divans, des chaises longues, des méridiennes, un véritable catalogue du confort intérieur. Des brunes en maillot au bord de piscines, des photos de veuves jurant qu'elles ne m'auraient jamais traité de la sorte, de femmes à l'impressionnante carrure, au sexe charnu, qui se disaient mariées et prêtes à tout abandonner pour moi. On m'a traité avec la commisération coupable que les gens en sécurité éprouvent lorsqu'un tremblement de terre ravage une région du globe dont ils ignoraient jusqu'alors l'existence. J'étais ce bout de terre menacé par l'avancée du désert. J'étais cette île posée à ras de mer sur le point d'être engloutie. Grâce à moi, on pouvait avancer sans risque de se tromper que notre espèce réservait encore d'étonnantes découvertes. Et je semblais si fréquentable, et ma famille aussi, et quelles étaient les chances que cela se produise, vraiment, il fallait trouver un moyen d'assurer ma protection, entreprendre des études. Et si c'était génétique ? Les discussions provoquées par la prise de contrôle me parvenaient depuis l'extérieur par les fenêtres entrouvertes de notre maison. Pendant quelques jours, on se relayait pour s'assurer que je ne manque de rien. On m'offrait des confitures, du nougat, des corbeilles de fruits, quand ce n'était pas un billet de train pour que j'aille reprendre des forces dans quelque résidence secondaire nichée loin de ce tumulte. Une trentaine d'inconnus, parfois plus selon la température, campaient devant la maison. Ils se déployaient en petits groupes tôt le matin et, sans que personne leur ait rien demandé, entreprenaient les travaux que je remettais à plus tard. Ils lavaient les fenêtres ou la voiture, repeignaient les volets, taillaient les haies. Lorsqu'ils m'apercevaient, alors que je sortais faire les courses ou que je partais travailler, ils s'arrêtaient net, plantaient leurs yeux remplis de commisération dans les miens et hochaient la tête avec l'air de me dire que je n'étais plus seul dans cette galère puisqu'ils étaient là.

Je ne veux pas jouer les enfants gâtés, mais j'ai bien vu que plusieurs de ceux qui s'étaient rassemblés pour me soutenir cherchaient les capteurs du regard avant de se mettre au travail. Je sais exactement où se trouvent les capteurs autour de la maison. Ce n'est pas exceptionnel, tous les habitants du quartier le savent. Il y en a un accroché à mi-hauteur de l'immeuble d'inspiration néocommuniste, un penthouse vitré évite de confondre ce mutant avec un postillon de béton venu droit de l'ancien bloc de l'Est, un immeuble dont les locaux, malgré une communication agressive (« six mois gratuits à la signature d'un bail de deux ans »), restent aux trois quarts vides. Un autre est installé juste au-dessus des distributrices de journaux, coincé sous le balcon de l'étage du restaurant asiatique, pointé sur le trottoir avec un angle d'environ quarante-cinq degrés. Un capteur veille sous le porche des Stevensen entre la grille en fer forgé et l'interminable procession des pots de géraniums qui, partant de la galerie avant, serpente le long de la grasse victorienne – un modèle usiné que l'on trouve en une douzaine d'exemplaires le long de la rue où nous habitons – avant de bifurquer et de se perdre à l'arrière. Je n'ai jamais adressé la parole aux

Stevensen. Je ne connais d'eux que la prévalence du gène qui afflige les trois filles et la mère de la même peau rougeaude, des mêmes cheveux blonds blancs clairsemés, du même air de générale insatisfaction. Quant au père, pour autant qu'il en existe un tant sa contribution sur le plan génétique paraît négligeable, on ne le voit pour ainsi dire jamais dans les parages.

On trouve grosso modo un capteur tous les trois lampadaires sur la route étroite qui, traversant notre quartier en largeur puis longeant la rivière, mène de la maison vers la voie rapide. Il y a un capteur isolé au bout du terrain vague attenant au poste de transformation électrique, après le virage où les marques de freinage sur la chaussée donnent l'impression d'un tableau réalisé par un peintre dont l'inspiration aurait elle aussi dérapé. Il ne se passe pas une semaine sans qu'une voiture aboutisse dans le décor, ce doit être voulu, je ne vois pas d'autre explication. Le revêtement est lisse à cet endroit, la courbe bien dessinée ; pourtant, les accidents s'y succèdent avec une régularité métronomique. Les automobilistes savent que se concentrent dans ce virage, précisément, les conditions nécessaires à une embardée à la fois spectaculaire et sans danger. Les plus expérimentés accélèrent au maximum avant de quitter la route. Les autres, se demandant sans doute si les broussailles qui ont pris possession du terrain vague amortiront leur chute, freinent brutalement et réussissent tout juste à dégringoler le talus. On les voit parfois, un peu dépités, des ronces à mi-cuisses, se demander comment ils s'y prendront pour extirper leur voiture de là. Entre nous, il suffirait de déplacer le capteur de cinquante mètres à peine pour que cessent ces cascades d'amateurs.

On trouve un capteur un peu plus loin dans l'entretoit du centre de tri des matières recyclables, dont la façade se veut une reproduction au 1/6 d'un édifice célèbre, mais je n'ai jamais su lequel, il faudra que je demande à Alice. Un autre est accroché à l'échafaudage qui semble soutenir la façade de la médiathèque, dont l'ouverture est retardée depuis plus d'un an. En partant de la maison jusqu'au centre d'Estampes, on les voit partout, menaçant de basculer vers l'avant, tristes oiseaux obnubilés par le sol. On les trouve perchés au-dessus des autoroutes, dans les magasins, les entrepôts, aux abords des stades, des écoles, des parkings, leur œil unique ouvert en permanence sur les quelques dizaines de mètres carrés qui leur ont été consentis. En ce qui nous concerne, les alentours de la maison comptent suffisamment de capteurs pour qu'il ne soit pas difficile d'être happé par l'un d'entre eux à un moment ou à un autre. Nous n'avons donc pas à nous plaindre de ce côté-là.

En vue d'améliorer l'aspect général du mobilier urbain, d'égayer un peu tout ça, la décoration du boîtier des capteurs donne lieu à des concours extrêmement courus par les artistes de la région. Si nous devons nous contenter dans le quartier du modèle de base, un boîtier grisâtre d'une vingtaine de centimètres de largeur duquel surgit l'objectif, lui-même protégé des intempéries par un capuchon de plastique noir, les secteurs huppés et le centre-ville sont équipés de versions nettement plus inspirées. Un artiste du nom de Marian Tashiter, on en a fait grand cas par ici, a ainsi suspendu dans un pylône au-dessus du périphérique qui ceinture Estampes, à la hauteur de l'hôpital où mon père est mort la première fois, une vingtaine de corneilles de plastique orientées dans des directions différentes. Bien malin celui qui pourrait dire lequel de ces volatiles contient effectivement le capteur. Comme s'il n'était pas satisfait de la confusion engendrée par cette première installation, Tashiter l'a reproduite à l'identique en trois autres emplacements de la ville. Enfin presque à l'identique, puisque ces trois nouvelles versions, ces corneilles appeaux, ne contiennent aucun système d'enregistrement. À Estampes, la rumeur veut que l'installation au-dessus du périphérique soit la bonne, mais des informations contradictoires circulent. Il n'est d'ailleurs pas rare de tomber sur de faux capteurs, certains artistes s'amusant à accrocher eux-mêmes leurs projets refusés. Je ne vous cache pas qu'il est parfois cruel de voir se démener sous un capteur que l'on sait factice pour s'y être soi-même laissé prendre une petite vieille venue faire la démonstration de son habileté à décapsuler une bouteille de bière avec le métal de sa prothèse orthopédique.

Je me suis bien rendu compte que plusieurs des membres de mon comité de soutien cherchaient les capteurs du regard avant d'attaquer les corvées qu'ils s'étaient eux-mêmes imposées. J'aurais pu sortir de la maison, échanger quelques plaisanteries, les remercier de leur présence à mes côtés dans ces moments difficiles, leur dire que cela me faisait chaud au cœur de les savoir solidaires, peut-être même leur indiquer l'emplacement de ce qu'ils cherchaient : « Il y en a un sous le porche d'en face, vers la gauche, entre les géraniums, et l'autre est plus loin au coin, vous voyez le stop ? Le restaurant asiatique qui fait l'angle ? Vous remontez jusqu'au balcon, voilà, juste en dessous », leur permettre de compléter leur numéro de compassion dans de meilleures conditions, mais après le choc causé par la prise de contrôle, je ne m'en sentais ni l'envie ni le courage. Il y en a toujours pour tenter de grappiller quelques places, prêts à profiter du malheur d'autrui pour se faire de l'avant et prendre de l'altitude au classement. Je suis persuadé que la banderole qu'ils avaient accrochée entre les branches des grands saules criait autant leur espoir d'être remarqués que celui de me voir épargnée l'inédite humiliation que célébrait Nouvelles d'autrui.

« Respectons la différence jusque dans son absence ! »

Voilà la formule équivoque que mes supporters avaient trouvée pour assurer ma défense. Et, croyez-moi, ils ne se faisaient pas prier pour la scander à l'unisson dès qu'un passant ou un automobiliste commettait l'imprudence de s'aventurer aux abords de la maison. Un de mes plus farouches partisans, un jeune homme à la barbe clairsemée et au gros anorak rouge qui s'arrêtait aux genoux, poursuivait les voitures pour se faire entendre. Il devait crever de chaleur là-dedans, mais même en début de soirée, alors que la circulation est dense dans le quartier, qu'après avoir été longtemps bloqués sur la voie rapide, les nerfs à vif, les conducteurs pressés de rentrer chez eux louvoient entre les camions de livraison et les voitures stationnées en double file le temps d'une course de dernière minute, il ne se séparait pas de son anorak. C'était la marque de commerce de ce jeune homme, sa façon de s'assurer qu'on le distingue de l'autrui qui s'agite en permanence sous les capteurs.

Deux quadragénaires en veste d'aviateur et lunettes de soleil relevées sur le front, visiblement rompus à ce genre d'intervention sur le terrain, s'occupaient de la logistique, retranchés sous l'auvent de la tente-roulotte qu'ils avaient garée contre la haie de manière à ce que je puisse manœuvrer sans problème notre vieille Subaru dans l'entrée. En passant à leur hauteur, les bras chargés de paquets, je les entendais négocier une intervention sur les ondes de Nouvelles d'autrui, rectifier à distance la mise en pages des tracts ou tenter de coordonner une manifestation de soutien qui partirait de la maison pour aboutir je ne sais où, à Estampes, devant les bureaux d'un élu ou sur une place aux dimensions modestes, choisie afin de donner à leur rassemblement les allures d'un grand ralliement. Ceux-là ne me saluaient même pas. Le jugement paraîtra peut-être sévère, mais je souhaite que les jurés, au moment d'analyser le matériel recraché par les capteurs, ne se laissent pas abuser par les manœuvres de ces charognards.

À l'évidence, toute cette activité autour de ma personne a eu pour résultat de me propulser au classement.

Cela n'a duré qu'un temps, mais j'ai été l'ex æquo du leader d'un groupe de rock que la plupart des analystes voyaient comme un candidat sérieux au Cercle 5000, un homme émacié, au nez très droit, qui menaçait dans toutes les entrevues qu'il accordait de faire de son « malaise insondable une performance de beauté déchirante ». Il disait avoir contacté des ingénieurs du son capables de transformer en musique l'agonie humaine. Il prétendait même pouvoir se passer d'eux, car l'instrument le possédait, « son corps comme caisse de résonance, sa voix posée exactement sur la douleur ». Pour célébrer notre improbable cohabitation au classement, je me suis procuré le dernier de ses disques. Je n'ai jamais dépassé la première piste, une complainte *mid tempo* calibrée pour les radios et devant servir, je l'ai lu quelque part, de locomotive au reste de l'album, plus sombre, plus authentique. Cette première chanson me plaisait. Elle charriait un spleen digeste qui convenait bien à mon humeur. De peur d'être déçu, je ne me suis jamais aventuré à écouter la suite.

Et puis, très vite, l'actualité se déplaçant, d'autres catastrophes, d'autres prouesses venant défrayer la chronique, ceux qui m'avaient manifesté leur soutien se remettant de leur surprise, se lassant de dormir sur de minces matelas de sol, de partager des repas à peine chauds, d'enchaîner les corvées, d'interpeller les passants ou les automobilistes que les soubresauts de ma trajectoire intime n'intéressaient pas, tout a repris son cours. J'entendais mes supporters discuter par les carreaux entrouverts de la salle de bain, perchés sur des échelles, occupés à extraire des gouttières une quantité effarante de feuilles mortes : « Ce n'est pas facile à encaisser, mais ce pauvre type s'en remettra, c'est sûr » ; ceux-là de nouveau fascinés par autrui fracassant le record du manque de civisme ou de la surcharge pondérale, par autrui découvrant la molécule capable de provoquer l'orgasme à distance : « C'est à peine croyable, le plaisir transmis sur des kilomètres ! puisque je te le dis, ils viennent de l'annoncer, l'orgasme par satellite ou par câble ! » ; ceux-là remballant gamelles et sacs de couchage, ne comprenant plus la nécessité de leur présence auprès d'un homme tel que moi ; très vite tout est rentré dans l'ordre. Ils ont tous vidé les lieux, laissant sur place une constellation de sacs de plastique, de cannettes et de bouteilles vides.

4

DEPUIS L'ANNONCE de la prise de contrôle, rien ne sert de le cacher, je me parais suspect. Je regarde mes mains sèches, les avant-bras délicats qui sortent de ma chemise, ma peau blanche ou rouge sous les poils, ma montre, une vieille Citizen avec la calculatrice, mon pantalon de toile laissant entrevoir des chaussures dont il est impossible de dire l'âge ou si elles sont à la mode. Je ne peux m'empêcher de me demander : et si le notaire avait dit vrai ?

Je traque le déroulement de mes pensées, me fais tout petit, comme si elles ne m'appartenaient pas, comme si je pouvais les observer de l'extérieur, surgir au dernier moment pour en détourner la logique. Je cherche à me surprendre en flagrant délit, à trouver la preuve qui donnerait raison ou tort à maître Frigor du cabinet Frimah, Frigor & Gourd. Je pourrais alors lui téléphoner, insister pour qu'on le dérange pendant qu'il est en rendez-vous et lui dire : « On a bien rigolé. Vous m'avez fichu une sacrée trouille, bravo, mais maintenant ça va, c'est terminé. »

Bien entendu, l'exercice est cruel. Comment exercer un jugement sur son jugement ? D'un côté, ce que je pense et, de l'autre, mes idées sur ce que je pense ? Autant essayer de se regarder tomber du toit. Ce sont des journées étranges. Je me traîne comme après la mort de quelqu'un que je connaîtrais un peu. J'essaie dans les grands magasins des chemises aux couleurs gaies, des chaussettes assorties. J'observe mon corps dans les cabines avec un dédain mesuré, étonné de découvrir à quel point je présente mieux habillé. Il doit pourtant exister l'inverse, des hommes que les vêtements amoindrissent, dont les habits camouflent la virile assurance. Des hommes qui auraient tout avantage à mener leurs affaires à demi nus.

Depuis l'annonce de la prise de contrôle, alors qu'Alice se comporte comme à l'habitude, son affairement tendre ne parvenant pas à camoufler la variété de ses insatisfactions, j'éprouve le sentiment désagréable que mes goûts ne me distinguent pas, que, d'une manière insidieuse, autrui trouve un écho en moi. Je me soupçonne d'avoir du mou dans le singulier.

Certains jours plus abrupts, j'ai l'impression que tous les hommes politiques pour lesquels j'ai voté, ou même envisagé de voter, ont été élus, que je suis capable de prédire de quel côté penchera le goût du public lorsqu'une chaîne de télé donne à choisir entre deux films pour composer sa programmation, que je sais d'instinct laquelle des Miss se pavanant devant moi parviendra à imposer sa beauté à l'ensemble de l'univers. À force de le suspecter, je me convaincs d'avoir voyagé à bord des plus grandes compagnies aériennes, au plus fort de la saison, en direction de l'une ou l'autre des destinations les plus visitées par mes compatriotes, de m'être attablé aux restaurants que tous les guides conseillent avant d'emprunter, pour digérer, la promenade de bord de mer, le long du port ou de la jetée, le parcours dans la vieille ville que le gros des touristes arpente, bras dessus, bras dessous, avec la même décontraction appliquée, les mêmes lunettes de soleil négligemment relevées sur le front. Je n'ai pas besoin de me renseigner à ce sujet, je sais que j'utilise la lessive à laquelle la majorité des consommateurs font confiance, que j'adopte de facto le rasoir, le stylo, le téléviseur, le presse-agrumes ou la couverture chauffante dont tout le monde parle. Rien ne sert de me bercer d'illusions, ce que je considère comme mes excès ne correspond en réalité qu'à un déplacement de la norme, puisque mes collègues et rares amis ont pour la plupart forcément déjà été tentés par les mêmes débordements.

5

JE COMMENCE doucement, par de petites foulées dont l'impact se répercute jusque dans le crâne, la semelle de mes espadrilles rechignant à absorber les premiers chocs, de guingois, comme un marcheur rapide dont le squelette menace de se déboîter à chaque enjambée, sans m'étirer, jamais d'étirements, la route tout de suite, le restaurant asiatique, l'enfilade des victoriennes usinées, les haies de cèdres, les vélos couchés sur le flanc et laissés pour morts, les stations de jeux en plastique pour les enfants, et puis, derrière le terrain vague où seront érigées vingt nouvelles unités, le gravier qui devient terre battue, la rivière dont les eaux sombres moussent le long des berges, le bosquet où le mouvement s'assouplit, où les articulations cessent leur résistance, où le souffle devient pensée. Officiellement, je cours seul. Dans les faits, je suis incapable de tenir mes proches à distance. Mon père qui est mort deux fois couvert de honte, Alice ma femme, ma petite femme, qui n'a rien tenté pour m'éviter la prise de contrôle, disons cela pour l'instant, ma mère qui rajeunit au-delà du raisonnable, les enfants doubles, pas jumeaux, entendons-nous, doubles. Ils sont arrivés ainsi, deux à la fois, peut-être pour venger la disparition de mon père, laver l'affront, faire contrepoids, je ne sais pas.

Ce que je sais, c'est que tout le monde est là, dans le sentier. Il y a des proches que l'on oublie, qui se laissent reléguer sans mal à la périphérie de notre attention, mais ce n'est pas comme ça chez moi. Mes proches ne sont pas nombreux mais insistants. Mes proches ont une façon insistante d'être absents. Ils s'éclipsent avec fracas. Ils manquent à tue-tête. On ne s'en sort pas. Je reviendrai à mes proches. À moins, bien sûr, qu'ils ne reviennent d'eux-mêmes.

Au classement, le métier que j'exerce ne m'avantage pas. Il ne m'amène pas à embrasser les jeunes femmes massées le long des routes dans l'attente de mon passage, ni à rencontrer les élèves dans des classes que les maîtres ont longuement préparées à ma venue. Au quotidien, je ne combats qu'un ennui diffus et la proximité de collègues dont il arrive que les manières m'incommodent. Le pointage que je réclame pour la poursuite de mes activités professionnelles me situe logiquement dans la moyenne des employés de bureau. J'occupe le poste de testeur en chef chez Monolite. À neuf heures tapantes, mon petit monde se met en branle : les ascenseurs vont et viennent, s'écorchent sur les cinq étages du vieil immeuble de pierre grise qui abrite nos locaux, laissent échapper de l'autrui d'une qualité d'âme, d'une beauté et d'une culture très inégales, en retiennent aussi quelques-uns, par pure facétie, jusqu'à ce qu'intervienne la sécurité. Les téléphones sonnent, les fax crépitent, les tiroirs coulissent, les claviers caquètent, les photocopieuses-trieuses-agrafeuses grondent comme des locomotives, donnent l'impression de vouloir s'arracher à un décor que je résume à l'instant : néons, cloisons, réunions, suspicions, les piliers sur lesquels se construit et s'affirme jour après jour notre culture d'entreprise.

On n'est pas heureux chez Monolite, mais comme cela est pris en compte dans notre rémunération, par l'octroi d'une prime à la grisaille majorée au fil des années de service, peu de mes collègues songent à s'en plaindre. Certains n'hésitent pas à affirmer qu'une amélioration trop marquée de notre climat de travail se traduirait automatiquement par une diminution des salaires. Chez Monolite, dans un souci de réalisme qui fait notre force, les secrétaires de direction, les chargés de projets, magasiniers, adjoints comptables, les assistants aux ventes ou à l'approvisionnement, les planificateurs réseau, et j'en passe, arpentent des kilomètres de couloirs tapissés d'une dizaine de revêtements différents, se glissent dans une salle, en ressortent les bras encombrés de documents, allument et éteignent des ordinateurs de configurations diverses, remplissent les pigeonniers, les feuilles de présence, les bons de commande, les bacs de recyclage, les babillards, les frigos réservés à l'emploi du personnel, s'échangent ceci, cela ou encore autre chose, s'entrelacent, se frôlent, on y croirait. Pour un néophyte, impossible de déceler le moindre subterfuge. L'entreprise est parcourue en tous sens, la dernière de ses portes ouverte et refermée plusieurs fois par jour. Chacun se tient en équilibre au cœur de l'agitation et l'effet d'ensemble est vraiment réussi.

Comme dans toutes les entreprises appartenant à des hommes dont la libido est le principal sujet de préoccupation depuis qu'ils savent leur affaire bien en selle, l'embauche des stagiaires est devenue une priorité stratégique. Ces embauches constituent d'ailleurs un indicateur très fiable de l'influence respective de nos dirigeants. Une majorité de blondes, de préférence voyantes, suggère que le secteur Développement-Acquisitions s'est octroyé un avantage décisif sur celui de l'Approvisionnement, dont le chef montre un goût marqué pour les brunes élégantes, réservées, quasi muettes. Peu importe celui de nos directeurs ayant réussi à imposer sa vision, les stagiaires chez Monolite ont le rose aux joues, des seins fugitifs, une jeunesse qui fait mal lorsqu'elles se glissent entre vous et un collègue. Elles sont vite déçues par le monde de l'entreprise, ses pauvres enjeux, couchent avec Hervé ou François, « parce qu'ils le demandent si gentiment », et nous quittent aussitôt qu'elles en ont l'occasion.

Au quotidien, je me présente par le siège. J'ai étudié assis et j'ai réussi. Aussitôt levé, je m'assois. Je m'assois sous la douche, entre les plantes, pour éviter d'éclabousser le carrelage de la salle de bain et que l'eau, en séchant, ne laisse de vilaines traces blanches. Je m'assois à la table du petit-déjeuner et c'est assis dans une Subaru Loyale rouge dont le ralenti inquiète que je rentre m'asseoir au travail. Là, dans un bureau ni plus sombre ni plus accueillant qu'il ne le faut, j'effectue diverses opérations dont aucune machine n'est encore en mesure de s'acquitter. Sur la cloison, à côté de mon nom, Mas Baldam, lettres blanches sur fond noir, j'ai accroché des photos de vacances, des cartes postales, un article de magazine traitant d'un sujet censé me passionner, la voile, le sport automobile ou les montres de collection. Des images aux couleurs vives, faciles à décoder, même pour un œil distrait. Des images qui ont pour fonction de permettre à tous, sans égard à l'intérêt qu'ils me portent, de se faire une impression rapide de l'homme qui se trouve assis en face d'eux. En quelques images, je me suis encore raccourci.

Je dis *encore*. De ce que j'en sais, mes parents s'étaient vite mis d'accord sur le choix de mon prénom. Ce ne serait pas Charles ou Monfred, pas Zoltan ni Bruno, mais Thomas. Or il se trouve qu'au moment de remplir la fiche que lui tendait l'officier de l'état civil, dans le bureau encombré devant lequel il n'avait pas attendu puisqu'il était arrivé quelques minutes à peine avant la fermeture, puisque l'employé avait déjà éteint la lumière, rassemblé ses affaires dans sa mallette et enfilé son pardessus, mon père qui est mort deux fois, mon père dont la tête accuse un perpétuel retard sur le reste de son corps, comme si elle musardait derrière, qu'elle ne se pressait pour rien ni personne, qu'elle différait la rencontre, mon père qui devait donc regarder de loin le document sur lequel il était en train d'inscrire son fils dans l'existence, le bout de papier qui lui permettrait de légitimer ses aspirations reproductives aux yeux de l'État, d'officialiser la venue au monde d'un nouveau participant au classement, que le stylo lui semblait tout petit là-bas à l'autre bout de son être, sans doute était-ce la pénombre qui régnait dans la pièce en désordre, allez savoir, mais mon père a inscrit les trois premières lettres de mon prénom sur le revers d'une enveloppe, d'une facture, que sais-je, un bout de papier qui traînait à ce moment-là sur le bureau de l'officier de l'état civil.

6

LA PLUPART du temps, nous ne produisons rien chez Monolite. L'essentiel de notre tâche consiste plutôt à restituer de façon crédible l'activité d'un bureau d'une centaine d'employés. Au jour le jour, nous nous appliquons à calquer le plus fidèlement possible l'organisation d'une entreprise de services typique. Nous reproduisons ses codes, ses travers, ne ménageons aucun effort pour que la reconstitution, étage par étage, poste par poste, soit d'une précision maniaque. Bien qu'il n'y ait personne au bout du fil, les réceptionnistes répondent aux coups de téléphone d'une centrale programmée pour faire fluctuer le volume des appels de manière réaliste : une pointe vers dix heures le matin, suivie d'une accalmie puis d'une reprise soutenue aux alentours de quatorze heures trente. Ces appels sont ensuite transférés au poste de l'un ou l'autre de nos employés, qui décroche, attend que se déclenche le message de confirmation et raccroche aussitôt.

Afin de vérifier l'efficacité des procédures de gestion, un volontaire se voit démettre de ses fonctions tous les vendredis. Il vient à peine de quitter son siège pour se diriger vers les bureaux de la direction que les membres du service informatique ont déjà bloqué l'accès à son poste de travail. Puisqu'il n'y a pas une minute à perdre – on a vu de paisibles bureaucrates se transformer en monstres à l'annonce de leur congédiement –, l'équipe des ressources humaines se hâte de mettre la dernière main à l'avis de licenciement. L'ensemble de la procédure, récriminations et adieux aux collègues compris, ne doit en aucun cas excéder l'heure et demie. Le lundi matin, avant de retourner vaquer à son inoccupation ordinaire, l'employé licencié le vendredi précédent est tenu de livrer ses impressions à un comité composé de représentants des différents services impliqués. La procédure de renvoi est si bien rodée chez Monolite que plusieurs, par dérision, se prennent à rêver du moment où ils auront la chance d'en faire l'expérience.

En attendant, l'évaluation du personnel reste chez nous un problème insoluble. S'il n'existe aucune production observable, aucun critère objectif permettant de comparer le rendement des employés, sur quelles bases évaluer leur performance ? L'ancienneté ? L'aptitude au simulacre ? Devrait-on récompenser ceux qui semblent les plus justes dans leur rôle ? Ceux dont on ne remarque pas la concentration besogneuse, l'exemplaire discrétion, considérant que ce sont les qualités exactes que réclame le poste qui leur a été attribué ? Sachant que ni l'un ni l'autre n'effectue véritablement le travail pour lequel on le paye, n'est-il pas discutable de se montrer plus généreux au moment des augmentations avec le premier assistant à la direction plutôt qu'avec le chargé de comptes junior ?

Pour régler la question, personne n'a trouvé mieux que de distribuer les primes de façon aléatoire. Une fois l'an, lors d'une grande fête à laquelle sont conviés l'ensemble des employés, un boulier détermine au hasard la répartition des augmentations : deux, trois, cinq ou, exceptionnellement, sept pour cent.

Nous ne produisons rien chez Monolite, mais ce rien constitue ironiquement la matière première de notre activité. Je m'explique : pendant que l'écrasante majorité de nos employés s'active à ne rien générer de façon crédible, d'autres équipes ont pour mission d'affiner ce rien, de veiller à sa transformation. Ainsi, ceux qui s'échinent quotidiennement à mimer le travail qui leur a été assigné – ce sont les chargés de projets, les adjoints comptables, coordonnateurs à la production, les assistants aux ventes ou à l'approvisionnement dont j'ai parlé tout à l'heure – permettent à ceux qui les observent d'évaluer en direct les mécanismes de l'activité rémunérée pour en tirer des lois générales. Une fois le grand corps de l'entreprise soulagé de son obligation de produire, il devient possible d'examiner par transparence les organes vitaux à l'œuvre. Imaginez : les processus purs, libres, la mécanique du travail visible à l'œil nu. L'organisme sous observation tourne à vide, bien entendu, mais quelle importance ? Des employés s'arrachent au confort de leur demeure, s'engouffrent dans le métro, s'inquiètent de ne pas être à l'heure, se démènent pour un salaire. Si les enjeux sont bidon, le processus, lui, reste bien réel. Et c'est finalement cette connaissance intime de l'entreprise en action que nos dirigeants ont eu la bonne idée de mettre en marché.

Chez Monolite, en ma qualité de testeur en chef, j'apporte ma modeste contribution au grand faux-semblant – je prétends ainsi remplir une charte des excuses tolérées dans l'entreprise en cas de retard, une charte que je suis censé peaufiner, à laquelle j'ajoute ou retranche un élément au gré de l'humeur ou des avancées technologiques, une charte que je modifie en fonction de la créativité des employés œuvrant dans mon service. Le plus souvent, ma tâche se résume à évaluer les réactions du personnel lorsqu'il se trouve confronté aux avaries qui menacent constamment le matériel. Une imprimante se rebelle, refuse l'ordre d'impression ? Je note la rapidité avec laquelle le problème est circonscrit, les stratégies et le vocabulaire utilisés. J'établis ensuite un rapport tenant compte de la marque de l'appareil, de son lieu d'assemblage, de son âge et de son prix. Je rédige des recommandations afin de minimiser les impacts intra-organisationnels de ce genre d'incidents.

Lorsqu'un couple se déchire sur les lieux du travail, que les insultes fusent, que les fournitures valdinguent, lorsqu'une femme, accablée par la chaleur de l'été, se risque à enfiler une robe dont la transparence bloque l'activité d'un étage entier, je suis encore aux aguets. Toutes les interruptions néfastes au bon fonctionnement de l'entreprise me sont utiles. Une employée apprend l'implication de son frère dans un accident de la route ? J'observe la propagation de la nouvelle, les manifestations de solidarité, le temps qu'il faut pour que chacun retourne à son poste et reprenne le travail de façon effective. Une fois le processus terminé, j'offre parfois à l'éplorée de la raccompagner chez elle.

Nos abonnés, les bureaux d'avocats, d'ingénieurs, d'experts comptables, les ministères, apprécient ces observations menées en situation réelle par des professionnels. Nous publions d'ailleurs quatre fois l'an à leur intention une série de fascicules thématiques dans lesquels sont exposés non seulement nos recommandations sur le type de latex, de tiroirs, de logiciels, de fours à micro-ondes, de trombones, de chaises à roulettes ou de revêtements de sol s'étant avéré le plus performant à l'usage, mais aussi les décisions prises dans une dizaine de scénarios d'urgence susceptibles de se produire chez eux. À l'intérieur de ces fascicules, en tête de chaque page, Monolite rappelle à l'envi que dans le monde hyper compétitif de l'entreprise d'aujourd'hui, la capacité de réagir face à l'imprévu fait la différence. Il est aussi spécifié, non sans emphase, que « Monolite occupe depuis huit ans la position enviable de leader en stratégies de management interstitiel ».

Nous intervenons là où les autres firmes de consultants lèvent le nez. Le management interstitiel tel que nous le pratiquons se glisse partout où l'entreprise peut être vulnérable dans ses activités quotidiennes. Ainsi, dans les analyses menées chez Monolite, nous ne reculons devant rien : ni la pénurie de gobelets, ni les problèmes d'évacuation des toilettes, ni l'approvisionnement de la machine à café ou les défaillances du système de ventilation ne nous indiffèrent. Nos détracteurs nous considèrent comme les éboueurs de la vie organisationnelle. Je concède que notre pratique se nourrit de restes que les autres ne se donnent pas la peine de nous disputer.

Afin de développer des solutions utiles aux entreprises qui se trouvent véritablement engagées dans la production de biens ou de services, on ne peut pas toujours compter sur le dysfonctionnement du matériel ou sur les aléas associés au facteur humain : il faut parfois provoquer l'inattendu. C'est là qu'entre en scène le testeur en chef. Je planifie le chaos. J'organise la malchance. Pour alimenter nos banques en microévénements traumatiques, je subtilise le téléphone portable d'un des représentants de la force de vente, je modifie les codes d'accès au réseau, je verrouille les documents jusque-là placés en accès libre, j'imagine mille contrariétés, je provoque une pénurie de papier ou d'enveloppes de format A4. Je manipule les données, j'introduis les virus, je saborde. Je provoque ce qui ne semblait pas envisageable un instant auparavant. Et puis j'observe. Personne ne m'a vu agir, mais je tâche quand même de me faire oublier. Je retourne m'asseoir jusqu'à la prochaine intervention.

7

JE SOUPÇONNE MES PROCHES de se contreficher de Monolite comme des défis que pose la pratique du management interstitiel. Alice ose parfois un « Ça va au boulot ? », qui procède davantage de l'affirmation, de l'espoir que tout se déroule sans accroc. Une formule de politesse qui ne réclame pas d'autres développements. Plus tard, mes enfants verront sans doute en moi un de ces hommes planqués, abrutis bien davantage par l'absurdité de leur tâche que par ce qu'ils ont accompli. Il y aura cette ambiguïté quand je rentrerai à la maison le soir, cette impression de mensonge, de salaire médiocrement mérité. Les enfants doubles regretteront de ne pas avoir un père médecin, géologue ou plombier, un de ces pères dont il est possible de mesurer l'implication, un de ces pères concrets capables de servir d'exemple ou de repoussoir.

Je n'ai pas particulièrement envie d'en venir à mes proches, or ils sont déjà là et il devient ridicule de prétendre repousser ce qui advient de toute façon. Je vous l'ai dit, mes proches ne sont pas nombreux mais insistants. Il y a mon père qui est mort deux fois, couvert de honte, Alice, les enfants doubles et ma mère, ma mère que je peine à reconnaître, ma mère qui, de saison en saison, rajeunit au-delà du raisonnable, depuis le sommet du crâne jusqu'à la plante des pieds, comme si elle avait découvert la fontaine de Jouvence et que cette fontaine avait un débit misérable, tout juste un filet, un crachin qui prendrait tout son temps à ruisseler. Ma mère rajeunit depuis vingt ans au gré des chirurgies, de façon méthodique, du haut vers le bas. Je m'attends à la croiser car nous aurons bientôt le même âge. On organisera une belle fête. Avant de souffler nos bougies, elle m'appellera «mon petit vieux» en me tapotant la nuque.

Ma mère travaille au catalogage du matériau. Par *matériau,* entendez les kilomètres d'enregistrements que recrachent quotidiennement les capteurs. Elle fait partie d'un réseau de sous-traitants dont la vie se résume, plus souvent qu'autrement, à détailler celle des autres. Pour compenser les heures qu'elle consacre à compartimenter une actualité qui ne la concerne pas, des heures habitées par autrui, ma mère tente de se soustraire au temps, d'éliminer les traces physiques de son passage. Je ne vois pas d'autre explication. Si je ne vis pas, semble-t-elle se dire, que je sois au moins dispensée de vieillir.

Il faut voir ma mère. Je ne crois pas que l'on puisse saisir qui elle est sans l'avoir jamais vue. Ses cheveux sont une cascade rousse, un torrent qui retombe en boucles épaisses, spectaculaires, jusque sous les omoplates. De jeunes femmes pourraient jalouser une telle chevelure et nombreux sont les hommes qui s'y font prendre, qui apercevant ma mère de dos dans la rue accélèrent le pas pour l'accoster. Quand elle se retourne, c'est une femme de trente, de cinquante, de soixante-dix ans qu'ils ont la surprise de découvrir. Une femme composite, disparate. Lorsqu'il ne lui restera plus rien à retoucher, qu'elle aura englouti la totalité de ses économies, l'âge de ma mère pourra sans doute enfin se stabiliser. Pour l'instant, quand on la rencontre, on ne sait pas trop qui se trouve devant soi.

Il faut dire que ce n'est pas évident. Ses cheveux magnifiques, et je n'exagère pas, une force vive, vraiment, font oublier un front d'un blanc cosmétique, on jurerait la surface d'un produit de beauté avant que le doigt ne vienne y plonger. Ses paupières remontent vers les tempes. Elle qui avait les yeux pleins, ronds, affectueux, un regard de bon chien, il n'est pas facile de parler comme ça de sa mère, mais ses yeux possédaient cette douceur, cette naïveté qui donnait envie d'abuser d'elle, se retrouve maintenant avec deux fentes, deux traits obliques, vifs, comme si elle soupçonnait un complot. Le nez n'a pas bougé, c'est celui que je connaissais enfant, long, droit, avec des narines légèrement évasées. Les joues, sans être affaissées, retombent un peu et il est difficile de savoir s'il s'agit d'une partie de son visage qui s'est admirablement bien conservée ou d'une opération dont le résultat aurait bougé. La peau du cou est tendue et, quand on y regarde de près, zébrée de ridules donnant l'impression d'un papier que l'on aurait chiffonné puis tenté de lisser à nouveau. Les épaules rentrent vers l'intérieur, osseuses, cuites par les trop nombreux étés passés au soleil. Les seins de ma mère tiennent admirablement, mais il ne s'agit pas de la poitrine d'une jeune fille, aucune confusion n'est possible à ce sujet. Il y a longtemps que je n'ai pas vu son ventre, mais je l'imagine comme ses jambes et ses fesses, tremblotant, quasi gélatineux. Les pieds de ma mère sont ceux d'un vieillard, secs, sans joie, des sarments de vigne accrochés au sol.

Depuis la maison – elle habite toujours celle où j'ai grandi, ce bungalow de l'entre-deux-guerres situé en 1,15 –, comme elle doit bien vivre de quelque chose, ma mère qui rajeunit du haut vers le bas répertorie le matériau récolté par les capteurs. C'est une tâche ingrate, répétitive, elle s'y esquinte les yeux, jamais je n'accepterais un tel métier, je préfère pourrir sur place chez Monolite, mais elle ne s'en plaint pas. Chaque matin, sauf le dimanche, pour éviter les fuites ou le piratage des séquences, une camionnette banalisée dépose devant sa porte, dans des boîtes de métal renforcées, une douzaine de disques identifiés selon leur capteur d'origine.

Après s'être soigneusement douchée, maquillée et vêtue, bien qu'elle habite seule depuis la double mort de mon père, bien que celui-ci lui manque au-delà de tout, « On ne s'ennuie pas d'un homme que l'on a aimé, ne sois pas ridicule, ce n'est pas ton père que je pleure, je pleure de si facilement lui survivre » – et là, elle se retient de faire référence à ma propre trahison, j'en suis presque certain, ce n'est pas l'envie qui doit lui manquer de revenir sur « ce gâchis », ce sont ses mots, « cet incompréhensible gâchis » –, bien qu'elle soit désormais incapable de mettre les pieds dans leur minuscule jardin et qu'elle ait fait abattre le tilleul, malgré tout cela, ma mère s'installe dans la pièce sombre et fraîche du sous-sol, au milieu des boîtes de conserve et des bouteilles d'eau empilées sur les étagères, en tailleur sur chemisier blanc, comme si elle allait au bureau et qu'elle s'était préparée pour une réunion importante, en tailleur au milieu des barils de lessive, de la pâte de tomate et des olives, elle allume la visionneuse, une machine au boîtier clair qui détonne parmi les réserves, une machine qui émet un petit bruit de contentement, un caquètement de reconnaissance lorsque le courant pénètre ses circuits.

L'écran bleuté s'illumine, ma mère enfile une paire de lunettes dont la monture argentée ajoute à la sévérité nouvelle de son regard. Elle insère le disque dans le lecteur, la machine regimbe, comme si elle cherchait à casser l'information en morceaux plus digestes, qu'elle tentait de réorganiser les données à sa façon. Pendant ce temps, je l'ai souvent surprise dans cette position, ma mère regarde droit devant elle, les mains croisées sur le moniteur. Peut-être qu'elle songe à un ventre lisse, à un sexe étroit, qu'elle regrette des pans entiers de sa vie. Je l'avoue, je n'ai aucune idée de ce à quoi elle réfléchit dans ces moments-là.

La machine reconnaît par appariement, par recoupement d'informations géographiques, morphologiques, les hommes et les femmes, tout l'autrui que ma mère observe défiler sur les extraits récoltés par les capteurs. Le programme peut identifier jusqu'à une cinquantaine d'individus à la fois, ce qui s'avère pratique pour répertorier les scènes de foule. Le nom, l'âge, l'adresse des participants au classement saisis par le capteur apparaissent automatiquement dans une bande de défilement située au bas de l'écran. Ensuite, en accord avec les prescriptions de la table des équivalences, ma mère précise la nature de l'activité dans laquelle ces participants sont impliqués.

Des raccourcis clavier lui permettent de gagner un temps considérable. Ainsi, pour de l'autrui déambulant dans l'espace public, il suffit à ma mère de maintenir enfoncée la touche P pendant quelques secondes pour que s'inscrivent dans la bande de défilement à côté du nom et de l'adresse du participant saisi par le capteur les termes *promenade/déambulation.* Si le sujet se trouve engagé en plus dans une activité qui implique l'acquisition de biens ou de services, une frappe rapide sur la touche A permet de compléter la description, qui devient instantanément promenade/déambulation/mode acquisition. De la même manière la touche U identifie un participant occupé à uriner sur la chaussée. CH indique une chute, AL une altercation, COP une copulation standard, PO un moment de passivité/observation, BV un baiser volé, C une claque, IO l'introduction (consentante) d'un objet dans l'orifice d'autrui sur la voie publique, DF une défenestration ou un délit de fuite, ce qui pose parfois problème, ma mère serait en mesure de vous l'expliquer mieux que moi, M une manifestation, MRO une manifestation réprimée par les forces de l'ordre, NP une nuit passée sur le pavé, etc.

Le catalogage des activités des participants au classement permet aux jurés d'exercer leur jugement dans de meilleures conditions. Sans ce débroussaillage en amont, sans cette méticuleuse consignation des agissements de l'autrui qui circule dans le champ des capteurs, pas un d'entre eux ne parviendrait à évaluer l'intensité des extraits qui lui sont présentés. Ma mère qui rajeunit le sait et en retire une certaine fierté.

Convoqués au hasard, les jurés proviennent de toute la région. Ils ne peuvent généralement pas s'offrir le luxe de refuser l'invitation qui leur est lancée. Il est évidemment possible de prétexter d'autres obligations, la convocation imprimée sur papier ivoire, format oblong, comprend la case « Sera absent des délibérations », mais de ne pas saisir la chance offerte de passer du côté des évaluateurs revient à se priver de la possibilité de pénétrer les coulisses du classement, d'en découvrir le véritable fonctionnement. Il faudrait être fou pour ne pas saisir cette occasion.

À l'évidence, des amis, de la famille, des connaissances ayant fait l'expérience du processus pourraient vous raconter comment les choses se passent à Estampes, dans le bâtiment de brique ocre où, selon des horaires que dictent la quantité d'événements repérés en amont par le catalogage, une soixantaine de groupes composés de vingt jurés rendent leurs verdicts. Ils pourraient vous parler de ce parallélépipède sur lequel se répartissent une succession de fenêtres anecdotiques. Si l'on insistait un peu, ils seraient susceptibles de vous expliquer que cet immeuble leur a laissé une impression étrange, comme s'il avait été conçu pour se faire oublier : une façade légèrement en retrait de la rue, mais pas assez pour attirer l'attention, un recul qui indiffère, quelques mètres de décalage qui n'amènent pas le promeneur à se questionner sur la vocation de l'édifice. Un immeuble banalisé que l'on remarque uniquement au moment d'y pénétrer.

Ces initiés vous raconteraient comment l'évaluation des participants se déroule dans les salles insonorisées mises à la disposition des jurés, le malaise du début de séance, la curiosité de savoir qui se trouve assis sur les chaises voisines. Et rapidement, une fois la gêne dissipée, la déception face à ces lieux que l'on avait imaginés autrement, plus vastes, plus lumineux, plus confortables, pensez, le centre nerveux du classement, son cœur battant. Difficile de ne pas être frappé par l'austérité de l'ensemble, ajouteraient-ils, par ces cloisons recouvertes d'une mousse grise et alvéolée, par ce mobilier procédurier, par ces lourds écrans encastrés dans des boîtes de plastique noir, par ces tables toutes bêtes dont les pattes métalliques ont laissé leur empreinte dans une moquette d'entrée de gamme. Difficile de rester insensible à cette atmosphère de contrôle budgétaire, de soumission la plus basse, d'économie réalisée sur le volume. Ceux qui ont déjà visité les lieux pourraient encore vous décrire l'enfilade des pièces du sous-sol où, dans un caquètement continuel, des ordinateurs qui trahissent leur âge procèdent à la mise à jour des résultats des participants au classement. Ils vous parleraient de l'odeur qui règne là-bas, ce mélange de circuits en surchauffe, de réglisse et de détachant industriel, mais quelles raisons auraient-ils de dire la vérité ? Pourquoi partager ces informations qui leur confèrent un indéniable avantage, une chance supplémentaire de vous distancer ?

En ces conditions, l'écrasante majorité de l'autrui convoqué à Estampes considère avec raison qu'aucun compte rendu ne vaut l'expérience directe. Dès lors, afin d'assumer ses fonctions dans un cadre optimal, autrui s'absente quelques jours du travail, abandonne les siens et, le plus souvent flatté de la confiance que l'on manifeste en son jugement, est heureux de déposer ses valises dans l'un des hôtels où s'entassent le reste des appelés. Le soir, après une journée éreintante passée à évaluer à l'écran les faits et gestes de ses congénères, après avoir tamisé l'existence d'une quantité effarante d'autrui, vérifié si les intuitions des préposés au catalogage étaient fondées, les jurés se retrouvent au bar. Là, alors que le gérant de nuit fait l'aller-retour entre l'accueil et son comptoir, déposant leurs consommations sur les sous-verres fournis par quelque pointure du Cercle 5000, ils se détendent, comparent leurs impressions, reviennent sur les meilleurs extraits, s'apitoient, parfois, sur les dérives occasionnées par le système.

Alice, que l'on a convoquée il y a quelques années, prétend qu'il s'en trouve toujours un pour déplorer le nombre croissant des agglutinés. On les distingue de loin, en périphérie des villes et des villages, réfugiés volontaires dont les campements improvisés se sont transformés au fil des ans, avec des cabanes en dur, des toilettes chimiques, des citernes d'eau potable, des salles de classe autour desquelles s'entremêlent les fils tirés pour faire sécher le linge. Ils sont parfois près d'une centaine à vivre comme ça en représentation continuelle, installés directement sous les capteurs afin de s'assurer que le moindre de leurs agissements soit enregistré. Plutôt que de tenter le gros coup, de manufacturer de l'inédit, ils ont choisi de tirer profit de l'intensité infinitésimale contenue dans la succession de leurs activités quotidiennes.

À mon avis, cette stratégie en vaut certainement une autre. Depuis l'annonce de la prise de contrôle, alors que je rentre à la maison après avoir quitté la voie rapide, il me vient parfois l'idée de ranger la voiture sur le basôté, de sortir une couverture du coffre, quelques bières fraîches, et d'aller m'asseoir avec eux.

S'il faut en croire Alice, le protocole d'évaluation des participants implique la manipulation d'une roulette graduée de zéro à dix que les jurés décident d'activer lorsqu'ils sont en accord avec la classification préétablie par les préposés au catalogage. Plus les jurés font pivoter la roulette, plus le score de ce participant s'apprécie. Selon Alice, l'entreprise est hautement subjective. On peut se demander, par exemple, si ces jurés eux-mêmes participants au classement ne sont pas tentés de noter sévèrement ceux qui les menacent directement. Après tout, il serait logique de profiter de la situation pour se dégager une marge de manœuvre confortable, neutraliser l'autrui dont on sent le souffle derrière soi.

Voilà pour la partie publique de nos existences. Les habitations des particuliers, quant à elles, échappent à la vigilance des capteurs. L'évaluation des événements qui surviennent dans la sphère privée est obtenue grâce à la collecte fine d'informations rendue possible par les bulletins d'intimité. Votre position au classement dépend ainsi de l'interaction de ces méthodes d'évaluation, imparfaites, je ne le discute pas, mais préférables à l'arbitraire qui permettait jusqu'ici à certains de réussir leur vie alors que d'autres échouaient, sans que personne sache précisément pourquoi.

Mais laissez-moi revenir un instant au catalogage. Le programme de reconnaissance n'est pas sans faille et l'intervention humaine reste nécessaire dans les cas de gémellité ou ceux de ressemblance extrême. Il n'est pas rare que ma mère ait à distinguer les membres d'une même famille confondus par le logiciel. Il arrive que des individus se transforment si soudainement que le programme s'avère incapable de les identifier. Il revient alors à ma mère de déterminer si cette blonde à la poitrine exubérante, à la taille soulignée par un pantalon d'exercice venant mourir au ras des hanches, happée aux abords du parc en train de promener un labrador, puisse être cette ancienne brunette au teint blafard, au corps empâté, elle aussi habituée à promener son chien dans le secteur. Qu'il s'agisse de traquer le nez refait qui vous transforme un visage ou d'évaluer les effets d'une greffe chez un ancien chauve, ma mère a la réputation d'être l'une des meilleures de tout le catalogage.

Pendant qu'elle s'affaire à classer les séquences qui lui sont livrées quotidiennement, un poste de radio posé sur l'étagère diffuse Nouvelles d'autrui, une chaîne d'information continue qui présente les faits saillants de l'actualité des participants au classement. Entre deux ballades formatées rock contemporain adulte, il est possible d'y apprendre avant tout le monde qu'autrui a réussi à avaler vivant un animal différent à chaque heure, non sans avoir ajouté au préalable la contrainte abracadabrante que ces animaux soient ingérés dans le strict respect de l'ordre alphabétique. Asticot, bigorneau, cancrelat, drosophile, éphémère, faux-bourdon, goupil, homard en carapace, iguane, jaseur avec le bec, kinkajou, lombric, musaraigne, naissains, oursin, poulpe, quetzal, rat, sansonnet, taon, urubu, ver, wyandotte, xylophage, yorkshire-terrier et zabre, le menu de cet illuminé est détaillé avec une frayeur de circonstance par un animateur nasillard. Il est spécifié qu'à la sixième et à la dix-huitième heure, deux de ces pauvres bêtes ont été avalées pour des raisons d'homologation et qu'autrui comptait rééditer son exploit dans une quinzaine de langues.

C'est sur cette chaîne que vous apprendrez en primeur qu'en ce moment même, de l'autrui neurochirurgien tente l'impossible pari de reconstruire un homme à partir d'une seule de ses pensées, qu'une veuve a choisi de se remarier pendant l'enterrement de son ancien époux, de n'organiser qu'une seule cérémonie par souci d'économie, de faire d'une pierre deux coups en quelque sorte, et que les malheureux invités, après avoir éprouvé toutes les misères du monde à choisir une tenue adéquate, ont dû supporter en plus le discours d'un prêtre azimuté qui exhortait, depuis l'au-delà, le mort à bénir l'union des nouveaux conjoints. Des confettis abandonnés par le vent sur le cercueil blanc du défunt aux chrysanthèmes composant le bouquet de la mariée, des condoléances proférées du même souffle que les vœux de bonheur. Selon les témoins interviewés en exclusivité par Nouvelles d'autrui, ce type inédit de cérémonie conjointe repousse les limites du mauvais goût, et jamais ils n'accepteraient d'aller aussi loin dans l'abjection pour générer de l'avant.

L'indicatif musical qui identifie la station est à vomir : « Nouvelles d'autrui / En direct et en musique, oh oui / Une seule radio vous dit / Qui remonte qui. » La voix est celle d'une femme au bord de l'orgasme, ou un peu après, difficile de le dire. Le jingle dégouline, mais ma mère ne saurait s'en passer. Il m'arrive régulièrement de la surprendre à fredonner « une seule radio vous diiiiit qui remooonnnte qui ». Ma mère admire la témérité de l'autrui qui est présenté là, solide, compact, en capsules d'une à deux minutes, parfois plus quand leurs agissements le justifient. Les entrevues live, les meilleurs moments de la semaine, le résultat des dimanches-bonis, les prédictions de Lynn Linber-Lowe dont elle ne se lasse pas de discuter avec Alice, ma mère consomme l'ensemble de la programmation avec le même appétit. Il lui suffirait d'entendre mon nom mentionné une seule fois sur les ondes pour la rendre au moins aussi heureuse que lors de l'arrivée des enfants doubles.

« Mas Baldam prend le classement par surprise. »

Ou encore : « Surgissant des profondeurs, de l'autrui que l'on croyait battu revient à l'avant-scène. »

À cinq ou six reprises, le hasard a voulu que ma mère ait à classer un extrait dans lequel j'apparaissais. Elle m'a ainsi vu traverser la rue en joggant, à Estampes, le long de la promenade en bord de lac, slalomant entre les retraités et les familles à poussettes, me stationner en secteur interdit, charger des paquets dans le coffre de la Subaru, oublier les clés à l'intérieur, « Pourquoi tu ne me laisses pas un jeu ? », moucher les enfants doubles, échanger quelques phrases avec une collègue de chez Monolite dont l'allure ne lui inspirait pas confiance. Chaque fois, peu importe la banalité des actions dont elle était le témoin, ma mère paraissait inexplicablement heureuse. Elle me téléphonait avec dans la voix une excitation que je reconnaissais entre toutes :

— Tu sais quoi, Mas ?

— Non, maman, lui répondais-je, même si je devinais ce qui me valait son appel au beau milieu de l'après-midi.

— Je t'ai à l'écran.

— Ah…

— Oui, tu ne fais pas grand-chose, d'ailleurs. Tu as une de ces mines… Je ne sais pas comment tu t'y prends, mais tu perds légèrement l'équilibre en descendant du trottoir.

— Ah bon…

— Oui, c'est presque invisible, mais je t'ai surclassé. Je t'ai mis un déséquilibre/rétablissement. Tu es content, au moins ?

Pour ma mère, mon travail chez Monolite était une bénédiction. Elle qui n'osait téléphoner à personne de peur de déranger ne trouvait aucune raison de s'empêcher de le faire avec moi. Mieux, elle prétendait que ces appels personnels passés durant les heures de bureau faisaient partie du réalisme tellement souhaité par mon entreprise. Au moment de raccrocher, elle disait :

— Voilà, Mas chéri, ne me remercie pas, grâce à moi tu n'auras pas complètement perdu ta journée.

8

AVEC DES MOYENS, bien sûr, tout devient possible. Il suffit de passer en revue les encarts publicitaires dont sont farcis les journaux du week-end pour s'en rendre compte : les entreprises rivalisent d'ingéniosité pour satisfaire l'autrui désireux de générer de l'avant au classement sans avoir à trimer. Bien que je lui aie exposé cent fois le mépris que ces raccourcis m'inspirent, Alice – tandis qu'elle s'étire d'une main le menton et qu'elle lisse de l'autre son front vers le haut, se maculant au passage le visage d'encre, on dirait un mineur extrayant l'actualité des profondeurs – ne peut s'empêcher de m'en faire la lecture. Elle prend une voix ridicule, une voix de petite vieille, de tuberculeuse qui aurait passé sa jeunesse alitée, une voix d'hospice, de bonnes sœurs qui froufroutent dans les corridors. Je ne sais même pas qui elle raille en faisant ça. Ma mère ? Se moque-t-elle de ma mère que ces suppléments fascinent et qui jure qu'elle l'aura, son safari sexuel? Ma mère qui, reprenant à son compte les termes exacts contenus dans le prospectus, rêve parfois sans pudeur à table « de la passion envahissante de l'homme-éléphant, du langoureux baiser de la femme-limace »?

— Avez-vous exploré toutes les nuances de l'humiliation? Envoyez-nous quelques cheveux prélevés sur l'oreiller de vos enfants et l'un des vôtres, gémit Alice entre deux quintes de toux qu'elle pense rendre plus crédibles en faisant mine de cracher ses glaires sur le linoléum de la cuisine, et courez la chance de découvrir que votre progéniture ne vous appartient pas grâce à notre test de paternité infaillible.

Elle se frappe la poitrine du plat de la main, fait coulisser sa mâchoire comme un ruminant, comme une centenaire dont le dentier aurait acquis au fil des ans une volonté propre, saisit un autre dépliant, laisse filtrer entre les dents :

— Essayez la cardio-dérision, la dépression-aérobique pour tonifier ce qui fout le camp, le premier cours est gratuit.

J'ai d'abord voulu croire que la richesse dont ils disposaient n'influençait pas les résultats des participants au classement, que ce système avait été pensé pour abolir les privilèges dus à la naissance, qu'il nivelait les différences en plaçant les hommes devant un défi commun : l'expression la plus nette de leurs possibilités. C'était ma façon de ne pas me considérer vaincu d'avance, de m'accrocher à mes chances de parvenir un jour jusqu'au Cercle 5000, moi qui provenais d'un milieu modeste, moi qui n'avais rien cassé lors de mon introduction à la Régionale des talents. Je dois convenir que je me suis trompé. Face à l'intensité, les hommes ne sont pas égaux. Pensez à toute la déchéance possible quand on a commencé verni dans l'existence, cette chute qui attend son heure, cela vaut son pesant d'or. Comment voulez-vous basculer quand vous partez de terre ? Elle n'est pas bien émouvante, la plongée de l'autrui qui n'a rien à perdre. Mais les laissés-pour-compte ont le loisir de transcender leur état, me direz-vous, de renaître de leurs cendres natales. M'en voudrez-vous de ne pas être d'accord ? C'est un principe physique : si la chute est naturelle, l'essor demande un effort. Je vous entends déjà : « Que les désargentés s'investissent à fond dans leur malheur, qu'ils excitent la pitié – les jurés ont des sentiments, la table des équivalences sait se montrer généreuse avec les indigents –, qu'ils accentuent leur misère, qu'ils creusent s'ils ne peuvent s'élever, qu'ils repoussent les limites du gouffre, ce ne doit pas être si compliqué enfin, toute cette souffrance à portée de main. Qui de mieux placé que les nécessiteux pour faire fructifier le désarroi ? Eux qui en ont déjà une connaissance intime, instinctive, viscérale ? »

Les soucis d'argent, la violence ordinaire d'avoir à se priver, cette colère qui prend aux tripes face à la réussite d'autrui, cette détresse ontologique du pauvre devraient leur revenir de plein droit, nous sommes d'accord. Pourtant, la désormais florissante industrie de l'augmentation de soi a réussi à les en déposséder. Quand il est devenu clair, par exemple, que les immigrants avaient tendance à bien se débrouiller au classement, que l'accumulation de contretemps dans l'obtention d'un statut ou d'un logement, que les efforts déployés pour s'acclimater à des coutumes, à des langages, à des climats étrangers dopaient leurs bulletins d'intimité, des entrepreneurs ont décidé de démocratiser l'expérience en proposant des forfaits rendant l'exil accessible à ceux qui en avaient les moyens. Plus besoin de fuir une famine, un dictateur, une guerre civile ou un génocide pour profiter des conditions avantageuses consenties par la table des équivalences en cas de déracinement.

Contre huit mille dollars, 1 Way Cruises vous organise un exil dans les règles de l'art. Vous n'avez même pas besoin de choisir votre destination, 1 Way Cruises s'en charge. Il vous suffit d'indiquer votre groupe sanguin et vos allergies alimentaires.

L'année dernière, Blin, un collègue de chez Monolite, s'est laissé tenter par l'un de ces forfaits qui promettaient de le faire progresser de façon marquée au classement. Après avoir navigué douze jours sur un rafiot qui empestait le diesel, sauté un repas sur deux, échappé de justesse aux contrôles des garde-côtes, participé de force aux activités de pompage quand l'équipage ne suffisait plus à la tâche, passé des nuits éprouvantes entassé avec huit autres compagnons dans une cabine dont les dimensions ne dépassaient pas trois mètres carrés – alors que la brochure faisait miroiter couchette individuelle et petit-déjeuner servi à la chambre –, il a tout simplement été abandonné en mer avec ses affaires éparpillées dans de gros sacs de plastique étanches.

Blin a nagé jusqu'à la rive qui n'était heureusement pas bien loin en maudissant 1 Way Cruises et en se jurant d'obtenir réparation dès son retour. Arrivé sur une plage de galets rendus glissants par les algues, trempé, furieux, il s'est dirigé d'un pas chancelant vers une habitation de planches, un toit en tôle et deux marches de béton impeccables menant à une moustiquaire qui bâillait sur un intérieur dont il ne distinguait rien.

— Excusez-moi. Vous ne savez pas où je pourrais trouver l'intendant de 1 Way Cruises ? a demandé Blin, sans même risquer un œil par l'entrebâillement. J'aurais besoin de lui poser une ou deux questions.

Il a attendu une bonne minute avant de se décider à entrouvrir la moustiquaire. Il a alors répété à tout hasard, en indiquant le bracelet de plastique jaune 1way.com qu'il portait au poignet :

— Vous ne savez pas où je pourrais trouver l'intendant ?

Après quelques secondes, le temps que ses yeux s'acclimatent à l'obscurité qui régnait à l'intérieur, Blin a réussi à distinguer une femme qui, depuis le fond de la pièce, venait dans sa direction.

Une métisse aux cheveux parfaitement lissés, au maillot de bain vert fluorescent passé sous un short Nike, dans les bras de laquelle somnolait une petite fille, s'est plantée à quelques centimètres de son visage et, dans un français plus que convenable pour une femme dont ce n'était de toute évidence pas la langue maternelle, lui a fait comprendre qu'elle en avait « marre de ces croisières de merde ! Qu'ils aillent échouer leurs apprentis Robinson ailleurs ! »

Blin n'a pas insisté. Il a descendu les marches en s'excusant, a repris ses sacs dégoulinants et s'est dirigé, le ventre noué car la nuit ne tarderait pas à tomber, vers ce qui lui semblait être la direction la plus appropriée pour trouver de l'aide.

Il a marché jusqu'à ce que le soleil disparaisse, croisant en chemin quantité d'arbustes couverts de poussière, de chiens errants et de détritus dans les fossés. Quand il lui est apparu évident qu'il ne rencontrerait pas âme qui vive, que l'intendant à l'accueil de 1 Way Cruises pourtant promis par la brochure n'avait pas été prévenu de son arrivée, qu'on avait dû le débarquer du mauvais côté de l'île, Blin s'est accordé un répit mérité, accroupi au milieu de ses sacs comme un clandestin. Il s'est mouché entre ses doigts et a été dégoûté par le mélange d'eau salée et de mucus sanguinolent qui a jailli de ses narines.

Blin se sentait démuni. Il crevait de faim et ne voyait pas du tout de quelle manière s'y prendre pour rentrer chez lui. Comme la température déclinait, Blin a trouvé l'énergie de se changer, a essoré les vêtements qu'il portait avant de les remettre tirebouchonnés et sales dans son sac, se disant que, pour l'hygiène, il verrait plus tard.

Une question se faisait pressante. Blin se demandait s'il serait mieux inspiré de se coucher directement sur la route afin d'intercepter celui ou celle qui passerait nécessairement par là, bien que, ce faisant, il prenait le risque d'être happé dans son sommeil par un tracteur, une brouette – Dieu sait ce qui circulait sur ces voies désolées –, ou s'il ne devrait pas plutôt battre en retraite vers le fossé et s'aménager une couche confortable avec ses sacs, auquel cas une voiture, un vélo, ou même un promeneur déambulant dans le secteur pourrait ne pas l'apercevoir.

Les seules références qui lui venaient en tête n'étaient pas bien utiles : s'il se rappelait distinctement la colonne humaine qui s'étirait le long de la route, les mères éplorées, les enfants sanglotants, il ne parvenait pas à isoler les images qui auraient été susceptibles d'apporter une solution à son problème. Où dormaient les réfugiés avant d'arriver au camp ? Comment se protégeaient-ils du froid, des intempéries, des bêtes ? Les informations télévisées n'insistaient pas suffisamment sur ces détails et Blin l'a amèrement regretté. Il s'est endormi avec la peur au ventre. Le lendemain matin, il s'est réveillé au même endroit, mais ses sacs et son bracelet avaient disparu.

Je ne connais pas la suite. Je n'ai jamais su comment il a été rapatrié.

— C'est trop humiliant, se contente de dire Blin lorsqu'on lui pose la question.

Quant à savoir précisément ce que cet exil express lui a rapporté, mieux vaut ne pas y penser, car Blin se rebiffe illico si l'un de ses collègues chez Monolite y fait allusion.

— Ce que j'ai vécu là-bas n'a rien à voir avec le classement. C'est une expérience de vie.

Et il repart avec le gobelet de café tiédasse que vient de lui consentir en couinant la machine du cinquième.

9

NOUS SOMMES une vingtaine d'années plus tôt. Il fait nuit, la lune est rétractée dans un ciel qui semble avoir perdu l'habitude de l'hiver. On le remarque à cause du noir qui ne couvre pas tout, du noir qui vient mourir à quelques encablures du sol, comme s'il voulait éviter le contact avec la terre gelée. Une fine ligne de lumière persiste à l'horizon, au-delà de la masse sombre des lacs où les îles sont si nombreuses qu'elles donnent l'impression que l'on pourrait traverser ce coin de pays à gué. Il s'agit sans doute d'une vision romantique des lieux. Peut-être ne verriez-vous ici qu'un paysage malmené fait de chalets abandonnés, de cabines de pick-up montées sur des tréteaux, d'arbres épars montant la garde au milieu des champs, de bateaux à moteur remisés sous des bâches. Un paysage de stations-services, de magasins à 1 $ aménagés au rez-de-chaussée de pavillons sans grâce, une nature trouée, périphérique, à travers laquelle se distinguent déjà les lueurs d'Estampes, toute proche.

— Arrête-toi là, me dit Flagos avec son accent impossible, du cousu main, du sur-mesure irlando-portugais, j'en ai marre de tourner comme un con.

Il m'indique une entrée de gravier menant à une maisonnette borgne, un bungalow de briques disparates, brunes, grises et rouges, dont une des fenêtres est bâchée de plastique. La neige ne recouvre pas encore les monticules de terre qui ont été déversés le long du garage en vue de combler je ne sais quelle irrégularité du sous-sol, je ne sais quelle faille béante menaçant d'engloutir la famille qui habite là. Un spot éclaire une pelle dont la taille est dérisoire en comparaison du travail qu'il reste à accomplir. Je stationne la voiture le plus loin possible de ce décor de drame passionnel en laissant le moteur allumé parce qu'il fait moins dix et que le chauffage de la Renault 5 est d'une nature capricieuse.

— Encore cette fameuse exception française, persifle Flagos en s'acharnant sur la commande qui devrait normalement permettre de contrôler la température de l'air soufflé dans l'habitacle. Le jour où les Portugais construiront leurs voitures, Mas, je te jure qu'on roulera sur les mers !

Flagos n'est pas plus Portugais que Slovène, mais il semble qu'un ancêtre né dans la région de Coimbra lui permette de revendiquer des origines lusophones. Ce qui est à proprement parler invérifiable. Ses parents sont Irlandais, mais comme il est de bon ton de se présenter sous un jour cosmopolite, et que la table des équivalences considère avec bienveillance l'autrui aux identités multiples, Flagos n'hésite pas à trifouiller son ascendance pour tenter de mériter sa place dans le club sélect des bi, des tri, voire des quadrinationaux. Il faut l'entendre dans les soirées, un verre à la main, baratiner des filles qui ne demandent pas mieux, leur parlant de ses ancêtres de la vallée du Douro, de ses cousines aux aisselles aussi moites que des baisers, de l'ombre drue qui leur recouvre la lèvre supérieure.

— Des Vénus en fourrure, leur sexe voit jamais la lumière, ironise Flagos, en jetant à la ronde des regards qui cherchent celle qui se laissera prendre, en tentant de deviner sur laquelle pourra bien se refermer le piège de l'apatride romantique, amateur de rock, du déraciné rendu incestueux par le souvenir du pays natal.

Il faut le voir, ce blondinet à taches de rousseur, ce minet à la peau translucide, aux pieds, aux genoux qui rentrent vers l'intérieur, cet authentique exemplaire d'une Europe fin de race, oui, il faut le voir jouer les jolis cœurs, les baroudeurs à la citoyenneté voyageuse, changeant de nationalité selon l'humeur ou la nature des arguments qu'on lui oppose.

Outre ses études de sociolinguistique, Flagos, de son vrai nom Flannagan, passe un temps considérable à travailler son accent. Il voudrait réussir le dosage idéal. Un français mâtiné de dix pour cent d'irlandais dans lequel percerait précisément quinze pour cent de portugais. Mais il n'y arrive pas. L'accent de Flagos est un produit chimique, un composé instable qui évolue selon la provenance et la quantité d'alcool qu'il ingurgite, la nationalité de ses interlocutrices, la profondeur de leur décolleté et la pression atmosphérique. Par temps glacial, Flagos a beau lutter, le portugais se carapate, rentre dans ses terres pour laisser triomphant l'accent impossible de ses parents.

Les phares de la Renault éclairent un parc minuscule dans lequel des arbres décharnés veillent une structure de métal dont les employés municipaux ont retiré les balançoires pour l'hiver. Il ne reste que les chaînes, et de cet ensemble émane un petit air lugubre qui n'est pas sans inspirer Flagos.

— Quel climat de merde.

Nos souffles embuent le pare-brise. Je donne un coup de grattoir et il neige instantanément sur nos jeans raidis par le froid.

— Je leur laisse dix minutes. Dix minutes. Pas une de plus, Mas, on est d'accord.

Flagos est énervé, mais il faut le comprendre. Nous attendons l'indice qui doit lancer le sprint de bonification depuis plus de deux heures, tout en endurant l'alchimie pop rock élaborée par des sorciers en t-shirt funky, en espadrilles vintages, des quadragénaires cachant leur calvitie sous des casquettes de couturier, des ex-jeunes qui, planqués derrière leurs machines au fond d'une officine scandinave, s'emploient à faire miauler par des gamines de treize ans ce qu'ils considèrent être les préoccupations profondes d'une génération. « There's a hole in my love, baby, can you feel it, can't you feel it, there's a hole in my love, hole in my love, baby, I need you to fill it, to fill it, hole in my love.»

Et ce taré d'animateur qui intervient tous les quarts d'heure pour nous faire languir. «Oui, ce soir c'est le grand soir pour vous qui désirez prendre une revanche, pour vous qui désirez accumuler de l'avant; très bientôt, le moment que vous attendez, le départ des dimanches-bonis de Nouvelles d'autrui.»

Tous les dimanches, entre minuit et six heures du matin, la station propose à ceux qui ont connu une semaine médiocre, à tout l'autrui qui a péché par manque d'intensité de rattraper le coup. Pour remporter le boni et améliorer sa position au classement, il suffit d'être le premier à venir exhiber sous le capteur choisi l'objet improbable sur lequel la rédaction de la station se sera entendu. Une reproduction de la Vierge noire de Czestochowa, une crécelle, la lettre de motivation rédigée par un objecteur de conscience, un goupil, une pince-monseigneur, un bâton de hockey autographié par un joueur mort à vingt-trois ans d'un arrêt cardiaque, un recueil de poésie vendu à plus de dix mille exemplaires, un soutien-gorge qui se dégrafe à l'avant et à l'arrière, une timbale d'argent, la carte d'embarquement d'un vol détourné par des pirates de l'air. L'imagination du comité chargé d'organiser les sprints peut être cruelle.

Voilà pourquoi, anticipant de notre mieux sur ce qui est susceptible d'être réclamé ce soir-là, estimant de cette manière nous procurer un avantage considérable sur tout l'autrui qui part d'une base fixe, Flagos et moi transportons, empilés dans le coffre et sur les sièges arrière de la Renault, une cargaison d'objets hétéroclites et bringuebalants. Des bougies d'anniversaire truquées, du plâtre à prise rapide, un abécédaire, un dé à coudre, des palmes en taille 38 et 43, des pièces de monnaie provenant d'une douzaine de pays différents, le numéro un de *GÉO*, une variété de quotidiens classés par ordre chronologique, de crèmes solaires par indices de protection, de cuillères et d'hameçons, un passeport diplomatique périmé, des dominos, de l'essence de vanille, des vibrateurs de configurations diverses, et plus particulièrement un modèle de caoutchouc noir surplombé d'oreilles de Mickey, dont l'ergonomie ne manque pas de nous émerveiller, des repas surgelés stockés dans une glacière de plastique rouge, une boule disco, une éprouvette, une carte géodésique de Wallis-et-Futuna, un chamois, de vieux exemplaires de *Playboy* dans lesquels des Bunnies en brushing s'appliquent à incarner une sexualité libre de droits, une fantasmagorie générique, ouverte à quiconque est capable de débourser 1,85 $. Des *Playboy*, soyons précis, que Flagos feuillette pour tuer le temps avec le détachement de l'amateur éclairé.

— Celle-là, cette brune en socquettes, me rappelle pourquoi je suis si heureux de pas avoir de sœur.

Comprenne qui pourra, Flagos n'entend pas donner de précisions.

C'est plus fort que moi, en apercevant ces jeunes femmes au sourire avenant, invulnérables dans le désir qu'elles inspirent puisqu'elles se sont dénudées pour une juste cause, celle d'un avancement social, d'une nécessaire refonte des mœurs, c'est à leurs compagnons que je pense. Oui, je pense à tous ces escrocs à cheveux longs, à tous ces contestataires de plumard dont le membre blafard émerge à peine d'une toison sombre, cet autrui à côtes et pomme d'Adam saillantes qui doit bien rigoler en nous voyant aujourd'hui, nous qui sommes arrivés après la fête, oh pas beaucoup, mais quand même, quelques années qui suffisent amplement pour constater l'étendue des dégâts. Ces types se sont payé toutes les transgressions et, après la foire, généreux, magnanimes, ils nous laissent le soin de rétablir l'ordre, de repenser les infrastructures, comme s'il y avait du plaisir à tirer de cette nouvelle gouvernance, comme si l'orgasme pouvait coexister avec une telle responsabilité.

«Salopards!» ai-je envie de crier quand je croise un de ces révolutionnaires dont le sexe a très certainement servi de pochoir, appendice mince et noueux imprimé à quelques dizaines d'exemplaires sur des t-shirts de chanvre qui moisissent au fond du placard d'ex-concubines aujourd'hui promptes à dénoncer la suggestive insouciance de leurs filles. Mais je m'abstiens. Il faudrait à coup sûr argumenter, démontrer en quoi ma vie sexuelle est plus misérable que celle de mes grands-parents, donner des explications, prouver que je ne bénéficie en rien des largesses de ces femmes qu'ils ont contribué à libérer en faisant sauter le verrou de la moralité.

Peut-être comprendraient-ils avec difficulté que je ne m'envoie pas plus régulièrement en l'air, qu'ils chercheraient à me rendre responsable de mon isolement, qu'ils essaieraient de trouver dans mon caractère, mes lectures, mes maladresses les causes de mon insuccès. Nous ne discuterions plus alors de générations, mais de mon cas particulier, et ces types en bide, jeans et blazer s'éloigneraient en souriant, pas même nostalgiques de leur splendeur d'antan, car ils auraient à leur bras, mutine et boudeuse, visiblement disposée à tout apprendre d'eux, une beauté de mon âge.

Une vieille américaine dont les flancs de bois plaqué ont la couleur exacte des panneaux qui recouvrent l'humidificateur d'une capacité industrielle que ma mère laisse mugir jour et nuit dans sa chambre pour préserver l'hydratation de sa peau passe en grinçant à côté de nous, s'arrête, fait demi-tour, repart en dérapant dans l'autre sens, menaçant de nous percuter avec la remorque bâchée qui cahote derrière.

— Tu crois que ces crétins sont sur le coup ?

— C'est possible, me répond Flagos en levant les yeux de sa revue pour les poser sur ses bottes attaquées par le calcium. Mais ils ont pas notre talent.

J'aime la confiance que Flagos manifeste en nos moyens. Malgré notre situation modeste au classement, malgré ce qu'elle nous occasionne comme difficultés avec les filles qui préfèrent s'afficher avec de l'autrui mieux considéré, plus à même de leur fournir un cadre épanouissant, Flagos est persuadé que notre déveine est momentanée, que notre heure viendra. Pour le moment, je farfouille d'une main dans l'amoncellement de cartons posés sur le siège arrière afin d'en extraire une mignonnette de Canadian Club. Avant même que j'aie le temps de me servir, Flagos m'arrache la bouteille des mains et la vide d'un trait.

— Un peu juste, dit-il en regardant tristement l'étiquette et en s'essuyant la bouche avec la manche de son anorak.

— T'avais qu'à prévoir.

Sur ces mots, je sors avec précaution de la poche de mon manteau un sandwich au jambon tiède enroulé dans du papier ciré.

— Et pour moi ? gémit Flagos.

— Y a des croquettes de morue dans la glacière.

Si nous partageons le même moyen de locomotion, « ton fourgon réfrigéré », se plaît à répéter Flagos en posant ses fesses sur le siège du passager, quand vient le moment de dénicher l'objet qui donnera droit à la bonification, c'est chacun pour soi. Notre matériel respectif est scrupuleusement identifié. Tandis que Flagos marque ses possessions du vert et rouge de ses ancêtres fantasmés, je me contente des autocollants lilas offerts par maman.

« Quinze mille positions de boni ce soir à l'autrui qui sera le premier à exhiber sous le capteur 11.45 quoi ?

Un chagrin d'amour, un ensemble sofa, repose-pied et causeuse assortis, une friteuse, une demi-vérité, une chasuble, un moment de bonheur ? Non, pontifie l'animateur que ses propres trouvailles émerveillent, qui s'étonne de faire preuve d'autant d'esprit alors qu'il est en direct. Un ami. Mais pas n'importe lequel. Ce soir, quinze mille places de boni à l'autrui qui sera le premier à présenter un ami de quinze ans d'âge sous le capteur 11.45. »

Selon le répertoire sans lequel nous n'oserions entreprendre cette course dominicale, le capteur en question n'est situé qu'à quelques minutes de voiture. Il suffit de contourner le collier des trois lacs par la route de gravier et de piquer plein nord sur une vingtaine de kilomètres. Je dépose mon sandwich entamé sur le tableau de bord, passe la première et démarre en trombe.

— Fais gaffe, putain, rugit Flagos.

— Ça va, merde. Pour une fois qu'on est dans le bon secteur.

Après avoir dévalé une longue descente bordée d'habitations schématiques – des abris de plastique montés en prévision de l'hiver sous lesquels les voitures patientent et le bois sèche –, des pavillons se répondant de chaque côté de la rue en un étrange face-à-face alors que l'espace autour donne le vertige, une tristesse symétrique rendue à peu près supportable par cet artifice, la présence d'un double exact devant ses fenêtres banalisant peut-être le drame, j'engage la Renault 5 sur la route de gravier qui serpente le long des lacs. Dans les virages les plus prononcés, je peux apercevoir à travers les arbres décharnés les feux de la voiture qui nous devance.

— Une devant, trois derrière, résume mon copilote. Fonce ou on va encore se faire baiser.

Ce n'est peut-être qu'un effet de perspective, mais j'ai très vite l'impression de revenir sur les meneurs. Tout vibre et s'entrechoque, ça valdingue dans le coffre. Flagos est passé sur le siège arrière et inspecte le contenu des boîtes empilées avec le sérieux des grands myopes. Considérant les spasmes de notre cargaison, la radio, le gravier projeté par les roues contre la voiture, les supplications du moteur, il nous faut au minimum hurler pour nous entendre.

— Quinze ans, Mas, on est bons ?

— T'as qu'à sortir les photos de la classe de neige qui sont dans mon sac bleu…

— Où ça ?

— À côté de la glacière.

— Ralentis, merde.

— Faudrait savoir, ma belle. Je fonce ou je ralentis ?

— Je t'ai dit de ralentir, tu vas me faire dégueuler.

Soudain – se sont-ils perdus, arrêtés en chemin ? – l'imposant postérieur de la vieille américaine surgit de la nuit, installé au milieu de la route comme en pays conquis.

— Mas ! supplie Flagos, que mes manœuvres rendent de plus en plus pâle, de plus en plus roux, on dirait que la peur le ramène à ses origines.

— J'ai vu.

Obéissant à une étrange impulsion, cela ne me ressemble pas, mais je n'ai pas exactement le temps de réfléchir à une possible dissociation entre mes actes et mon caractère, je tente un passage en force sur la droite : des branches de sapins et d'autres essences que la vitesse m'empêche d'identifier griffent la carrosserie, les pneus heurtent quelque chose de dur, la voiture menace de se renverser dans les eaux glacées d'un lac tout en rondeur. Tandis que j'accélère, Flagos hurle « Tu vas nous tuer » et disparaît en beuglant sous le siège arrière.

Nous sommes devant. Je ne sais pas comment je me suis débrouillé, mais nous sommes devant. Le conducteur de la vieille américaine actionne le klaxon qui mugit du fond de ses entrailles une longue note de fer et c'est toute l'agonie d'une industrie qui me monte aux oreilles. C'est Detroit qui meurt alors que je m'éloigne, le cœur battant, les mains glacées sur le volant.

Malgré l'obscurité, je discerne chaque détail avec une acuité prodigieuse. Les virages m'apparaissent bien avant que les phares ne les dévoilent à mes yeux. D'ailleurs, si l'on me le demandait, je pourrais sans problème reproduire le tracé de cette route jusqu'à la frontière toute proche, dessiner le contour des lacs, compter les habitations, les îles qui semblent apparaître d'elles-mêmes, se diviser au milieu des flots, cellules affolées dans un organisme malade. C'est une lucidité infrarouge, panoramique qui vient de m'être livrée. Je vois les animaux, les loups, les chevreuils se faufiler à travers les bois. Je me garde d'en faire part à Flagos, mais je sens des âmes frémir dans le froid au-dessus des collines.

— T'as la photo ?

— J'ai vomi dessus.

Une dizaine de minutes plus tard, après que le chauffage nous a fait la grâce inédite de redémarrer, nous arrivons à un belvédère de terre battue aménagé entre les arbres pour permettre à de très hypothétiques touristes d'admirer le panorama. Il y a de la place pour quatre voitures, une rampe de bois traité et une poubelle couverte pour empêcher les animaux d'en répandre le contenu sur des kilomètres. Je laisse les phares et le moteur de la Renault allumés. Le capteur 11.45 est accroché sur la gauche, à mi-hauteur de la structure métallique d'une antenne de retransmission. Le logo de Nouvelles d'autrui trône au-dessous, imprimé à l'encre réfléchissante sur une pancarte rectangulaire dont la partie du bas est découpée de manière à former le chiffre 15 000. Nous sortons de la voiture et l'air froid me fait l'effet d'une lame que l'on promènerait sur mes joues. Nous ne discutons même pas stratégie. Je fais grimper Flagos sur mes épaules, Flagos dont le squelette doit être de pierre ponce tant il me semble léger. Je lui agrippe les jambes pour m'assurer qu'il ne va pas s'envoler et disparaître dans la nuit avec nos quinze mille positions de boni.

Flagos maintient la photo à l'intérieur de son anorak, collée contre son maigre corps comme s'il s'agissait d'un nouveau-né. Nous y sommes un peu flous, emmitouflés sous plusieurs couches de vêtements, les joues rougies, la morve au nez devant un remonte-pente qui paraît dater de la première glaciation, bras dessus, bras dessous, le même bonnet beige à pompon, la même écharpe pelucheuse, le même sourire témoignant d'une solide confiance en ce que nous réserve l'avenir.

— Avance encore ou on va nous prendre pour deux phoques échoués sur la banquise.

Je fais quelques pas en direction de l'antenne.

— Arrête, c'est bon, dit Flagos, la voix étranglée par l'émotion.

Flagos qui présente maintenant la photo comme une offrande blottie au creux de ses mains, la rapprochant de l'objectif du capteur avec une humilité que je ne lui connais pas.

— Ici c'est mon copain Mas, qui est juste en dessous, et là c'est moi, vous voyez, on se connaît depuis longtemps. On est des amis, de grands amis même.

Il est possible que Flagos sanglote, mais comme le vent s'est levé, j'entends surtout le froissement de son anorak. Il y a ensuite un grincement sourd, un bruit de mécanique qui expire et les phares de la grosse américaine viennent doubler le faisceau qui nous éclaire. Sur la pancarte, le chiffre 15 000 étincelle dans la nuit. Je me retourne.

— Qu'est-ce que tu fous ! éructe Flagos, dont l'émotion s'est visiblement dissipée.

Un type massif, le cou enfoncé dans les épaules, une canadienne ouverte sur un ventre aux dimensions impériales, descend en gesticulant, fait le tour de la voiture, ouvre la portière du passager pour en extraire un adolescent que la puberté semble avoir contourné, si l'on fait exception des cheveux rouges qui éclatent en étoile autour de son visage. L'homme avance à grandes enjambées et soulève son butin de terre pour le rapprocher du capteur.

— Quinze ans, mon cul ! hurle-t-il en nous désignant, Flagos et moi, du menton. Ces deux-là en ont au moins vingt-cinq !

Et il agite l'adolescent en tous sens sous le capteur. Comme il sait qu'il n'y a pas le son, pour être bien compris, pariant sur un mécanisme sophistiqué de détection du mouvement des lèvres mis à la disposition des jurés, il articule comme un demeuré :

— Là ! Voilà ce que vous cherchez ! Là, un ami de quinze ans d'âge !

Et, comme pour se rendre plus convaincant, comme pour démontrer la puissance du lien qui les unit, l'homme à la canadienne entreprend de serrer l'adolescent si fort dans ses bras que ce dernier se met à hurler :

— On avait dit aucun contact ! Lâchez-moi ! Mais lâchez-moi !

Même si la photo de la classe de neige m'appartenait, c'est Flagos qui a hérité des quinze mille positions. Nous avons eu beau argumenter auprès des responsables des dimanches-bonis, demander l'application de mesures exceptionnelles considérant la nature de ce qu'il fallait exhiber sous le capteur – « Un ami, ça n'existe pas tout seul, enfin, c'est ridicule ! Pourquoi ne pas partager le prix en deux ? » a-t-on pu m'entendre plaider jusqu'au fond des locaux décatis de la station – ce à quoi le chef des relations avec les auditeurs, un homme à la cinquantaine assumée, à la forte haleine de café et au regard intelligent a répondu que c'était précisément ce qui l'intéressait et ce qui intéresserait le public de Nouvelles d'autrui.

— Nous voulons savoir comment une amitié vieille de quinze ans peut résister à une telle injustice.

— Mal ! Qu'est-ce que vous croyez !

— Ne vous inquiétez pas, nous avons prévu un suivi qui vous sera certainement profitable, monsieur Baldam, a-t-il ajouté sur le ton du bon père de famille qu'un éclat de voix n'impressionne pas, tandis que son assistante nous raccompagnait à la porte, dont la transparence était mise à mal par un essaim d'autocollants aux couleurs de la fréquence 100,8 FM.

— Pour ce qui est du lot boni, je suis désolé, dit-il depuis le bout du couloir, notre décision est finale. Il reste par contre la possibilité à monsieur Flannagan de renoncer à son pactole.

IO

J'AI VINGT ANS, les cheveux soigneusement lissés vers l'arrière, des jeans qui me serrent à la fourche mais que je porte quand même depuis qu'une jeune fille au visage tourmenté, l'épaule dénudée par un t-shirt asymétrique, m'a glissé à l'oreille un compliment obscène avant de s'éclipser à l'étage avec un autre. Ce soir, c'est une brune aux cils conquérants, à l'humeur et au regard charbonneux, une brune que je convoitais vaguement, que Flagos tout auréolé de ses récents succès au classement entreprend sous mes yeux.

Elle s'appelle Adma. Il fait une tête de moins qu'elle, gesticule, fume cigarette sur cigarette, encore plus pâle qu'à l'habitude sous les spots encastrés qui exposent sans pitié les défauts de l'appartement dans lequel nous avons atterri par hasard : murs lézardés, coups de pinceau anarchiques, traces laissées par les accrochages successifs de posters. Flagos, dont l'accent menace à tout moment de basculer dans le ridicule tant il force la note, raconte avec moult détails et simagrées que sa chance s'accompagne aussi d'une profonde tristesse puisqu'une réglementation « absurde, obtuse, rétrograde, il n'y a pas d'autres mots » l'a empêché de partager le boni avec moi.

— Fifty-fifty, c'est ce qu'on s'était dit avec Mas. Mais là, tu comprends… Enfin, quelle merde, ce truc.

Adma me sourit, pour autant que l'on puisse appeler ce pénible rictus un sourire. J'ai envie de lui demander si elle ne serait pas prête à réparer cette injustice, à offrir un peu de sa beauté revêche pour me soulager du sentiment d'avoir été floué. C'est la main de Flagos pourtant qu'elle prend dans la sienne, et c'est à lui qu'elle précise, suffisamment fort pour que je n'en perde pas un mot :

— Il y a une chambre au fond.

J'enfile mon manteau et je sors de l'appartement, où la fête se suffit à elle-même, où l'on n'a pas besoin du spectacle de ma déchéance pour divertir les foules. En franchissant la porte restée ouverte tant autrui entre et sort de cet appartement surchauffé, dévalant les marches, je me prends à espérer que quelqu'un remarque ma sortie précipitée, qu'une jeune femme plus attentive que les autres se lance à ma poursuite, me rattrape et me demande de rester. Au cas où cette jeune femme serait lente à se décider, entravée dans son action par l'alcool, un petit ami possessif ou une mauvaise cheville, je marque une pause de quelques minutes à côté des poussettes et des vélos entassés au bas de l'escalier. En vain.

Dehors, Estampes est dure, ses façades serrées dans un garde-à-vous qui me rappelle qu'ailleurs, dans d'autres appartements, pendant que nos âmes se dissipent, subsiste une idée de l'ordre. Recrachées des bars qui sont nombreux dans le coin, des jeunes femmes titubent, écorchent un succès qui ne date pas d'hier. Elles crient à tue-tête ou éclatent de rire, perchées sur des talons dont elles n'ont pas l'habitude. Une partie d'elles est encore là-bas, sur la piste de danse, entre les bras d'un commis aux ventes, assises toutes en jambes au fond d'un canapé dont le cuir colle contre leurs cuisses nues, les oreilles bourdonnantes, les yeux rougis par la fumée. Le froid ne semble pas les incommoder et leurs vêtements plaqués par la transpiration laissent tout deviner de leurs corps. Je les croise par grappes de trois ou quatre, cherche à retenir le regard d'une d'entre elles, recommence le manège avec la suivante. Avant de monter dans une voiture dont la suspension est mise à mal, une brune aux cheveux courts, pour impressionner les copines, dégrafe sa jupe et me montre son cul. Sur la banquette arrière, serrées les unes contre les autres, trop saoules pour coordonner leurs mouvements, les filles qui l'accompagnent entreprennent de l'imiter.

Je marche dans une ville qui fait ce qu'elle peut avec ses boutiques d'électroménagers, son club pour adultes avertis logé à l'étage d'un exterminateur de vermine. La perspective aidant, un rat de néon rouge se fraie un chemin à travers le rose électrique des cœurs enlacés du Love Machine. Je marche dans Estampes. Je longe ses terrains vagues, ses restos salvadoriens, ses entrepôts transformés en lofts pour trentenaires dans le coup, ses revendeurs de voitures usagées dont les enseignes se perdent dans le frétillement des fanions de couleurs disposés pour délimiter leur territoire. Je considère ses arbres qui arriveront à maturité pour une autre génération, ses lampadaires haut perchés passant des nuits consciencieuses à éclairer les piliers qui les soutiennent, avec en contrebas, comme si elle avait échoué sur les berges, comme si le lac l'avait recrachée, puis patiemment assemblée, sa longue promenade de bois traité.

Je suis à quelques kilomètres à peine de chez moi, du 1,15 parental, mon coefficient natal, mais je me sens comme une star déclinante qui au moment de monter sur scène ne sait plus si elle doit saluer Bruxelles ou Madrid, remercier Moscou, Lordre ou Berlin d'être venue l'applaudir. Si je ne me dirigeais pas dans la direction opposée, je descendrais près du lac et, malgré la faune de presque fugueurs, de quasi-paumés qui y traîne, j'allumerais une cigarette. Et puis, face à l'eau, sans m'apitoyer, je réfléchirais au cul de cette fille, à cette fente entrevue, à cette blancheur démente.

Un peu plus loin vers le nord, dans le quartier où sont réfugiés mes parents – pour vous situer, nous sommes bien avant que mon père ne meure deux fois, bien avant que ma mère ne se mette à rajeunir au-delà du raisonnable, elle vieillit encore, sans à-coup, avec une évidente bonne volonté, son être s'affaissant comme il faut, la nécrose de ses tissus épousant la bienveillante déclivité de la courbe normale –, un mur acoustique sépare les pavillons de la voie rapide où s'engouffrent les camions de livraison, la sirène hurlante des ambulances. Je marche lentement, le visage à demi enfoncé dans le col de mon blouson, heureux de ne pas avoir à me poser de questions quant à la suite des choses. Je vais jusqu'au bout du mur. Cela s'impose clairement dans ma tête.

Au bout d'un quart d'heure, alors que je m'éloigne du centre d'Estampes, les magasins se font rares, les premiers immeubles d'habitations apparaissent, vestibules éclairés au néon, prospectus empilés dans l'entrée. Une succession de parcs miniatures coincés entre les bungalows construits à l'identique pendant l'entre-deux-guerres, des escaliers droits, des balcons comme des langues dures surgies des façades, des ifs taillés en boule, des jardinets bordés par l'indifférence des autres, des toits en accent grave ou circonflexe. Dans les cuisines, on a laissé allumée une petite lampe, l'ampoule de la hotte, parfois la télé. De l'autrui fume derrière une fenêtre. Une femme en peignoir clair découpe une pièce de viande sur une planche de bois.

Pour ne pas être pénalisées au classement, les familles qui acceptent de se distancer des centres urbains bénéficient d'un coefficient de correction censé leur assurer une évaluation indépendante du contexte dans lequel leur vie se déroule. Ainsi, plus l'on se trouve éloigné d'une ville importante, plus le coefficient de correction accordé est élevé. Une telle mesure compensatoire n'a pas été adoptée au hasard. Il a été prouvé statistiquement que les occasions de profiter d'événements externes à la volonté des individus, de possibilités de progression au classement provoquées par l'environnement plutôt que par l'intervention des participants, étaient significativement plus nombreuses dans les villes que dans leur périphérie.

Les coefficients de correction tiennent ainsi compte de l'interaction de différents facteurs parmi lesquels sont considérées la présence d'équipements sportifs et culturels, celle d'universités, de transports publics, de bars ou de parcs, mais aussi la densité de la population, la diversité ethnique ainsi que les spécificités de l'urbanisme, de la végétation et du relief. Chez mes parents, nous sommes classés 1,15. C'est peu, considérant qu'il faut une vingtaine de minutes en voiture par la voie rapide pour rallier le centre d'Estampes. Malgré l'éloignement, la présence dans le quartier d'un institut œuvrant à la réinsertion des jeunes contrevenants jumelée à celle d'une prison à sécurité moyenne nous a défavorisés au moment de l'attribution de notre coefficient.

Il est vrai qu'un détenu serait susceptible de fausser compagnie à ses gardiens, traverser en courant la vaste pelouse du pénitencier, longer un moment la rivière, tourner à droite sur la rue bordée de cyprès qui mène au parc des enfants, prendre en otage sous les capteurs toute une classe occupée à barboter dans les eaux tièdes de la pataugeoire, profiter de la complicité d'un délinquant en permission exceptionnelle pour se faire la malle dans un minibus scolaire, exiger une considérable rançon et ainsi plonger le quartier dans une agitation à laquelle ne pourraient jamais aspirer les habitants qui ne bénéficient pas de la proximité de ce type d'installations.

Dans les faits, lors des visites organisées pour le public, il arrive que les détenus signent des autographes. Les enfants ne sont plus qu'une poignée à fréquenter les écoles du coin et, pour être tout à fait franc, il n'y a plus guère que les parents divorcés pour kidnapper leur progéniture à la sortie de l'école.

Bien entendu, l'application de cette mesure compensatoire ne s'est pas faite sans heurts. Il s'en est trouvé pour crier à l'injustice, dénoncer cette forme de discrimination positive. Ceux-là prétendaient qu'au contraire, c'est en périphérie des villes, à la campagne, dans le calme des maisons aux volets vifs, abandonnées au bord des routes, des lacs et des rivières, dormant au cœur des champs, que les querelles, les amours, le temps qui passe – leur argument englobait tout, jusqu'à l'ennui qu'ils prétendaient être de meilleure qualité loin de l'agitation urbaine –, bref que c'est dans l'éloignement que la vie serait vécue avec le plus d'intensité.

J'ai vingt ans, les cheveux soigneusement lissés vers l'arrière, des jeans qui me serrent à la fourche. Je marche le long d'un mur acoustique, horizon fait de panneaux de béton gris empilés sur une hauteur de trois mètres. Parfois, pour améliorer la vue qui est la sienne depuis le salon ou la salle à manger, un propriétaire a pris sur lui de planter de l'autre côté de la rue, au pied de la structure à laquelle il doit le calme relatif dont il jouit, un pied de lierre ou une autre espèce de plante grimpante. Aux abords de la prison, longeant la demi-douzaine de bâtiments dans lesquels sont retranchées les familles des gardiens, le mur acoustique se termine en pente douce. En se faufilant derrière la clôture de métal qui fait la jonction, il est possible d'observer en contrebas les voitures allumant leurs phares avant de s'engouffrer dans le tunnel. Suspendus au-dessus de la voie rapide, arrimés dans les parois rocheuses qui se dressent de chaque côté, les panneaux indiquant la sortie la plus proche sont accessibles par ici et des téméraires ont réussi à les graffiter.

Je suis sur le dos. Le sol est froid et humide. Une douleur fait son chemin jusqu'à l'arrière de ma tête. Mes jambes allongées donnent l'impression que je me suis installé pour prendre le soleil. J'ai un bras replié sur le ventre et, par-dessus, un poids qui me comprime la poitrine. J'ouvre lentement les yeux. Une femme se détache contre la lumière des réverbères : des cheveux longs autour d'un visage que je n'arrive pas à détailler. Une odeur de femme en tout cas, un mélange d'alcool fort et de crème Nivea. Je ne bouge pas. Une voiture passe en trombe, les haut-parleurs crachent une musique que je n'ai pas le temps de reconnaître, sans doute un gars de mon âge qui rentre chez lui en vitesse, une blonde en apesanteur sur le siège du passager. Une blonde avec des lèvres sucrées et une appréhension qu'elle camoufle par un lip-synch appliqué sur des paroles bêtes.

Je suis allongé sur le dos. Le sol est dur, irrégulier. Je sens l'herbe gelée à travers mes jeans. Une femme au visage contrarié, son manteau de laine sombre ouvert sur un discret pendentif, se balance d'avant en arrière, les bras en appui sur ma poitrine, le bassin pressé contre mon ventre. Je reconnais la jeune femme à l'écharpe bleu gris entrevue le soir de mon introduction à la Régionale des talents. Elle dit des choses que je ne comprends pas, d'une voix posée, comme si elle demandait qu'on l'oriente dans une langue étrangère. Peut-être est-ce à cause du choc, mais il me faut un moment pour décrypter ses paroles.

Elle m'invite à explorer les kilomètres d'une géographie sensuelle dont elle trace à toute allure les frontières : elle parle de siestes passées dans les propriétés secondaires aux alentours d'Orléans, des chambres de Porto dont les fenêtres donnent sur des regrets faciles, des lits défaits de l'hôtel Beverly Laurel à Los Angeles, de baisers échangés sous le regard de vieilles qui gloussent.

Alors, même si je pressens que ce n'est pas la chose à faire, je l'interromps :

— Vous pourriez parler normalement ? Il est tard, vous comprenez. Ce serait sympa.

— Crétin, dit-elle d'une voix glaciale, plantant ses yeux dans les miens, posant une main sur mon sexe, pour se remettre à bouger en rythme sur ma poitrine. Va falloir y mettre du tien. Je te suis depuis trois quarts d'heure, depuis cette fête d'où tu t'es tiré sans prévenir, alors maintenant tu vas m'écouter bien sagement, d'accord?

— Je disais ça comme ça…

Elle parle encore de Thuir et de l'ombre tiède des platanes, des banquettes arrière de 4 × 4 croisant au ralenti dans South Beach, de Tunis, de Buenos Aires, elle m'invite à lui faire connaître l'étreinte rugueuse de Siwash Rock, sous le ciel sans histoire de Vancouver.

Instinctivement, je cherche du regard le capteur qui pourrait justifier ce carnaval – avant de me faire miroiter des relations sexuelles de calibre international, cette jeune femme s'est quand même jetée sur moi depuis le haut du mur acoustique –, mais je ne trouve rien, rien que la nuit percée par la lueur des lampadaires, rien que l'enchevêtrement des lignes électriques qui cisaillent le ciel. Je me dis : «C'est un coup monté, personne ne peut sérieusement draguer comme ça.»

J'en suis à chercher mentalement la catégorie correspondant à ce type de comportement dans la table des équivalences, le pointage qui le justifierait, quand une autre voiture débouche derrière nous, accélère en laissant cruellement peiner la deuxième. La jeune femme baisse la tête. Dans cette position, la lumière des phares durcit son visage, accentue l'impression de congestion des traits en son centre. J'ai le sentiment que quelque chose de cruel se joue là, qu'il faudrait diluer ce visage, lui permettre d'occuper l'espace disponible.

Je la regarde avec tendresse ou anxiété, la frontière est floue. Bientôt la voiture s'éloigne et il ne reste que l'écho désolé, la froide attente de la voie rapide en contrebas, désertée à cette heure.

Bien sûr, je pourrais me libérer, faire comprendre à cette amazone de périphérie que je ne suis pas spécialement intéressé à me trimballer aussi loin pour satisfaire ses envies copulatoires, qu'à dire vrai, ici, maintenant me conviendrait parfaitement. Le capteur est juste là, accroché au réverbère qui marque l'angle de rues identiques ; si c'est pour permettre aux jurés abrutis par des heures de visionnement de se rincer l'œil, allons-y, pourquoi diable parcourir la terre pour échanger un peu de chaleur ?

La jeune femme regarde en direction des bungalows dont les fournaises ronronnent, modifie un peu sa position, sa jambe doit lui faire mal, peut-être souhaite-t-elle partir, rejoindre un petit ami qui nous espionne entre les stores horizontaux, de l'autre côté de la rue. D'ailleurs, je rêve ou on vient de bouger derrière cette fenêtre ?

La jeune femme observe sa montre. J'entends le bip d'un chronomètre et puis elle dit :

— Trois minutes vingt ! Je t'ai envoyé ça au lance-pierre.

— Excusez-moi ? dis-je.

Elle répète :

— Trois minutes vingt ! C'est trop con, Mas... J'avais du matériel pour tenir au moins dix minutes.

Elle se renfrogne, referme la main sur mon sexe.

— Alors, tu te décides ?

Je lui réponds avec une infinie délicatesse :

— Vous allez être déçue, j'habite tout près. À pied, on en a pour un instant.

III

11

C'EST PRESQUE mon tour de monter sur scène. Je révise les deux phrases qu'il me faut aligner pour que le technicien lance la vidéo d'introduction censée permettre aux investisseurs potentiels de mesurer l'étendue de mes qualités. Le type qui me précède, un ersatz de punk en perfecto et en muscles saillants, l'arcade sourcilière et le nez percés, les doigts constellés de bagues, se racle bruyamment la gorge, et un crachat pneumonique atterrit sur la moquette quadrillée des coulisses, à quelques centimètres des chaussures noires impeccablement vernies que ma mère m'a obligé à porter ce soir. Des ampoules de taille respectable ont eu le temps de se former sur mes talons en un après-midi de répétition. Non seulement je crains d'être incapable de prononcer le moindre mot au moment de faire mon entrée, mais je suis persuadé que c'est claudiquant et grimaçant de douleur que je vais rejoindre le lutrin côté cour dans quelques minutes.

— OK ! Ça va chier ! s'encourage le punk en perfecto avant de rabattre la capuche de son sweat-shirt sur ses cheveux décolorés. Vont s'en souvenir.

Et il entre sur scène comme un boxeur dans l'arène, ses baskets blanches délacées, les deux majeurs tendus vers la foule plongée dans l'obscurité.

— Fuck you ! hurle le jeune homme d'entrée de jeu.

Les spots gold se mettent à tourbillonner autour de lui et la musique démarre, un rap brutal envahit la salle de réception principale du Palais des congrès.

— You don't know me, tu sais pas qui je suis, just wait and see, je suis plaqué or, c'est la ruée vers Hector, I am gonna screw everybody, the goal scorers, the base stealers, the MBA's, the PHD's, the gold diggers, fake tits, fake lips, fake clit, I am the real shit, you don't know me, I am gonna split faster than a newly wed couple, faster than a cancer cell, Hector A and B, one, two, baby, le Cercle 5000, un vrai missile, j'vais exploser ta mise, tu vas décoller comme une sœur grise, direct au paradis, tout en haut, V.I.P., top five thousand, c'est moi que tu veux, Hectorminator, forget Hollinger, je suis plaqué or, you don't know me, just wait and see, top five thousand, top five thousand…

Pendant qu'Hector arpente la scène avec l'aisance de celui qui a passé les derniers mois avec les meilleurs chorégraphes, qu'il s'aventure dans la salle pour simuler une levrette énergique avec une élégante d'une soixante d'années qui se prête au jeu de bonne grâce, son collier de perles battant la mesure, faisant l'aller-retour entre son tailleur chiné et le visage rougeaud de son mari, derrière Hector sur l'écran géant une vidéo de facture tout à fait professionnelle le montre couvert de tatouages dans un bain à la robinetterie plaquée or en compagnie de créatures dévouées à sa personne.

On le voit accessoirement voler une banque, démarrer en trombe sur une moto dont les chromes étincellent dans la lumière fléchissante des boulevards, être poursuivi puis arrêté par une policière dont la poitrine appartient à un autre fuseau horaire, ajuster ses lunettes (bien qu'il fasse déjà nuit), sourire de façon désarmante avant de repartir avec la policière, dont les longs cheveux flottent au vent. Le tout est entrelardé de numéros de danse dans lesquels Hector, malgré ses jambes courtaudes, se montre d'une indéniable agilité. À la fin de la prestation, *Hectorminator* apparaît en lettres de feu à l'écran. La policière vient saluer sous les applaudissements d'une foule conquise. Hector lui prend la main. En guise de remerciements, il se fend d'un retentissant : « Fuck you all ! » qui a pour effet immédiat de faire redoubler les acclamations.

Après, c'est la cohue : le système informatique peine à suivre les ordres d'achat passés sur les sélecteurs de la taille d'une boîte à chaussures dont le couvercle aurait été taillé en biseau. Les investisseurs potentiels rassemblés dans la salle de réception principale du Palais des congrès pour cette Régionale des nouveaux talents semblent ravis d'avoir été pris de la sorte à rebrousse-poil par « un jeune rebelle à la rage, au courage et au mépris authentiques, sans casier judiciaire, un contestataire dans les règles », précise en voix off l'animateur chargé d'activer le rythme des transactions. À chaque table, à la suite de courtes luttes pour s'emparer de l'unique appareil, les boutons du sélecteur s'enfoncent dans un craquement de vertèbres.

Il faut voir Hector jubiler en coulisses, un bras passé autour de la taille de la policière, transpirant, le souffle court, son perfecto à moitié descendu sur ses épaules tatouées – bien malin celui qui parviendrait à déchiffrer cet entrelacement de symboles religieux, de logotypes et de codes informatiques –, tandis qu'il découvre sur le moniteur mis à notre disposition la progression de l'onde de choc qu'il vient de provoquer. En quelques minutes, Hector se négocie du simple au triple et, alors que défile en bas d'écran le cours atteint par leur rejeton, la caméra nous montre un couple d'âge mur, ses parents, qui ouvre des yeux ébahis. L'homme aux lèvres grasses salue l'assistance et embrasse le sosie de Tatcher qui lui tient lieu d'épouse, ledit sosie se trouvant tellement ému que, son verre de vin rouge à la main, il en oublie même de se rebiffer.

Puis vient mon tour.

La salle de réception principale du Palais des congrès est chauffée à bloc quand je me présente sur scène en essayant de camoufler de mon mieux le fait que mes chaussures sont un martyre.

— Mas Baldam ! annonce l'animateur en traînant de façon exaspérante sur le premier *a* de Baldam.

Espérant sans doute avoir affaire à un candidat de la qualité d'Hector, « taillé sur mesure pour le Cercle 5000 ! », s'est emporté tout à l'heure l'animateur en montant de façon désagréable dans les aigus, une poignée d'investisseurs exaltés applaudit à tout rompre. Bien qu'ils soient dans la salle, jamais ma mère ou mon père ne se prêteraient à une telle démonstration, surtout devant la famille.

Par timidité ou par réflexe, difficile de préciser vu l'état d'anxiété dans lequel je me trouve, je me mets à applaudir aussi et, comme le bruit amplifié par le micro-cravate se répercute dans un fracas épouvantable jusqu'au fond du Palais des congrès, je me dépêche de plonger les mains dans les poches de mon costume, un modèle à trois boutons taillé dans un velours luisant et acheté à rabais car, ainsi que l'avait très justement fait remarquer ma mère au vendeur, « le pantalon sous cette lumière semble nettement plus clair que la veste ». Par contre, comme il m'apparaît tout à fait puéril de réagir de la sorte, je me remets à applaudir, plus loin du micro cette fois, et cette hésitation initiale, je le pressens, ne jouera pas en ma faveur.

Au bout d'une dizaine d'enjambées devant me donner l'air décidé et dynamique, je trouve le lutrin et m'y accroche. Les organisatrices, deux trentenaires anguleuses partageant la même obsession pour le mot « authentique » et les accessoires africains, m'avaient promis que je ne distinguerais rien de la salle, mais c'est un mensonge éhonté. Je vois des rangées entières de lunettes sur lesquelles la lumière de la scène ricoche. Pour être tout à fait franc, je vois aussi que la plupart de ces lunettes ne sont pas orientées dans ma direction, mais vers leur voisin de table, ce qui me porte à penser qu'Hector est encore dans tous les esprits. J'inspire. J'expire à fond. À l'avant, quelqu'un que je ne connais pas me fait un petit signe amical. Pris au dépourvu, je souris, trop et trop longtemps.

— Ce soir est un grand soir, dis-je d'une voix que je souhaiterais plus assurée, tandis que l'éclairagiste déplace paresseusement le faisceau du spot principal jusqu'à moi. Ce soir est un grand soir pour moi, mais aussi pour vous qui allez voir qu'au-delà des apparences – je me désigne, paumes ouvertes, dans un mouvement censé générer une sorte d'ironie complice avec le public – Mas Baldam peut rapporter gros.

Rires polis, suivis d'un temps mort. Ce n'est pas ce que je devais dire. L'accroche développée par Peter, le quadragénaire dépêché par l'assistance publicitaire, allait comme suit : « Baldam, t'en as peu, tu rames. T'en a pas, c'est le drame. »

Mais après la performance d'Hectorminator, cette pénible tentative d'allitération, ce slogan identitaire minimaliste me semblait particulièrement mal venu. Le technicien hésite à lancer la vidéo d'introduction. D'une main, puis des deux, je lui fais signe d'y aller et, au bout de secondes qui me paraissent durer une éternité, une obscurité douillette tombe sur la salle.

J'avais rencontré Peter pour la première fois un mois plus tôt. Il était arrivé chez mes parents 1,15 un vendredi après-midi dans une camionnette de location grise contenant tout son matériel, avec l'intention bien arrêtée de me monter, comme il me l'avait précisé au téléphone quelques jours auparavant, « une présentation d'enfer ». Puisque Peter avait été commis d'office, et que ses prestations ne nous coûtaient rien, il aurait été indélicat de ma part de rechigner. Considérant les tarifs pratiqués dans le secteur, il n'était de toute façon pas question pour mes parents de faire appel à une firme privée pour préparer mon numéro d'introduction.

À vingt ans, afin d'établir le cours auquel chacun sera introduit au classement, l'autrui qui espère faire sa place doit se résoudre à affronter l'épreuve redoutée de la Régionale des talents. Il s'agit d'un rite initiatique cruel dont la plupart des appelés ne ressortent pas indemnes. Livrés au jugement d'une foule composée de la famille immédiate et d'inconnus venus pour une partie importante venger leur échec lors de cette cérémonie, ou du moins, soyons juste, se délecter de la maladresse des nouveaux venus, certains candidats ne s'en remettent jamais. Des années plus tard, ils continuent à parler de cette soirée comme d'un moment maudit. Loin de les aider à se faire un nom, cette présentation les aurait cristallisés dans une perception négative de leur être. Ils prétendent que leur vie aurait été différente si on leur avait évité cette humiliation organisée au quart de tour, dans laquelle tout semblait pensé pour donner le maximum d'amplitude à leur manque de relief.

Il est vrai que la qualité de votre performance à la Régionale des talents, votre capacité à éveiller l'intérêt d'une poignée de spéculateurs désireux de mettre la main sur de l'autrui dont le cours risque de s'envoler par la suite, voire de le propulser vers le Cercle 5000, détermine largement votre prospérité future.

Flagos s'est relativement bien tiré d'affaire si l'on considère la nature hermétique de ce qu'il a choisi de présenter. Il avait été convoqué avant moi dans la salle de réception principale du Palais des congrès dont l'installation répondait aux plus hauts standards du mauvais goût international : lustre central donnant l'impression qu'un obus aurait volé au cœur d'une verroterie, fauteuils à accoudoirs festonnés de fils argent, tables circulaires recouvertes de nappes brodées pouvant accueillir jusqu'à vingt convives à embonpoint, parfum capiteux et bijoux, banderoles des commanditaires et moquette épaisse.

Rejetant tout net l'idée d'être conseillé pour sa présentation « par une de ces têtes de nœud de l'assistance publicitaire », Flagos avait lui-même réalisé un film de trois minutes présentant, « en exclusivité mondiale », les résultats d'une expérience visant à déterminer l'influence des vocables dans le projet amoureux féminin hétérosexuel.

Si les conclusions se veulent révolutionnaires, la méthodologie employée par Flagos pour mener à bien son enquête reste des plus classiques. Dans un premier groupe, cinq jeunes femmes présentées de façon tendancieuse à la caméra – un lent mouvement les détaillant des pieds à la tête – ont pour mission de déterminer l'attrait que possède pour elles un homme de leur âge. Une série de douze mots issus du répertoire sentimental classique (*baiser, caresse, romance, désir, sensualité, fiançailles, alliance, confiance, galanterie, respect, amour, émoi*) est diffusée par une voix masculine sur une bande sonore alors que la photographie d'un jeune homme est distribuée à chacune des participantes.

Dans le deuxième groupe, cinq sujets féminins du même âge sont exposés à une photographie identique, ainsi qu'à une série de mots comportant une connotation sexuelle évidente (*fellation, masturbation, godemiché, sodomie, cunnilingus, gang bang, échangisme, lesbianisme, pénétration, fist fucking,* etc.). Selon un protocole expérimental identique, le troisième groupe est quant à lui confronté à une série de marques (Hermès, Peugeot, Lanvin, Moët & Chandon, Boucheron, Reebok, Cerruti, Miele, MasterCard, Aubade, etc.) que la voix masculine énumère, comme pour les deux groupes précédents, de la façon la plus neutre possible. Pendant que la photo circule dans les groupes, on peut voir les visages concentrés des jeunes femmes et il est parfois difficile pour le spectateur de déterminer si c'est le cliché ou l'un des mots entendus au même moment sur la bande qui les fait sourire, grimacer ou froncer les sourcils.

Au moment de présenter les résultats, Flagos est debout dans un costume perle très élégant prêté par son frère, l'ensemble des participantes à l'expérience rassemblées en un demi-cercle derrière lui.

— À la suite de l'analyse statistique des résultats de l'étude que vous venez de visionner, dit-il, les mains dans les poches, son accent mystérieusement neutralisé pour l'occasion, les chercheurs en arrivent à la conclusion suivante.

À ce moment-là, la caméra zoome sur Flagos et les spectateurs les moins attentifs sont à même de conclure que c'est bel et bien son visage qui circulait pendant l'expérience entre les mains des participantes.

— Quand Aubade fist-fucke avec galanterie, vos chances d'être jugé séduisant par une femme âgée de vingt-deux à vingt-neuf ans sont significativement plus élevées à un seuil de 0,05 que lorsque MasterCard branle l'amour.

Il prononce ces mots avec le plus grand sérieux, hoche la tête avant de serrer la main d'un assistant qui n'est autre que son frère, réquisitionné en plus de son costume pour l'occasion. On peut distinguer en arrière-plan les sourires gênés de quelques-unes des participantes. L'une d'entre elles, nez fort, taches de rousseur, bouche immense, quitte le cadre en essayant de ne pas éclater en sanglots. Flagos se lance à sa poursuite et le film s'arrête là.

Les propriétaires d'une galerie d'avant-garde située à Estampes ont adoré et Flagos a pu éviter l'humiliation de retourner chez lui Gros-Jean comme devant, sans investisseurs ni capitaux frais, ses propres parents s'étant abstenus de cautionner ce genre de représentation dégradante de la femme, «et de l'homme, c'est voulu, merde», avait brutalement précisé Flagos ce soir-là en quittant la maison, seul, en direction du Palais des congrès.

Il m'appartient à mon tour d'exciter l'appétit des investisseurs potentiels. Et Peter de l'assistance publicitaire est là pour m'aider à leur faire miroiter la possibilité que j'atteigne un jour le Cercle 5000, le cercle mythique de l'autrui qui verse des dividendes, qui rapporte de l'avant à ceux qui ont eu le flair d'investir au bon moment. Il existe des spécialistes des transactions du genre, de l'autrui qui remet semaine après semaine des bulletins d'intimité d'une pauvreté consternante, dont les jurés ne relèvent jamais la moindre action digne d'intérêt sous les capteurs et qui malgré tout, grâce à une série d'investissements judicieux réalisés à chaud lors de Régionales des talents, font aujourd'hui partie de l'élite du classement.

À l'entendre, Peter avait participé au cours des dernières années à nombre de ces introductions et la moyenne obtenue par les candidats qu'il représentait le situait parmi les meilleurs de toute l'assistance publicitaire. Devant mes parents rassemblés sur la terrasse arrière autour d'un thé glacé – mon père qui est mort deux fois couvert de honte s'était exceptionnellement déplacé de sous son tilleul, c'est vous dire l'importance de l'événement –, Peter présenta avec fierté le nom de quelques-uns de ses poulains en nous indiquant, statistiques à l'appui sur l'écran minuscule de son portable, où ils en étaient au classement.

Je n'avais entendu parler d'aucun d'entre eux, ma mère non plus, ce qui était plus surprenant étant donné le temps qu'elle passe branchée sur Nouvelles d'autrui, mais Peter avait l'air de dire que c'étaient des pointures et il gardait espoir que trois ou quatre de ses anciens protégés parviennent un jour à percer les 5000 premières positions.

Peter porte des chemises surpiquées ton sur ton, des jeans troués au genou, des bottes à bout carré et des ceintures à grosses boucles au-dessus desquelles pend comme une amulette dans un étui de cuir luisant son téléphone portable. De longs favoris noirs s'arrêtent net de chaque côté d'un menton à fossette dont il semble très fier. D'ici cinq ans, Peter aura perdu la totalité de ses cheveux. En attendant, il se coiffe comme il peut, ramenant depuis les tempes quelques mèches plus longues qui finissent par retomber à leur place au cours de la journée. Ma mère trouve qu'il a du charme.

— On dirait un animateur télé, dit-elle, sans pouvoir expliquer plus précisément auquel Peter lui fait penser.

Après m'avoir interrogé et avoir interrogé mes parents sur mes aspirations, mes talents (« Y a pas un truc que tu fais vraiment bien, Mas ? Tu vois ce que je veux dire, un truc qui rend tes copains raides dingues ? Non ? Réfléchis, un truc qui serait qu'à toi ? Le mort ? Tu fais super bien le mort ? Petit con. »), mes peurs, mes envies secrètes, ma sexualité, mes réussites, Peter décréta qu'il faudrait dénicher autre chose. Que je le veuille ou non, il allait trouver le moyen de me rendre irrésistible pour la Régionale. Il ajouta, non sans emphase, qu'après quinze ans de carrière, ce sont des cas comme le mien qui le poussaient à continuer. Mes parents paraissaient contents d'entendre ça et j'étais assez satisfait de voir que Peter ne se contenterait pas de livrer le minimum auquel il était tenu, qu'il escomptait lutter pour me permettre de rencontrer mon public, les mille huit cents investisseurs qui viendraient bientôt s'entasser dans une salle de réception à la décoration surchargée du Palais des congrès d'Estampes. Bref, je n'étais pas un sujet facile à vendre, mais l'assistance publicitaire, dans sa mansuétude, m'avait envoyé l'homme de la situation.

Alors qu'il consultait ses messages de façon un peu cavalière à table, sentant le regard désapprobateur de mes parents posé sur lui, Peter annonça sans sourire que, si je ne possédais pas de proposition unique de vente, pas de facteur différenciant, pas d'avantage concurrentiel susceptible de provoquer l'adhésion, il n'aurait aucune hésitation à m'en forger un. Ma mère, dont le visage avait encore une mobilité acceptable à ce moment-là, fit une grimace. En refermant son téléphone et en se tortillant pour le faire entrer dans son étui, Peter précisa sèchement :

— Ne vous frappez pas, madame. Tout le monde le fait.

Après un moment de silence, sa voix nous parvenant de très loin, comme s'il avait encore été à l'autre bout du jardin, comme s'il s'était exprimé à travers plusieurs couches de vêtements, mon père prit la parole :

— Et vous ne connaissez pas d'autres moyens ?

— Pardon ? fit Peter.

— Vous ne connaissez pas d'autres moyens ? répéta mon père sans élever la voix d'un iota.

— Non, monsieur, je n'en connais pas, sourit encore Peter avant de terminer d'un trait son thé glacé.

Deux heures et un appel plus tard (« Dépêche-toi, oui, tout de suite, ça peut pas attendre », avait dit Peter sans même tenter de camoufler le caractère urgent de la situation), j'étais assis face à un chiromancien amateur, un homme au visage maigre, aux yeux de fouine, à la dentition chaotique, les canines plantées très haut dans la gencive et chevauchant les incisives qui s'enfonçaient vers l'intérieur de la bouche dans un angle qui ne devait pas simplifier la manducation. C'était un retraité de l'assistance publicitaire recyclé dans la divination qu'utilisait parfois Peter pour dynamiser les présentations trop consensuelles.

Selon mon assistant publicitaire personnel, une juste dose d'ésotérisme ajoutait une touche de mystère, donnait de l'épaisseur à l'existence de « jeunes candidats qui, à vingt ans, ont eu bien peu de temps pour se réaliser ». Si le présent s'avérait mince, il s'agissait d'exploiter les possibilités inscrites dans le destin de ceux et celles dont on lui avait confié la représentation. Peter disait offrir une projection aux investisseurs pour leur permettre de planifier à long terme. L'acuité des prédictions n'était pas toujours optimale, il en convenait volontiers, mais il considérait que cela était quand même plus honnête que de ne rien offrir du tout comme perspectives aux acheteurs potentiels.

— Imagine un peu le truc, commença Peter alors que le chiromancien demandait à ma mère où il pouvait trouver une prise triple au salon et qu'elle lui indiquait avec dédain le mur opposé au canapé, sous la huche. T'as la cinquantaine bien sonnée et t'en as un peu marre d'avoir à te battre tous les jours pour faire ta place au classement. Financièrement, ça va. T'es pas riche, mais ça va. Alors tu te dis : « C'est le moment. » Tu compares, tu te renseignes et, au bout de quelques semaines, t'as trouvé. Tu te décides finalement à investir une partie de tes économies dans de l'autrui bourré de talent. Tu y crois dur comme fer. C'est du solide, en plus t'as l'impression de faire une bonne action, d'aider un jeune à démarrer. Tu penses participer à une espèce de redistribution des richesses transgénérationnelle, ce genre de conneries. Alors tu y vas. Tu lui verses du fric en échange d'une participation en sa petite personne transpirante de promesses. En fait, tu lui donnes pas mal de fric que t'aurais pu utiliser pour autre chose. Pour rénover ta maison, te ressourcer en clinique d'optimisation, partir en vacances ou te faire greffer des cheveux. Tu me suis, Mas ?

— Je te suis, Peter.

— Tu te dis : « Celui-là, une fois entré au Cercle 5000, il va me verser des dividendes et je vais pouvoir me maintenir, voire même, sait-on jamais, progresser sans avoir à trimer.» C'est la fête. T'es content de toi. Tu dors bien. Deux semaines plus tard, en sortant d'une soirée bien arrosée, ton jeunot farci d'avenir jusqu'à la moelle, ton as des as à peine pubère se tue en voiture. T'as deviné, il se plante au volant de la caisse que ton argent lui a permis d'acheter. Sale petit ingrat. Et voilà ton investissement qui s'envole en fumée. Si quelqu'un t'avait dit, avant que tu te mettes en frais, je sais pas, par exemple : « Un drame viendra écourter l'existence de ce jeune homme », ben là au moins, t'aurais été prévenu. T'aurais su que ton joyau, c'était pas un placement pépère, qu'il pouvait te sauter à la gueule à n'importe quel moment.

Le chiromancien finissait de s'installer dans le salon. Mon père avait regagné au jardin la chaise longue lui servant de poste d'observation des phénomènes infinitésimaux, et ma mère faisait semblant de s'occuper à autre chose, assise les jambes croisées à la table de la cuisine. Le chiromancien ne lisait pas l'avenir dans les paumes de la main, mais à partir d'un scan qu'il agrandissait ou rapetissait selon la volonté du client de recevoir une prédiction située dans un futur lointain ou rapproché. Cela lui permettait de faire ses prédictions sur Internet, où il réalisait une partie importante de son chiffre d'affaires.

— J'ai des clients jusqu'au Moyen-Orient ! disait-il, les yeux rivés sur l'écran de son ordinateur. J'en ai un qui est incapable de prendre une décision sans me consulter. Je lui ai choisi sa troisième femme.

Peter filma la totalité de la séance, prit des plans de coupe de mes mains, de celles du chiromancien, des différents objets qui se trouvaient dans le salon de mes parents : les souvenirs de voyage, les beaux livres attendus – peintre abstrait, pays lointain, musée prestigieux –, les reproductions modernes mais pas trop qui égayaient les murs. Peter étendit ensuite les photos de famille qu'il avait sélectionnées sur la table basse du salon, puis des extraits de mes bulletins et les épinglettes attestant ma capacité à maîtriser les techniques du chasse-neige et du parallèle.

— Vous êtes une vieille âme, dit d'entrée de jeu le chiromancien en examinant à l'écran le premier scan de mes paumes.

Je haussai les épaules.

— Vous êtes sûr de ne pas me confondre avec un de vos émirs ?

Peter eut un rire aigu derrière la caméra, et renversa un vase et son contenu de petites pierres sur le tapis du salon. Je sentis ma mère bouger nerveusement derrière nous.

— Ça va, Pete, dit le chiromancien sans se démonter. Occupe-toi de regarder où tu fous les pieds.

Gilles referma la fenêtre qui était ouverte à l'écran de son ordinateur et se dépêcha de cliquer sur une autre icône. Ma mère se planta face à la baie vitrée.

Dehors le ciel était plat, compact, taillé dans un gris uniforme, ce qui n'empêchait pas une fine pluie de suinter jusqu'à terre. Ce n'était pas bien méchant comme averse ; d'ailleurs, à l'abri sous son minuscule tilleul, mon père n'avait même pas pris la peine de rentrer. Il me demanderait ensuite, avec le décalage dont il était coutumier, ce pourrait être une ou deux journées, avec cette sollicitude déconcertante tant elle arrivait tard, cette tendresse à retardement, si la séance s'était déroulée comme je le désirais, si l'avenir que l'on m'avait annoncé me semblait digne d'intérêt.

Pour l'instant, devant la maison, unique mouvement perceptible contre le mur acoustique, de gros 4 × 4 dont les places arrière restaient inoccupées poursuivaient leur route vers un quartier plus cossu.

Une fois la nouvelle image chargée, le chiromancien se remit au travail. À l'aide de la souris, il agrandit un détail de ma paume.

— Ça va pas être simple, ton truc, jeune homme, dit-il au bout d'un moment en levant les yeux vers moi, passant sans crier gare au tutoiement, comme si ce mauvais départ et la présence de ma mère – elle était maintenant stationnée, les bras croisés, à la frontière exacte de la cuisine et du salon – l'avaient convaincu de laisser tomber les convenances pour se concentrer sur l'essentiel.

Ma mère laissa échapper un soupir exaspéré.

Hors cadre, Peter me fit de grands signes afin que je prenne sur moi de relancer ce qui, de toute évidence, n'allait nulle part.

— Je suis content de l'apprendre, dis-je alors avec politesse, jetant au passage un coup d'œil que je voulais apaisant vers ma génitrice.

Je ne trouvais rien à ajouter. Le chiromancien ouvrait et refermait la bouche de façon inquiétante, un peu comme s'il avait cherché, pour rétablir la situation, un moyen de faire correspondre les dents du bas et celles du haut. Depuis l'arrière de sa caméra, Peter jugea bon d'intervenir pour sauver la séquence :

— Gilles, merde, concentre-toi, qu'est-ce que tu vois ?

— Tu veux savoir ?

— Fais pas le con…

— Je vois un sacré bordel… Des vies qui se chevauchent, comme si plusieurs scans avaient été superposés. Je comprends pas, le fichier doit être corrompu.

— Ben, recommence, laissa tomber Peter en stoppant la caméra.

Gilles recommença, trois, quatre, cinq fois, me demandant d'aller jusqu'à stopper ma respiration lorsqu'il prenait la lecture de mes paumes sur la surface vitrée du scanner, se remettant à l'ouvrage avec la même application généreuse, me révélant mon avenir comme il lui apparaissait, sans se soucier de filtrer ou de corriger au passage ce qui pourrait plomber ses prédictions précédentes.

Je serais dans la marine marchande, le transport ferroviaire, la manutention. Je serais expert en sinistres pour le compte d'une grande compagnie d'assurances, travesti, repris de justice, tennisman, routier, institutrice, restaurateur, bibliographe. Je serais célibataire, orphelin, veuf, asthmatique. J'avais six mois à vivre, huit ans, onze, je serais centenaire. Je resterais puceau, jouerais les playboys sur la Riviera Maya dans un quatre étoiles et demie, serais millionnaire à Moscou et finirais sans le sou, au vestiaire d'une école rabbinique. Au fil des lectures, j'accumulais des qualités et des défauts contradictoires. Je serais une femme-enfant, une matrone, une Mère Courage ou j'aurais un côté féminin exacerbé, Gilles était incapable de préciser sa pensée à ce sujet. Je renierais les miens. Je parlerais quotidiennement hébreu ou finnois. Je serais nègre, arabe et sud-américain. Je ne pourrais compter que sur moi-même.

Gilles se passa la main sur les yeux.

— Vas-y directement dans les paumes ! s'impatienta Peter.

— Je sais pas lire dans les paumes !

— T'as qu'à faire semblant ! Je te demande pas la vérité. Je te demande une ou deux phrases à peu près cohérentes pour booster la présentation du petit !

La caméra tournait toujours.

— Ah ouais ? Ben t'as qu'à regarder toi-même, cria Gilles en retournant brusquement son ordinateur vers Peter. Les lignes de ce gamin, c'est pire que les branchements sauvages dans une favela !

— C'est ça..., se renfrogna Peter.

Je regardai mes paumes et ce que je vis me sembla tout à fait normal. À peine un peu court côté ligne de vie, si toutefois c'était bien la ligne de vie que j'examinais.

— On est pas là pour s'engueuler, maugréa Peter en se laissant tomber dans le fauteuil qui faisait face au canapé où nous étions installés, le chiromancien et moi. Quel est le problème ?

— D'un scan à l'autre, on dirait que les lignes se déplacent. C'est n'importe quoi. Ça part dans tous les sens, gémit Gilles.

— Oui, je sais, tu l'as déjà dit. Alors ? demanda Peter qui se caressait les favoris, semblant déjà être en train de réfléchir à une solution de rechange.

— Alors ? Comme tu vois, je passe pour un abruti.

Il y eut un moment de silence rythmé par le martèlement des talons de ma mère sur le plancher de la cuisine. Peter regardait par terre, Gilles observait son écran, je feuilletais un livre consacré à la collection Peggy Guggenheim dont la couverture craquait comme s'il n'avait jamais été ouvert.

— Tu peux pas la faire sortir d'ici, soupira le chiromancien en désignant du menton ma mère qui continuait à faire les cent pas derrière nous.

— Je suis chez moi, et c'est de l'avenir de mon fils qu'il s'agit, répondit-elle d'une voix sifflante.

— Bien sûr, dit Peter en levant la tête.

— Bien sûr, maman, dis-je.

Mon avenir se dérobait. Ou plutôt, à l'inverse, s'il fallait en croire les difficultés rencontrées par Gilles, mon avenir s'accumulait. J'en possédais tellement qu'au moment de le ramener au présent, les lignes de ma main faisaient de grosses perruques, exactement comme le fil à pêche sur un moulinet que l'on rembobine à la hâte.

12

LA VIDÉO d'introduction lancée par le technicien, je reste sur place, tétanisé, les talons à vif. À l'écran, on me voit en plan fixe, rasé de près, les lèvres et les yeux soigneusement maquillés. Je regarde droit devant. Je ne me reconnais pas. Cela dure une minute, puis une deuxième sans que l'on m'aperçoive même cligner les paupières. Peter a coupé au montage les moments où je fermais les yeux.

— Je veux qu'on mesure l'intensité de ton regard, qu'on sente toutes les vies que tu portes en toi. Je veux que ce soit insoutenable, Mas.

Insoutenable est le mot. Devant moi, je sens la salle qui s'impatiente : un seul corps qui bouge dans l'obscurité, un seul corps et sa grosse respiration excédée. Des sifflets se font entendre. Certains se mettent à frapper leurs couverts en rythme sur leurs verres pour que s'arrête le supplice. Quand les mots « Vous attendez ? » apparaissent en surimpression à l'écran, le mécontentement diminue. Devant moi la bête paraît se calmer. Par dérision, quelqu'un crie : « Je prends tout ! » Et puis, sans prévenir, ce ne peut être qu'un moyen de mettre à distance l'humiliation qui se profile, je me surprends à me trouver beau. Pas simplement beau, spectaculairement beau. En fait, spectaculairement beau et excitant. Voyez vous-même. J'ai ces sourcils conquérants et subtils. J'ai ce regard de prophète, de martyr qui ne marque pas. J'ai cette peau diaphane, ce long regard de douleur contenue. Je suis un saint ambigu à fard à paupières et à bouche cerise que la foule devrait embrasser, ne saurait tarder à embrasser. Est-ce la nervosité ? La recherche d'une satisfaction immédiate censée contrecarrer le désastre à venir ? Voilà qu'à la faveur de l'obscurité, je glisse une main furtive dans la poche de mon pantalon.

« Attendez-vous à tout », disent maintenant les lettres en surimpression sur mon visage. Effectivement, Peter. Malgré l'étroitesse de la poche, je réussis à empoigner mon sexe à travers le tissu. Les spectateurs réunis dans la salle principale du Palais des congrès sont maintenant bombardés par un montage sonore épileptique des prédictions contradictoires réalisées par Gilles.

La narration s'accélère, on entend des bruits de scie circulaire, de marteau à air comprimé. Les sons se télescopent, ma main peine à suivre la cadence, mais cela n'a aucune importance. Au moment exact où la présentation laborieusement mise bout à bout par Peter se termine et où se rallument les lumières de la salle sur un public stupéfait, je décharge dans mon pantalon.

— Prenez ceci, dit une jeune fille du premier rang qui semble ne rien avoir raté de mon échappée solitaire.

Comme je ne réagis pas, égaré, ébloui par les projecteurs qui viennent de se rallumer, elle se lève et brandit devant moi le programme de la soirée. À ses côtés, une femme que j'identifie comme étant sa mère – elles portent la même écharpe bleu gris et je me demande ce qui leur est passé par la tête au moment de sortir, comment elles ont pu se convaincre l'une l'autre que ça allait –, interprétant l'agitation de sa fille comme une manifestation claire de son intérêt à mon endroit, trop heureuse d'assurer la prospérité future de sa progéniture au classement, saisit le sélecteur par le fil, le traîne sur la table à la barbe des autres convives, menaçant de renverser verres et assiettes et, après l'avoir installé devant elle, actionne boutons et leviers afin d'acquérir une quantité non négligeable de ma petite personne.

— Nous avons une première enchère ! hurle l'animateur pratiquement sans décalage. Qui d'autre veut investir dans ce jeune homme à l'avenir profus ?

J'entends *confus.* « Ce jeune homme à l'avenir confus. » Je suis sûr de ne pas être le seul. Et puis, comme personne ne se manifeste, qu'il ne se trouve aucun des mille huit cents investisseurs rassemblés dans la salle principale du Palais des congrès d'Estampes pour bourse délier, qu'au-delà des bruits de bouche, des cliquetis de couverts et des quintes de toux occasionnelles le silence est assourdissant, mon père qui mourrait deux fois et ma mère qui rajeunirait au-delà du raisonnable, humiliés jusque dans leur chair, n'hésitent pas à voler à mon secours – aussitôt imités par ma tante et son mari, un couple que je n'avais jamais vu avant ce soir, que je ne pouvais donc soupçonner d'entretenir des sentiments particuliers à mon égard, et par une cousine de ma mère qui, ne voulant pas être en reste, s'est elle aussi retrouvée prise au piège de la solidarité familiale. Ils raflent, à prix tout à fait raisonnable si on le compare avec celui atteint par Hector, le reste des actions Mas Baldam mises en circulation lors de la Régionale des talents.

Que mes parents aient dû hypothéquer à nouveau la maison 1,15 pour rassembler la somme nécessaire à mon renflouement, que d'autres membres de la famille aient été mêlés malgré eux à ce fiasco n'explique sans doute qu'en partie l'enchaînement des événements qui mèneraient à la prise de contrôle plus de vingt ans plus tard.

13

FACE À L'ADVERSITÉ, certains éclatent en sanglots, argumentent, s'emportent, moi, c'est la stupeur qui me vient spontanément, comme si dans les nerfs, à force, s'était développée une voie royale, plus large, mieux balisée que les autres, un parcours neurologique par défaut dans lequel l'influx voyage à son aise : une espèce d'autoroute menant droit à la stupeur. Alice me raillait pour ça. Elle disait, et je crois que c'était une façon de mettre à distance sa déception de me voir stagner au classement :

— Tu avoueras..., c'est quand même incroyable qu'avec le choix qu'il y avait à la Régionale, il a fallu que je tombe sur un stupéfait.

Elle donnait l'impression que notre rencontre avait été planifiée, qu'elle m'avait choisi parmi les autres candidats. Pourtant, nous savions qu'elle devait davantage à son bon cœur et à l'empressement de sa mère à assurer la prospérité de sa fille au classement qu'à la qualité de ma performance la participation en ma personne dont elle avait hérité ce soir-là. Une fois la méprise établie, si elle avait conservé ses parts, se privant ainsi de la possibilité d'investir dans de l'autrui plus performant, elle ne pouvait que se le reprocher. Comme il ne lui paraissait pas suffisant d'être entrée dans le cercle plus que restreint de mes actionnaires, Alice s'était mis en tête d'entrer dans ma vie, et cela, je n'y étais pour rien. Je ne l'avais pas suivie depuis une fête organisée dans un appartement sordide d'Estampes, je ne m'étais pas jeté sur elle depuis le haut d'un mur acoustique, poussé par les exigences d'une libido multinationale, et je n'étais pas non plus celui qui avait décidé qu'il nous fallait, « puisque nos destins étaient désormais inextricables », absolument vivre ensemble. Alice devait assumer les conséquences de ses décisions.

À la suite de l'épisode de la Régionale des talents, ma mère aurait voulu que je me méfie, que j'exige des preuves de la bonne foi d'Alice. Elle disait, debout dans la cuisine 1,15 pendant que mon père somnolait au jardin sous son tilleul, que tout ça ne lui inspirait pas confiance :

— Enfin, tu avoues toi-même que c'est un hasard, qu'elle t'a tendu le programme de la soirée. Ce n'est pas de l'amour, ça, mon chéri, c'est de la politesse.

— Mais elle m'aime ! En plus, elle a refusé de faire annuler la transaction. Elle aurait pu, tu sais, ce n'était pas compliqué.

— D'accord, mais qu'est-ce qui te fait croire qu'elle ne veut pas simplement surveiller de près son investissement ?

— Elle a seulement un petit pourcentage, maman.

— Un petit pourcentage qui lui donne le droit d'exiger des comptes, tu comprends ? Cette jeune fille…

— Alice.

— … Oui, peu importe, cette jeune fille, enfin, sa mère a payé pour faire ton acquisition. Payé, Mas ! Sa famille espère un retour sur investissement. Tu crois qu'elle va te laisser la bride sur le cou, ton Alice ? Qu'elle va te laisser tranquillement trouver ta voie ?

Elle regardait dans le jardin où mon père s'était endormi avant d'ajouter :

— Si seulement on avait pu tout prendre… Tu serais libre, mon chéri. Je vais téléphoner aux parents d'Alice. Je vais leur expliquer que c'est un malentendu, leur proposer de te récupérer en échange d'une petite plus-value. Cinq pour cent, ça serait bien, non ?

Mon renflouement les avait laissés sans un sou et je ne savais pas quoi répondre.

— Ça serait bizarre.

— Ah oui ? bondit alors ma mère avec ses yeux de bonté alors qu'elle devait être furieuse, posant sur moi ce regard d'épagneul que les chirurgies ne tarderaient pas à lui faire perdre, mais tu trouves normal de partager la vie d'une fille que tu connais à peine… et dont tu ignores les motivations?

Je trouvais ça normal et excitant et romantique, et c'était pour moi la garantie d'une vie à deux remplie d'imprévus. J'avais vingt ans, un peu d'argent pour la première fois et une jeune femme au corps de femme s'offrait. Notre rencontre me semblait un formidable pied de nez aux lois de l'attirance. J'étais un objet de désir involontaire, accidentel, mais qu'importe, ça me changeait des efforts consentis pour partager le lit de celles qui négociaient jusqu'à l'aube avant d'accorder le moindre baiser. Flagos allait en être vert de jalousie.

Quelque chose en Alice, un réflexe, sa bonne éducation, de la pitié peut-être, avait provoqué notre rencontre et cela me suffisait. Que cette jeune femme ait avantage à ce que nous vivions pleinement représentait pour moi la meilleure des garanties. Son plongeon depuis le mur acoustique donnait le ton. Notre performance au classement était liée. Alice ne ménagerait pas ses efforts pour que nous atteignions le Cercle 5000. Une fois installés là-haut, nous aurions le triomphe modeste, le regard aimable de ceux qui ont réussi sans jamais douter qu'ils y parviendraient, ce regard qui tire sa force d'une évidence, qui dit : «C'est possible, j'y suis arrivé.»

Je ferais imprimer des sous-verres, des porte-clés, des paquets d'allumettes, des stylos à mon effigie pour stimuler la demande. J'allais m'offrir la panoplie du marketing de soi nécessaire pour qu'autrui qui a les moyens, au moment de choisir sur lequel des représentants du Cercle 5000 il va parier pour engranger de l'avant, éprouve un irrépressible besoin de me faire confiance. Je verserais de généreux dividendes. J'aurais le rose aux joues, une santé insolente. Mes défauts, mes lâchetés susciteraient l'adhésion. Mon être en entier deviendrait indissociable de ma réussite, et plus personne, face à moi, ne pourrait être tenté de chipoter comme on le fait avec la personnalité de ceux dont les possibilités ne se sont pas encore concrétisées. On accepterait Mas Baldam en bloc. Je prononcerais des phrases définitives comme : « Papa, maman et vous aussi, cousine et tante que je connais si peu, mais dont j'admire la générosité, ne vous y trompez pas, vos sacrifices n'ont pas été vains », et ma famille pourrait enfin lâcher prise et me laisser prendre en charge sa progression au classement.

IV

14

ALICE DIT sur un ton qui se voulait dégagé – je sentais bien que, si la présence des enfants doubles ne l'avait tenue à une certaine réserve, elle aurait été plus cinglante –, mais bon, ce n'était pas le moment de le lui reprocher, elle dit, debout sur le canapé du salon, une main appuyée contre le mur pour maintenir son équilibre, l'autre s'agitant en rythme devant elle à la manière d'un fanion :

— On est toujours seul dans sa stupeur. On a beau essayer de s'en débarrasser, pas moyen, mes chéris. La stupeur, ça vous colle à la peau, ça vous entrave le corps, la tête, ça vous suit comme une ombre.

Elle ajouta :

— Mas, le chrono, s'il te plaît !

J'enclenchai le chronomètre de ma Citizen argent et noir, et elle continua, Alice, mon anomalie, son regard planté dans celui des enfants doubles, assis devant elle comme au spectacle, inquiets et souriants face à cette mère qui en imposait. Cette mère jolie mais grave, retranchée dans une lucidité d'autant plus inquiétante qu'elle était autoproclamée. Un long visage dans lequel la nature, plutôt que de disposer les traits de manière harmonieuse, avait concentré dans un pincement le nez, les yeux et la bouche. Lorsqu'on la regardait, l'envie de réparer cette erreur, de rétablir l'équilibre était puissante, et l'on se prenait à imaginer ce qu'aurait été sa vie si cette injustice lui avait été épargnée. Alice devait le sentir car sa main gauche, pendant que la main droite lissait le front vers le haut, étirait le menton vers le bas. Elle faisait ça sans arrêt, mais pas en ce moment, debout sur le canapé, tout simplement parce que ses mains étaient occupées ailleurs.

Elle dit :

— La stupeur, mes chéris, si l'on vous en propose, si des étrangers, ou même des gens que vous connaissez, il y en a dans la famille qui en consomment, oui, tout à fait, des gens très près de vous…

Elle regarda alors avec insistance dans ma direction, mais j'évitai de réagir à ces provocations, on allait encore se disputer devant les enfants.

— Si certains cherchent à vous y entraîner, poursuivit-elle, posant les yeux sur les enfants doubles avec la détermination des athlètes de fond, refusez poliment. Battez en retraite vers un endroit bien éclairé où vous serez en sécurité. Vous ne serez jamais trop prudents, mes chéris, ça n'a l'air de rien, c'est le danger, mais les abords de la stupeur sont glissants et ses parois, malaisées. Quand vous sentirez qu'elle vous guette, écartez-vous, passez votre chemin, changez de direction, faites comme vous voulez, mais ne restez pas là, c'est le conseil de votre mère qui vous aime.

Les enfants doubles trônaient au milieu du salon entre les pots de plastique, de grès, les soucoupes, l'enchevêtrement des tiges, des fleurs, des branches, des tuteurs, des feuilles rubanées, gaufrées, festonnées, lustrées, émoussées – le vocabulaire de ma femme était aussi encombrant que sa passion –, des statuettes à la peau lisse dans la jungle que leur mère entretenait avec un soin maniaque.

À la maison, pour se doucher, il fallait extirper de la baignoire les palmiers, les lauriers, les fougères que des attentions excessives avaient rendus sans-gêne. Pour avoir une idée de la température ou savoir qui sonnait à la porte, on devait se frayer un chemin entre les vivaces qui obstruaient les fenêtres à l'avant. Sur les marches de l'escalier menant à l'étage, les bégonias, les violettes, les agaves, les crassulas et d'autres espèces dont je continue à ignorer le nom surveillaient les allées et venues, entravaient les déplacements de ceux qui avaient le malheur de ne pas se trouver dans leurs bonnes grâces. Mais au diable ces inconvénients, Alice était persuadée que la présence de ces plantes dans notre intérieur ne pouvait que me rappeler, fût-ce de manière oblique, à mon devoir de croissance.

À l'entendre, les plantes devaient me donner l'exemple d'une progression constante, naturelle.

— Un petit peu tous les jours, sans y penser. Regarde celle-là, Mas chéri. Regarde comme elle a poussé depuis un an ! Et celle-là !

Alice soulevait les feuilles, écartait un peu les troncs délicats pour me faire découvrir, marquées au stylo-bille comme s'il s'agissait d'un enfant, les preuves d'une impressionnante progression le long des tuteurs.

— Obstinées, méthodiques, visant droit vers le ciel, c'est le mal que je nous souhaite.

Un camion en route vers le centre de tri passa en trombe et la maison fut secouée depuis les fondations jusqu'au toit, un séisme dont les répliques se faisaient sentir tous les mardis, soirs de collecte.

— Tu veux t'arrêter ? demandai-je à Alice alors que, debout sur le canapé, une tache de velours rouge dans ce délire de verdure, elle marquait une pause un peu plus longue qu'à l'habitude et que les enfants doubles effrayés par le bruit pleurnichaient, de grosses larmes bien rondes arrêtées à mi-course sur leurs joues.

— Ça m'a l'air un peu compliqué, ton truc. En plus, tu vas ennuyer les enfants. Regarde, je n'ai pas l'impression que la stupeur les passionne.

J'avais stoppé le chronomètre. 00:47 pulsait en cristaux à l'écran de ma montre. La table des équivalences était limpide au sujet des interruptions dans le fil du soliloque.

« À chaque temps d'arrêt dans le débit l'orateur dépassant l'hésitation associée à une élocution normale doit correspondre un temps d'arrêt équivalent du chronométrage. En outre, le total des hésitations, bafouillages et autres répétitions ne doit en aucun cas dépasser le dixième de la somme des parties parlées.»

J'avais donc arrêté le chronomètre. Il n'était pas question que l'on se fasse épingler pour une bêtise du genre. Je n'avais aucune envie qu'un de ces rapporteurs tatillons dépêchés pour arbitrer les cas litigieux ne vienne mettre le nez dans nos petites affaires.

Afin de se démarquer au classement, Alice avait eu la bonne idée de mettre en valeur son aptitude naturelle au soliloque. On aurait pu la priver de manger ou de boire pendant deux jours, mais lui interdire de s'exprimer, ne serait-ce que quelques minutes, n'allait pas sans conséquences. Silencieuse, Alice se raidissait. On avait l'impression que l'angoisse accentuait l'aspect crispé de son visage, qu'elle irradiait depuis les extrémités de son être pour se communiquer au reste du corps, qu'elle convergeait en son centre. Alice rougissait comme si le sang lui-même, gros de peine, refluait vers le cœur pour s'y blottir. Silencieuse, ma femme devenait maladroite. Elle renversait les verres, se cognait en prenant place à table, laissait tomber couverts et assiettes. Quand nous étions invités chez des amis et que les hasards de la conversation ou les règles minimales de la bienséance l'empêchaient de prendre la parole pendant plus d'une dizaine de minutes d'affilée, elle se mettait à balancer les jambes, à rouler les poignets, à se frictionner les avant-bras pour combattre l'engourdissement. Repérée dans son manège par l'un des convives, elle se forçait à sourire, à soutenir son regard avec bienveillance.

Alice parlait au cinéma. Alice parlait pendant les confidences qu'on lui faisait. Quand elle se taisait, ses lèvres bruissaient de drôles de pensées, et sa bouche faisait comme un froissement d'aile. La nuit, il n'était pas rare que je me lève pour entrouvrir la fenêtre de notre chambre, pensant qu'un insecte était retenu prisonnier. À demi endormi, je restais debout, torse nu, le cordon du store dans une main, cherchant la mouche qu'il me faudrait libérer avant de me souvenir que ce frémissement provenait de la bouche de ma femme. Je revenais alors me coucher, me penchait avec mille précautions vers Alice pour l'embrasser, espérant l'apaiser, mais après une ou deux secondes de surprise, ses lèvres tendues répondant de façon instinctive au baiser, la mussitation reprenait de plus belle.

À la toute fin de la section consacrée aux « Traversées en solitaire », alors qu'elle étudiait de près la table des équivalences pour tenir son rôle de jurée avec célérité, Alice était tombée sur une sympathique anomalie. Dissimulé par la taille des exploits associés aux expéditions en ski de fond dans l'Arctique, ou quelque autre étendue ou relief rendu inhospitalier par le vent, le froid, les esprits ou les bêtes sauvages, relégué au second plan par la charge héroïque concomitante de la traversée des océans en solitaire, son embarcation, catamaran, planche à voile, canoë, barque ou chambre à

air, posée en équilibre au cœur de l'immensité
à la merci d'océans colériques, éclipsé par les é
scintillantes que supposent l'organisation puis la réalisation des tours du monde entrepris par les unijambistes, semi-voyants, bègues et autres forcenés du handicap se trouvait, unique alibi intellectuel de cette section se présentant comme un hymne à la dépense physique, le soliloque.

Le soliloque dont l'évaluation, bien que beaucoup moins détaillée que celle de ses illustres voisins, je l'ai vérifié, se trouve tout de même divisée en deux parties distinctes. Une section technique regroupe les questions des thèmes abordés, de la durée de l'intervention, de l'utilisation de matériel tels les rétroprojecteurs, notes manuscrites, carrousels à diapositives ou autres systèmes d'appoint. La section artistique s'attarde quant à elle à la qualité de la langue employée : relâchée, commune, soutenue.

Le maximum du pointage est attribué par la table des équivalences au soliloque libre, qui suppose une connaissance intime de son sujet se traduisant par une capacité à s'exprimer sans assistance extérieure, au plus près du fil de la pensée ; la quintessence de l'épreuve en quelque sorte, la véritable confrontation du locuteur avec lui-même, une traversée de soi en solitaire. Voilà pourquoi ma femme, dans la majorité des cas, met un point d'honneur à se lancer sans filet et à soigner le style de ses tirades.

Alice avait un air mauvais lorsqu'elle reprit la parole.

— Excusez-moi, mes chéris, ces camions vont finir par me rendre folle. Je vous ai mis en garde, mais je vois à vos regards pétillants, à vos joues rosies par l'excitation que vous voulez en savoir plus, dit-elle en s'inclinant depuis le canapé jusqu'à pouvoir caresser les cheveux des enfants doubles, je vois que vous ne vous contenterez pas d'un début d'explication. Très bien, mes chéris, vous le savez, ce n'est pas dans les habitudes de votre mère que d'arrêter une démonstration en cours de route. Puisque vous le demandez, puisque vos petites têtes dodelinent de droite à gauche tant vous habite le besoin de savoir, c'est toute la vérité sur la stupeur que je m'apprête à vous livrer.

Elle escalada le dossier du canapé, s'adossa au mur recouvert de lattes de bois clair, entre deux tableaux dont les gros motifs rappelaient des feuilles d'acanthes, reprit un instant sa respiration :

— Pour que la stupeur soit profitable au classement, je vous le dis au cas où, malgré toutes vos précautions, un moment d'inattention vous y précipiterait, il faut trouver un moyen de la mettre en valeur auprès des jurés et ce n'est pas simple. Les stupéfaits les meilleurs pensent un temps y parvenir, nous allons voir comment, en la travestissant, en la décalant vers une émotion mieux considérée par la table des équivalences, mais le plus simple, croyez-moi, est encore de s'en passer. La stupeur, je vous le répète mes chéris, ça vous pétrifie le potentiel, ça vous coupe vos moyens. Pour générer de l'avant, n'importe quel sentiment sera préférable à ce no man's land de l'émotion.

Et, je dois le reconnaître, Alice savait s'y prendre pour générer de l'avant. Elle avait compris que, si l'essentiel de sa personne présentait peu d'intérêt pour les jurés, résidaient tout de même en elle quelques étrangetés prometteuses à cultiver. J'avais parfois l'impression qu'Alice agissait à la manière d'un voyageur qui, se faisant reprocher au comptoir d'enregistrement un excédent de bagage, abandonnerait séance tenante l'essentiel de ses valises pour ne conserver que ce supplément fautif.

Assis sur le tapis du salon, entre les cercles d'humidité laissés par les arrosages trop généreux, les feuilles mortes, les fleurs séchées, les enfants doubles se tenaient appuyés l'un contre l'autre. Je voyais, malgré leur visage concentré et leur envie de bien faire, qu'ils ne tiendraient pas très longtemps.

— Tout cela est fort théorique, mes chéris, je comprends, je comprends tout à fait, laissez-moi vous donner un exemple, continua Alice. C'est un soir d'été, vous avez vingt ans, des corps souples, des mains fines, vous êtes beaux, mais sans ostentation. Ne froncez pas les sourcils, ce que je cherche à vous dire, c'est que vous portez votre beauté comme un accessoire, une montre, un bracelet que vous pourriez perdre sans en faire un drame. L'air est doux. Vous pénétrez dans une pièce où se trouvent quelques amis, des collègues, de l'autrui de votre âge qu'il vous est arrivé de croiser une fois ou deux. Il y a de la musique. Il y a aussi des canapés, du vin pétillant, des coupes évasées dans lesquelles boivent d'anciennes amantes. Vous êtes beaux et stupéfaits. Vous entrez et on ne vous remarque pas, c'est l'évidence : pas le moindre regard pour cette stupeur toute neuve que vous exhibez. C'est vexant. Vous restez plantés là sans que personne daigne vous adresser la parole. Bientôt la soirée bat son plein, autrui est partout, vous contourne, vous frôle mais ça ne va pas plus loin. Force est de le constater, votre stupeur indiffère.

Alice s'arrêta un instant, changea de posture, fit passer son poids d'une jambe à l'autre, descendit du dossier pour retrouver sur les coussins sa position du début, nettoya entre le pouce et l'index la feuille d'un citronnier qui se trouvait à sa portée. J'eus tout juste le temps d'annoncer d'un ton neutre, professionnel, un entraîneur sur la ligne de touche de côté, «Trois minutes» avant qu'elle ne reprenne d'une voix plus douce, moins inquiétante pour les enfants doubles :

— Ce qu'il faut comprendre, mes chéris, c'est que la stupeur est un sentiment en creux, une misère, que de l'os, pratiquement rien à gruger de ce côté-là. Vous avez vu les stupéfaits ? Les lèvres entrouvertes, le regard vide, les traits figés. Mettez-vous à la place des jurés qui peinent des heures durant à éplucher les kilomètres d'enregistrement que recrachent chaque jour les capteurs, et je m'y suis collée, croyez-moi, je peux vous en parler, comment attribuer la moindre intensité à la stupeur ? Par la qualité de la paralysie qu'elle occasionne ? Bien sûr que non, la table des équivalences ne s'y est pas trompée, sous sa forme actuelle la stupeur est un cul-de-sac.

Il ne faut pas exagérer, la stupeur n'a jamais tué personne, il faudra que je rétablisse les faits, me disais-je, tandis que les enfants doubles sans penser à mal, comment auraient-ils pu savoir, jetèrent dans ma direction des regards implorants. Je leur souriais pour qu'ils patientent, essayant de leur faire comprendre que les hommes et les femmes doivent supporter nombre d'épreuves afin de vivre ensemble. Comme ce n'était pas un concept facile à communiquer, les abandonnant à leur détresse, je finis par baisser les yeux sur le chronomètre de ma montre. Je restai comme ça, absorbé par l'indécision électrique des chiffres, réfléchissant, pour excuser ma lâcheté, que tout se passerait bien : leur mère aurait bientôt terminé, elle descendrait du canapé, les prendrait dans ses bras, les couvrirait de baisers et ils pourraient enfin retrouver leurs lits.

— Je vais vous dire, mes chéris, poursuivit Alice qui, loin de faiblir, se penchait de nouveau vers les enfants doubles comme pour leur annoncer qu'il fallait quadrupler d'attention, qu'elle solliciterait bientôt leur avis, pour avoir une petite chance de sortir de ce mauvais pas, les stupéfaits les plus audacieux, ceux que la stupeur n'a pas privés d'initiative, sortent le grand jeu. Ils entreprennent de travestir ce qu'ils éprouvent. Oui, tout à fait. On les voit essayer de décaler leur stupeur vers un sentiment mieux considéré par la table des équivalences. À force de tâtonner, de finasser, certains cas exceptionnels parviennent à mettre le doigt sur ce qui saura plaire dans leur stupeur. Ils trouvent un meilleur dosage, une formule qui, sans avoir les désavantages de la plainte ou de l'apitoiement, en conserve les propriétés. Et comment s'appelle ce subterfuge ? Je vous écoute ? Quel nom donne-t-on à cette astuce qui confère de la noblesse à leur accablement ? Réfléchissez, mes chéris, réfléchissez une minute.

Alice comptait à haute voix, en mimant le parcours de la trotteuse de son index tendu, bien sûr qu'elle se moquait de moi, avec dans les yeux cette jubilation un peu sotte que l'on retrouve chez les animateurs de jeux télévisés alors qu'un concurrent peine à répondre, que les secondes s'égrènent et qu'ils brûlent de révéler la réponse inscrite sur le carton qui se trouve entre leurs mains. Elle pouvait entretenir le suspense tant qu'elle le voulait, elle ne risquait rien, les enfants doubles ne parlaient pas encore à l'époque, non, à ce moment-là, pas un son intelligible n'était encore sorti de leur bouche. Alice avait beau jeu de prendre une mine compatissante afin de louer leurs efforts :

— Ça s'appelle la mélancolie, ah, je sais, ce n'était pas facile, mes chéris. Oui, la mélancolie est un drôle d'animal. La mélancolie est tout en anneaux et peut avaler des proies plusieurs fois plus grosses qu'elle. On a vu des familles, des quartiers, des villes entières happés par la mélancolie, mais ce n'est pas mon sujet ; ce que je veux vous dire, c'est que les rares stupéfaits qui réussissent à s'évader, qui parviennent à faire faux bond à leur stupeur, ont l'impression de sortir d'un long tunnel, ils écarquillent les yeux, les voilà en terre promise, eux qui ne pensaient jamais y parvenir, pensez donc, quel incroyable trajet, de la stupeur à la mélancolie.

Les enfants doubles se frottaient les yeux, rampaient entre les pots afin de trouver sur le tapis une position confortable. Alice se déplaçait aussi, passant du canapé à la table basse qui le jouxtait, puis de la table basse au vaisselier, déposant les pieds entre les assiettes, les boutures et les photos des enfants.

— De la stupeur à la mélancolie, pourtant, reprit-elle en faisant le maximum pour les garder éveillés, laissant échapper des bruits de bouche, tirant la langue, il n'y a pas grand-chose, auriez-vous pu m'objecter si vous aviez un peu d'à-propos, mais ce n'est pas le cas parce que, sous vos cheveux fins, c'est encore l'anarchie, les branchements là-dedans, tout est à faire, on n'imagine pas.

Elle joignit alors les doigts au-dessus de sa tête et les agita comme autant de petites larves, ce qui, du moins je l'imagine, devait représenter le parcours affolé d'une pensée entre les dendrites et les axones de nos chéris.

— En y réfléchissant un brin, vous auriez été à même d'avancer qu'en ce qui concerne la photogénie, le tonus, la charge en intensité, la stupeur ou la mélancolie, c'est blanc bonnet et bonnet blanc.

— Six minutes.

Je restai les doigts tendus jusqu'à ce qu'elle m'aperçoive.

— Très bien, je vous l'accorde, j'ai peut-être exagéré, il s'agit là d'une distinction technique, décevante même, dit ma femme d'une voix exagérément conciliante, mais vous devez savoir qu'au moment d'établir la table des équivalences, le puissant lobby des mélancoliques a réussi à négocier pour ses membres des conditions exceptionnelles. Tandis que les stupéfaits restaient désorganisés, ahuris, isolés dans leur hébétude, les mélancoliques décidaient d'agir. Leurs représentants sont même parvenus à faire valoir que la retenue associée à la mélancolie – ah, ces yeux mouillés, ce regard flou, cette tête ployant sous le poids d'un malheur incertain, ces mains repliées sur un cœur de laine – (elle mimait tout au fur et à mesure) ne représentait que la partie visible de l'iceberg et que, mis en présence de la mélancolie, les jurés avaient l'obligation de considérer aussi la partie immergée, invisible, de ce sentiment. Vous enviez les mélancoliques ? Vous mourez d'en être ? Pas si vite, vous allez comprendre, mes chéris, pas si vite.

À ce stade, d'autres auraient jugé que la démonstration avait assez duré, que les enfants doubles auraient dû être couchés depuis longtemps, mais pas elle, pas Alice qui se piquait d'aller au fond des choses en professionnelle, capable de retenir son souffle pendant de longues minutes, en apnée jusqu'au fond des choses.

— Je sais, je sais que le sujet est aride, je sais que vos paupières sont lourdes, que vous avez changé d'avis, que la stupeur et la mélancolie vous barbent et que vous préféreriez entendre parler d'un ourson abandonné par sa famille en lisière d'une forêt jaune et bleue, d'une mandoline amoureuse des doigts gantés d'un prince ou d'autres sornettes dont les adultes abreuvent les enfants pour ne pas avoir à affronter l'insondable béance de leur psyché. Je sais qu'il est l'heure d'aller coucher vos petits corps, mais j'ai presque fini, mes chéris, et plus tard, vous me direz merci, croyez-moi ; en attendant, ne faites pas cette tête, ouvrez les yeux, accrochez-vous, qu'elle disait, Alice, on arrive au dénouement, et c'est là que tout s'éclaire enfin : à cause du pointage favorable consenti par la table des équivalences, la mélancolie est devenue un sentiment refuge.

Elle respirait de plus en plus vite, essayait de se recoiffer d'une seule main. Je chuchotai :

— Sept minutes, tu y es presque.

Elle ne me regarda même pas.

— Et j'ai les preuves de ce que j'avance.

Alice entreprit de déplier la double page d'un magazine qui présentait un diagramme divisé en une douzaine de sections inégales. D'où venait ce magazine? Était-elle en difficulté?

— Vous voyez ici (elle indiqua une colonne vert tendre), on recensait à peine mille six cents mélancoliques dans les environs d'Estampes il y a cinq ans. Ce chiffre a gonflé à plus de treize mille! Une véritable épidémie! Observez les colonnes d'à côté (elle passa trop vite sur une série de barres rouges, jaunes et mauves), c'est à croire que tout l'autrui a décidé de s'y mettre, dans le coin. Pensez aux Stevensen, nos voisins, pensez à cette mine dont ils nous affligent, ce masque de consternante conformité qu'ils affichent sous leurs cheveux anémiques. Regardez les circonspects, les avachis, les renfrognés, tous dans le même bateau, direction mélancolie. Les défaitistes, les désolés, les tendres, une ruée je vous dis, les inquiets (son doigt sauta d'une colonne à l'autre), les cafardeux, tous, sans exception, tous partis se défausser dans la mélancolie. Et qu'est-ce que vous croyez, mes chéris ? Que cette affluence ne change rien ? Que les contours de la mélancolie sont élastiques ? Bien sûr que non, tout cela est très dommageable. Attendez que je vous explique.

— Huit minutes, dis-je.

Et Alice, sentant l'objectif à sa portée, hocha nerveusement la tête.

— Avec cette armée de mélancoliques improvisés, la qualité baisse. Imaginez un instant que la totalité de l'autrui devienne astronaute, que l'on voyage de la Terre à la Lune comme on enfourche son vélo, quel intérêt pour les jurés ? La mélancolie est victime de son succès, voilà la vérité, mes chéris. Plus souvent qu'autrement, assis devant leur écran, recroquevillés et humbles, débordés par la quantité des séquences saisies par les capteurs, les préposés au catalogage font l'impasse et, quand ils se donnent le mal de l'identifier, MEL au clavier, trois petites lettres, c'est votre grand-mère elle-même qui me l'a avoué, oui, votre mémé liftée, alors ce sont les jurés qui lèvent le nez, persuadés qu'il s'agit d'une astuce pour générer de l'avant à bon compte. Comme la stupeur ne débouche nulle part ailleurs, qu'il n'existe pour les stupéfaits aucune solution de rechange à la mélancolie, c'est physiologique, la chimie du corps vous l'interdit, je vous expliquerai une autre fois, le constat est clair, le cul-de-sac, total. Voilà, je sais qu'il est tard, mais vous comprenez où je voulais en venir.

Les enfants doubles dormaient maintenant profondément sur le tapis, leurs petits corps collés l'un contre l'autre, leurs pyjamas emmêlés, leurs poings fermés sur l'effort d'avoir résisté si longtemps au sommeil. Debout sur le vaisselier, la page glacée du magazine appelé à la rescousse ballant contre sa cuisse, Alice croisa finalement mon regard. Je sentis comme une fierté passer dans ses yeux. Nous étions très près de constituer une famille. Des sentiments véritables circulaient entre nous. J'aurais voulu lui dire qu'elle était belle et forte, qu'ensemble nous étions capables de tout, mais déjà elle murmurait à l'intention des enfants doubles, consciente qu'il lui fallait consentir encore quelque énergie pour franchir le seuil des dix minutes :

— Peu importe la ruse, on ne triche pas avec la stupeur, pas d'évasion possible avec cette glu. Votre mère qui vous aime vient d'en faire la démonstration, même les meilleurs s'y perdent. Alors, imaginez ce qu'il adviendrait de vous. Chaque fois que vous la sentirez rôder, prenez vos jambes à votre cou et fuyez ! Voilà la leçon, bonne nuit mes chéris, bonne nuit mes petites ombres.

D'un mouvement discret de la main, Alice me fit signe d'arrêter le chrono. Elle reprit son souffle avant de demander :

— Alors ?

— Neuf minutes, quinze secondes.

— Apporte-moi les fiches et un verre d'eau, tu veux ? Je suis assoiffée.

15

TANDIS QUE LA STUPEUR n'est pas même répertoriée, la table des équivalences se fend pour « La mélancolie » d'une segmentation fine que je reproduis ici dans son intégralité. J'omets volontairement le pointage associé à chacune des catégories afin de vous en faciliter la lecture.

75 Les mélancolies

75.1 Les mélancolies induites

a) Par la date anniversaire

1. d'un accident
2. d'un décès ou d'une naissance
3. d'une rencontre ou d'un mariage
4. d'une rupture, d'une disparition ou d'un exil

b) Par des facteurs physiologiques

c) Par la température

d) Par la contemplation de flammes, d'un cours d'eau, d'un élément du relief, de la faune ou de la flore

e) Par la fréquentation, la création ou l'incapacité à venir à bout d'une œuvre littéraire, musicale, théâtrale, cinématographique, picturale ou hybride

f) Par la proximité d'une autre mélancolie, aussi appelée mélancolie induite par un tiers

g) Par des substances altérant la perception

75.2 Les mélancolies spontanées (que l'on prendra soin de distinguer de la stupeur, laquelle ne figure pas dans cette nomenclature)

a) Comportant la totalité des manifestations physiologiques suivantes :

1. perte de l'appétit et de l'appétit sexuel
2. diminution de la mobilité des traits
3. fixité du regard

b) Comportant une partie de ces manifestations physiologiques

75.3 Les mélancolies transitoires (aussi appelées mélancolies involontaires)

a) Mélancolie atteinte lors du parcours émotif qui mène de la déception à l'abattement

b) Mélancolie atteinte lors du parcours émotif qui mène de la colère à l'apaisement

c) Mélancolie atteinte par erreur lors de l'un des parcours menant d'une émotion à une autre

16

CHAQUE FOIS qu'Alice entreprenait de faire l'éducation des enfants doubles au sujet du classement, je redoutais qu'elle ne profite de l'alibi de sa mission pédagogique pour vider son sac. Le matin, assis dans la vieille Subaru qui me conduisait chez Monolite, et de laquelle je ressortais invariablement courbatu, empestant le moisi et l'humidité, l'odeur de ces années de négligence incrustée jusque dans le tissu des sièges, j'avais l'impression de l'entendre profiter de mon absence pour mettre en garde les enfants doubles.

Je l'imaginais, alors que je passais devant chez les Stevensen et que leur fille la plus jeune pleurnichait, assise dans les marches entre les pots de géraniums, le corps penché vers le téléphone portable qu'elle tenait entre les mains comme s'il s'agissait d'un animal de compagnie mort durant la nuit, ses cheveux blonds blancs tombant devant les yeux à la manière d'un linceul, j'imaginais Alice perchée sur la chaise du couloir entre la chambre des enfants et la nôtre, tout juste sortie de sous la douche, enroulée en vitesse dans une serviette de bain :

— Venez ici, mes chéris. N'ayez pas peur, je vais vous parler de votre père. Ce seront des paroles dures, je ne vous le cache pas, mais il n'est jamais trop tôt pour apprendre que l'amour n'exclut pas la lucidité. Votre père, disais-je, constitue un excellent point de départ. Il nous montre, malgré lui, et c'est peut-être là qu'il touche à la grandeur, combien il est facile de se laisser glisser. L'âge et les responsabilités n'expliquent pas tout, ce serait trop facile, vous verrez bien à votre tour, quand la vie ne sera plus ce douillet manteau, vous verrez comme elle pique et gratte, comme elle tombe mal parfois, comme elle serre là où elle s'ajustait parfaitement avant. Vous verrez, mais en ce qui concerne votre père, croyez-moi, je suis bien placée pour le savoir, c'est autre chose. Il s'est arrêté, oui, telle une horloge, exactement, et voilà le plus grand danger, mes chéris : vous ne devez jamais ralentir. Chaque fois que vous ferez face à l'adversité, c'est sans réfléchir qu'il faudra accélérer, en rajouter, donner l'impression d'avancer malgré tout.

Je n'avais aucun effort à faire, le reste du monologue d'Alice se dévidait comme si je l'avais appris par cœur. J'avais si souvent assisté aux envolées de ma femme que ses phrases se succédaient dans ma tête plus naturellement que si j'avais eu à les formuler moi-même.

— Pauvres petits, vous n'échapperez pas à la douleur, disait-elle alors que devant moi, juste avant le terrain vague attenant au poste de transformation électrique, arrivé au centre du virage, le conducteur d'un pick-up modifié, des chromes éblouissants surgissant des flancs comme les ouïes métalliques de quelque créature marine, s'assurant de pénétrer le rayon du capteur, donnait un brusque coup de volant, dévalait le talus pour venir planter pauvrement le nez de son Dodge Dakota dans les ronces, c'est couru d'avance, n'essayez même pas, vous perdez votre temps. Face à l'obstacle, au contraire, il vous faut accentuer la pente, prendre de la vitesse, foncer tête baissée. Même si vous n'entendez rien à rien, que vous devenez d'obscurs crétins, je suis désolée, mes chéris, mais c'est tout à fait possible, il se peut que, sous la peau lisse de votre jeune crâne, dans l'humidité, bien à l'abri entre les circonvolutions de votre cervelle, ne germe la mauvaise herbe de la bêtise. Je ne vous le souhaite pas, bien entendu, quelle mère le ferait, mais même en ce cas, cela ne doit pas entraver votre progression. Foncez, mes petits enfers ! Vivez vide si vous n'avez pas le choix, mais vivez vite ! Les préposés au catalogage et les jurés n'y verront que du feu. Si vous ne pouvez vous permettre le mouvement, que l'illusion du mouvement vous donne un avantage décisif sur la meute de vos poursuivants, tout cet autrui qui écume de rage et de jalousie à vos trousses ! Déplacez de l'air, commettez des erreurs grossières, soyez vulgaires, discourtois !

Je patientais dans les embouteillages du r
entouré par de l'autrui dont les visages n'avaient pas entièrement retrouvé leur forme après une nuit trop courte, des conducteurs qui avaient besoin de ce trajet, de ces dizaines de kilomètres qui séparaient leur domicile de leur lieu de travail pour réintégrer les traits sous lesquels leurs collègues à Estampes les connaissaient, des conducteurs que personne n'aurait même pensé à saluer s'ils avaient déménagé à quelques minutes du bureau où ils officiaient, leurs visages bouffis, mous de sommeil rendus indéchiffrables par cette proximité nouvelle. J'entendais Alice insister à l'intention des enfants doubles :

— Utilisez votre charme, votre voix, votre sexe pour manipuler les faibles, disait-elle encore, obtenez d'autrui ce que vous n'avez pas les moyens de réaliser vous-mêmes, et puis repentez-vous, avec larmes et fracas, demandez pardon, exultez de l'avoir obtenu, mais de grâce, voyez ce qu'il est advenu de votre père, ne mettez sous aucun prétexte pied à terre ! La vie est en marche ! Accrochez-vous, remontez-la comme les bandits remontent les wagons des trains dont les tentures se balancent mollement aux fenêtres et, même arrivés en première, ne vous asseyez pas pour regarder défiler le paysage, les maisonnettes aux cheminées fumantes, les jeunes gens étendus au soleil des clairières, laissez cela aux ruminants et aux esthètes ! Contemplation et méditation ne mènent nulle part. Souvenez-vous, mes chéris, le classement ne réussit ni aux rêveurs ni aux tendres.

Peut-être aussi qu'Alice ne disait rien. Peut-être qu'elle se préparait simplement à sortir en suppliant les enfants doubles de la laisser un peu tranquille. Alice travaillait comme conseillère marketing dans une entreprise spécialisée dans la mise en marché de flacons destinés à l'aromathérapie. Elle choisissait dans l'inventaire des grossistes les formes, les couleurs qui lui semblaient les plus susceptibles de provoquer l'impulsion d'achat. Mais depuis l'arrivée des enfants doubles, elle n'acceptait plus de contrats. Pourtant, comme elle supportait mal d'être réduite au rôle de mère à la maison, pour se venger du manque de reconnaissance dont elle se prétendait victime, Alice prenait plaisir à tourmenter ceux qui commettaient l'imprudence de s'enquérir de ses activités.

Selon son humeur, la qualité de la nuit que nous venions de passer ou l'insistance de son interlocuteur, Alice prétendait travailler comme barmaid dans un hôtel de la périphérie d'Estampes où, pour chaque verre vidé avant seize heures, dix cents étaient versés à un fonds de pension permettant aux clients les plus fidèles de l'établissement de se retirer dignement. Elle disait travailler de la maison comme pigiste à une encyclopédie des sentiments. On lui avait confié l'article portant sur la tendresse, mais elle préférait plancher sur la promiscuité. Elle travaillait au mystère qui l'avait faite femme. Elle travaillait à un orgasme cumulatif. Elle travaillait à localiser un hameau répondant au nom de

Zéro-sur-Néant, un hameau qu'elle prétendait être une mine pour l'intensité, qui nous apporterait réconfort de l'âme et prospérité au classement. Dans les faits, je m'en apercevrais un peu tard, Alice travaillait surtout à ne pas me quitter. Elle consacrait une énergie étonnante à me faire entrevoir la vérité sur mon être.

Le soir venu, une fois les enfants doubles mis au lit, une fois rangés les hochets et les poupées, plié le linge, nettoyé le sol sous les chaises hautes, lavée la vaisselle et arrosées les plantes, alors que nous tombions de fatigue, Alice grimpait sur la table de nuit encombrée de magazines et de crèmes pour le corps, les ongles ou les mains. Elle était debout, ses jambes nues sous un des t-shirts que je rapportais de chez Monolite lorsqu'une activité promotionnelle n'avait pas marché, des t-shirts trop grands pour elle qu'elle enfilait sans discuter l'aspect criard des impressions ou la mauvaise qualité du coton.

— Le problème avec toi, débuta-t-elle en se lissant lentement le front comme si elle avait voulu aplanir d'avance les objections que son discours ne manquerait pas de soulever, c'est que tu te complais dans l'à-côté, le périphérique. Tu as le soi à la sauvette, mon pauvre chéri, tu vois, le soi en son bel insu. Le chrono, s'il te plaît.

Je plissai les yeux, laissai échapper un grognement. J'avais envie qu'elle s'allonge près de moi, je ne me sentais pas la force de supporter un autre de ses soliloques, et celui-là s'annonçait particulièrement abrupt. « Le soi en son bel insu. » Elle avait dû consacrer les quelques instants de répit que lui permettait la sieste des enfants à écouter sur Nouvelles d'autrui une de ces émissions traitant d'optimisation du potentiel.

Je lui dis de venir se coucher, je tapotai le drap à mes côtés, je me levais tôt, elle ferait mieux d'éviter de tels sujets, nous allions mal dormir après, mais Alice ne l'entendit pas de cette oreille. Selon elle, j'avais besoin que l'on m'expose les raisons pour lesquelles j'étais si pauvre de l'avant, que l'on me soulage de mes entraves, et je devais être reconnaissant que quelqu'un soit disposé à offrir de son temps pour le faire. J'enclenchai le chrono de ma montre en maugréant.

Alice avait une gestuelle étrange, un peu menaçante pour tout dire, vue d'en dessous, le bassin projeté vers l'avant, le menton volontaire quand elle voulait accentuer l'une ou l'autre des phrases qu'elle jugeait primordiales. Elle était persuadée que cette position dominante, par un effet magique de la perspective, offrait un angle favorable, que la contre-plongée harmonisait son visage. Si elle ne pouvait réorganiser ses traits de façon satisfaisante, le fait de modifier la position de l'observateur lui permettait de redonner au front, aux lèvres, aux yeux et au nez une proportion plus aimable.

— Plus rapide qu'une chirurgie ! Et beaucoup moins cher ! Je devrais en parler à ta chère maman..., plaisantait Alice dans les meilleurs jours.

Ce soir-là, allongé sur notre lit, je devinais le sexe de ma femme sous le t-shirt. J'avançai une main en me demandant depuis combien de temps je n'avais pas posé ce geste.

— Je ne veux pas t'accabler, mon pauvre amour, mais

le problème avec toi quand on y regarde de près a tendance à se ramifier, me sourit Alice sans repousser mes caresses. Et c'est bien le danger. On tire sur le fil qui dépasse, on pense qu'il s'agit d'un détail, on contrôle sa force, tu sais bien, on se dit qu'il n'y en a que pour un instant, mais le reste vient avec. Regarde où tout ça m'entraîne. Je ne voulais pas en arriver là, je te le jure, Mas, mais maintenant que j'y suis autant continuer, tu m'en voudrais de ne pas aller jusqu'au bout, non ?

Pour toute réponse, de ma main libre, je la pinçai suffisamment pour lui faire mal.

— Non seulement tu te déportes hors de toi-même, naturellement d'une certaine façon, mais il y a en plus tout ce qui s'écarte malgré ta volonté, insista Alice en frottant rapidement sa cuisse pour dissiper la douleur. Ne fais pas cette tête, je te parle du volume de l'être, de sa densité, de l'espace occupé par chacun dans le champ des possibilités. Tu vois, chéri, le hasard obéit à des règles physiques d'une simplicité désarmante. Tout corps plongé dans l'existence subit une accélération des possibilités proportionnelle à son volume. Je l'ai entendu aujourd'hui sur Nouvelles d'autrui, les chercheurs sont formels, il est désormais établi que le hasard, les coïncidences, appelle ça comme tu veux, désavantagent les petits, les légers, les timides, les tièdes et les maigres.

Dehors le vent poussait contre les vitres, soulevait le store qui, en retombant, venait claquer de façon exaspérante contre le cadre de la fenêtre. J'entendais craquer les saules. Un voisin refermait la portière de sa voiture.

— Parmi tout l'autrui qui circule dans les parages, je te le demande, qui a le plus de chances d'être frappé par la foudre ou d'être pris en otage ? Qui est le plus susceptible de recevoir une balle perdue ? Qui aura le privilège d'être accosté par une inconnue à la recherche d'un hôtel agréable dans le quartier ? Hein ? Qui l'intensité prendra-t-elle pour cible ? Celui qui occupe le plus d'espace, le gras, le dense, le présomptueux. Pour que le hasard fonctionne, il lui faut du solide, du charpenté, du concret auquel s'accrocher. Le hasard doit trouver prise sinon il continue son chemin, il se pose ailleurs. Qu'est-ce que tu crois ? On ne provoque pas le destin du haut de son mètre soixante-quatre, de sa petite existence en biais. On ne s'illustre pas au classement en finassant. Bien sûr que non, il faut se résoudre à vivre gros. Réfléchis un moment. De la même manière que le promeneur chétif surpris par la pluie pourrait, malgré lui, de par sa constitution, passer entre les gouttes, l'étourdi qui n'a pas pris la peine d'accumuler suffisamment de sa personne pour constituer une cible digne de ce nom s'expose au risque de voir le hasard le rater.

Je revins à la charge. J'aventurai un doigt dans la fente.

— Pour profiter des coïncidences aussi bien que les autres, tu devrais augmenter la surface de contact, poursuivit Alice en serrant les cuisses pour me compliquer la tâche, prendre des suppléments alimentaires, enchaîner les séances de musculation, plutôt que de courir comme ça, n'importe où. Tu devrais t'exagérer, enfiler des vêtements plus amples, mettre un peu de chair sur ta carcasse.

Tu as vu tes épaules ? Qu'est-ce qui pourrait bien venir se poser là-dessus ? L'inattendu ne te voit pas, Mas. Le hasard ne daigne même plus te considérer comme une possibilité. Tu comprends, il faut bien que quelqu'un te le dise, à ne rien embrasser, à attendre que l'intensité se fasse toute seule, tu t'enfonces. Entre nous, je ne sais pas combien de temps je pourrai encore supporter ça. Tu m'as entendue ? Et merde ! Je ne suis pas en bois, comment tu veux que je me concentre !

J'arrêtai le chrono.

Alice fit semblant de se fâcher, brandit un poing vengeur dans ma direction, roula un peu des yeux avant de se blottir contre moi en chuchotant :

— Viens ici, on remplira les fiches demain.

17

QUAND ALICE parlait comme ça, qu'elle se sentait assez en jambes pour tenir la distance, elle grimpait sur une chaise, sur la table, sur le lit, peu importe, pourvu qu'elle se retrouve en hauteur, et là dévidait sa bobine d'une seule traite. Une fois son soliloque terminé, elle descendait de son perchoir apaisée, les traits détendus, avec cette fatuité un peu triste qu'ont les gens qui se savent trop éloquents pour le public auquel ils viennent de s'adresser.

Elle disait, comme si ça ne la regardait qu'à moitié, « J'ai fait combien ? », se dépêchait de remplir l'attestation de soliloque, alors que tout était encore frais dans sa mémoire. Elle indiquait la durée et le sujet principal de son allocution, citait ses sources, résumait les temps forts, me faisait signer à la case témoin avant d'agrafer l'attestation complétée à son bulletin d'intimité.

Lorsqu'elle ne discourait pas, juchée sur une estrade de fortune, Alice, le nez plongé dans les répertoires postaux, les manuels d'hydrographie, les atlas, les cartes routières, employait le peu de temps que lui laissaient les enfants doubles à localiser Zéro-sur-Néant. Elle était persuadée que l'on devait éprouver quelque chose de spécial en franchissant les limites du hameau, une sorte de transcendance offerte à chacun comme un numéro à un guichet, sans discrimination, un genre de mise en perspective automatique de son existence. Pour Alice, il suffisait de mettre les pieds à Zéro-sur-Néant pour que, prêt, pas prêt, que vous soyez croyant ou non, rompu ou non aux joies de l'introspection, vlan ! ça vous rentre dedans. Vous leviez les yeux de votre revue, cessiez de parler à votre voisin, de vous interroger sur le comment et le pourquoi, peu importe ce qui vous préoccupait à ce moment-là, et vous compreniez. Vous compreniez la place que vous souhaitiez occuper dans ce monde, ce qu'il fallait entreprendre ou laisser tomber pour y parvenir. Alice croyait à une vérité minute, à un diagnostic plus précis, plus concret et durable que ceux obtenus par la méditation, la psychanalyse ou le feed-back trois cent soixante degrés. Selon elle, les plus pressés n'auraient même pas besoin de quitter leur voiture, il leur suffirait d'abaisser les fenêtres, d'inspirer un grand coup, et ça serait fait : ils comprendraient.

Ce que l'on comprenait d'une façon si soudaine en pénétrant dans Zéro-sur-Néant n'était pas très clair dans les explications d'Alice. Chaque fois que je me hasardais à le lui faire remarquer, elle levait les yeux au ciel d'un air exaspéré. Elle prétendait avoir trouvé le moyen de doper nos résultats, « Tu connais plus intense que de découvrir la vérité sur soi ? », de nous propulser au classement, de mettre fin à ma glissade.

— Tu as encore perdu une trentaine cette semaine, fais un effort ! Si ce n'est pas pour moi, pense au moins aux enfants. Un jour leurs copains vont poser des questions et qu'est-ce qu'ils vont répondre, hein ? Je refuse que l'on se moque de mes enfants à l'école parce que leur père a pris ses aises dans le gros du peloton !

Selon Alice, ce hameau existait forcément quelque part, puisqu'elle y était passée petite. Elle se souvenait de lettres blanches sur un fond bleu profond, *Zéro / Néant,* d'un panneau fraîchement repeint en bord de route. Elle se souvenait de maisons aux toits raides et qu'en voiture le Néant était rapidement franchi. Mais à l'entendre, on n'était pas déçu. La puissance évocatrice du panneau était telle qu'elle opérait instantanément, d'ailleurs, dans la vieille familiale prêtée par son oncle le temps des vacances, chacun avait senti qu'il venait de se passer quelque chose. La famille en entier avait observé un silence inhabituel tout le reste du trajet.

Elle était trop jeune pour en mesurer précisément l'impact, et ça paraît un peu ridicule à dire, elle s'en rend bien compte, mais Alice s'était sentie frôler l'absolu.

— Un soir de juillet, maman est au volant et papa rigole. Il est détendu même si c'est maman qui conduit. Les gobelets valdinguent sur la plage arrière, on a des bagages coincés sous les pieds et la voiture empeste le diesel. On s'époumone en passant dans les tunnels, on fait des grimaces aux Hollandais qui tirent leurs caravanes, mais on ne va pas plus vite qu'eux. Il y a des miettes sur les banquettes et de l'angoisse vers dix heures parce que tous les hôtels sont pleins. Vous vous souvenez ? Je n'invente rien, quand même ?

Sur ces détails, évidemment, toute la famille s'empressait de tomber d'accord. Quand elle poussait plus loin l'interrogation (j'avais déjà assisté à la scène alors que nous passions le week-end dans la maison de campagne de ses parents, lui d'une extrême abondance, bovin, le corps fait d'un empilement d'organes, de la place pour plusieurs estomacs comme s'il en était toujours à digérer la chance d'être né à la bonne époque dans la bonne région du monde, elle qui m'ignorait avec superbe, elle de mauvaise conscience depuis le soir de la Régionale des talents, renfrognée comme si elle comptait expier pour toujours le rôle qu'elle avait joué dans ma rencontre avec Alice. Elle qui avait été capable d'une beauté oblique, imprévisible, était devenue sèche et plate, presque chauve, ses rares cheveux soigneusement ramenés et plaqués sur le côté comme on parie tout sur l'impair), bref quand ma femme poussait plus loin l'interrogation, c'était peine perdue : ses parents ne se rappelaient pas Zéro-sur-Néant. Et si elle s'avisait d'insister :

— Enfin, Alice, un nom comme ça, ça ne s'oublie pas, tu nous prends pour des demeurés !

Malgré ces rebuffades – et le fait que le résultat de ses recherches s'apparentait de très près à l'objet de sa quête –, Alice, debout sur le coffre du salon, les pieds entre les boutures de géranium sans aucun doute prélevées à la faveur de la nuit à même les plants des Stevensen, n'en démordait pas :

— Je retrouverai Zéro-sur-Néant, fût-il enseveli, brûlé, pillé ou même rebaptisé. Je te prouverai que Zéro-sur-Néant est un baume pour l'âme, et Dieu sait si je déteste ce mot, *âme,* ce fourre-tout grotesque, *âme,* ce mot qui brame dans l'œuvre des poètes. Je montrerai qu'à Zéro-sur-Néant, ce hameau tristounet, sans enfants, sans placettes doublées d'ombre, sans veuves en grand deuil prenant le frais le soir venu – tu vois bien que je tiens quelque chose, qu'est-ce que t'attends, c'est pas possible, lance le chrono ! –, je montrerai que dans ce hameau où des chiens sans maître sont prêts à suivre le premier venu se cache l'équivalent d'un Greenwich métaphysique, un point de départ, une certitude, un îlot sur les berges duquel vient doucement clapoter l'abîme, une appellation contrôlée du rien, un vide de qualité supérieure, profond, onctueux, avec tout l'espace qu'il faut pour prendre du recul. Un vide intact, laissé à sa nature. Oui, un vide luxuriant qui aurait échappé à l'appétit des promoteurs, à toutes les tentatives de remblai. J'établirai qu'à Zéro-sur-Néant, aux sources du rien, cette proximité d'avec l'absolu, cette intimité soudaine avec le Grand Tout qui le domine force l'Homme à s'interroger sur sa condition. Je montrerai au monde incrédule que, mis à part l'imminence de la mort, on n'a rien inventé de plus efficace pour remettre les pendules à l'heure.

Cela me semblait un raccourci un peu excessif, mais Alice ne s'embarrassait pas de tels détails. Alice, ma femme, ma petite femme, mon vertige, appelons-la Maude, Aïcha, Aglaée, Simone, Véronique, appelons-la Christine, Marie, Éléonore, puisqu'afin de lutter contre ce qu'elle appelait notre immobilisme lui était venue l'idée de me demander de la nommer différemment tous les jours.

— L'amour nous sédentarise, dit-elle d'un ton entendu, comme si cette phrase avait le pouvoir de synthétiser l'ensemble de ses frustrations. Avec ton boulot chez Monolite, les enfants doubles, les corvées, plus moyen de s'extirper de notre périmètre. On n'atteindra jamais le Cercle 5000 comme ça ! Regarde-moi (et elle souriait malgré tout), je serai ton voyage, Mas chéri, je serai ton exil au jour le jour, ton aller simple pour ailleurs.

Elle laissa passer quelques secondes, ses yeux s'embuaient :

— Pour te garder alerte, pour qu'éclate au grand jour la puissance du lien qui nous unit, je me réveillerai autre à tes côtés chaque matin et toi, parce que tu m'aimes, parce que tu me connais mieux que quiconque, toi, tu me devineras.

Même si je ne compris pas exactement ce qu'Alice allait dorénavant exiger de moi, je répondis : « Bien sûr » d'une voix conciliante.

Incapable de soutenir un tel régime, il m'est parfois arrivé de manquer d'inspiration. Pourtant, et cela me semble tout à mon honneur, j'ai réussi à éviter le prénom de ma mère ou celui d'anciennes petites amies. J'ai aussi refusé la facilité des noms composés. Non, on peut le dire, je me suis battu pour que le prénom du jour corresponde à l'humeur d'Alice, à sa démarche, au grain de sa peau. Comment l'appeler Marie quand elle avait les mains douces de Caroline ? Clara quand elle se comportait en Brigitte ?

Entre nous, je pense n'avoir commis que peu d'erreurs. Un matin au réveil, il y a quatre ou cinq ans, elle avait des seins de Sophie, de petits seins striés par les draps, et je l'ai appelée Zoé. Le mois suivant, je n'étais visiblement pas dans mon assiette à cette époque, elle riait et badinait en Odile, c'était évident quand j'y repense, or je l'ai attirée vers moi en chuchotant : « Viens ici Élodie, viens ici mon tendre amour. » Ce n'était pas grand-chose, mais Alice s'était braquée, comment ne pas la comprendre.

Les jours sans, quand les enfants doubles nous avaient réveillés pendant la nuit, que la fatigue m'empêchait de me concentrer, quand nous nous étions disputés, que ma lecture d'elle se trouvait brouillée par les aléas du quotidien, je changeais de registre et ma femme devenait naturellement mon roman ouvert sur le sable à la page 77, ma traversée du désert, mon autorisation d'amerrir. Je composais pour Alice un inventaire hétéroclite dans lequel elle avait parfois la grâce de se reconnaître. C'est une habitude que j'ai gardée, et il n'est pas rare, aujourd'hui encore, et après tout ce qui s'est passé, que je me surprenne à l'appeler avec une emphase que j'ai pris le parti d'assumer ma dériveuse, mon improbable, ma capitulation avant de combattre.

Alice était catégorique. Elle disait qu'il fallait attirer les touristes, les curistes, les mystiques à Zéro-sur-Néant, que cette masse grouillante d'autrui, par sa simple présence, par son obstination à rentabiliser son déplacement en visitant ailleurs ce qui lui semblerait chez elle sans le moindre intérêt, légitimait les attraits d'une région. Elle disait qu'une telle affluence braquerait sur nous l'attention des jurés, qu'un reportage nous serait peut-être consacré sur Nouvelles d'autrui, que Lynn Linber-Lowe, la journaliste-vedette de la station, ferait sans doute même le trajet.

Ma chérie, ma beauté passive qu'un compliment déclenchait en était persuadée, elle disait qu'à Zéro-sur-Néant pouvait naître le tourisme métaphysique. Elle trépignait d'impatience :

— Ça crève les yeux, Mas ! L'avenir est au vide ! Avec ce que l'on accumule, ce que l'on empile dans tous les coins, avec cette longue procession de boîtes qui s'échappe des usines, toute cette nouveauté rutilante qui voyage d'un bout à l'autre des continents pour venir expirer entre nos mains, ces carcasses que l'on ne pleure même pas et que l'on pousse sur le côté, ce plastique, ce carton aggloméré, ces fibres, ce métal, ces alliages morts de nous avoir si mal servis et que l'on déplace du bout des doigts de peur d'être contaminés, avec le nombre toujours plus important de décharges dans lesquelles chacun se défausse de vivre si peu, il va forcément y avoir pénurie. Ce ne sera peut-être pas demain, mais autant y penser tout de suite. On va se lancer, je sens que c'est le moment ! Notre petite affaire ! Tu vas me suivre sur ce coup-là ! Toi et moi, oui, tous les deux, nous allons instaurer une zone protégée à Zéro-sur-Néant, une halte dans l'antimatière pour permettre aux consommateurs épuisés de reprendre leur souffle. Et ceux qui ne voudront pas découvrir la vérité de l'être, ceux qui refuseront la clairvoyance que nous leur offrons, eh bien, ceux-là pourront quand même se détendre, profiter chez nous de la vacance de toute chose. Qu'est-ce que tu en penses ?

— Honnêtement ?

Quand ses amies, étonnées de la savoir avec un homme tel que moi, lui demandaient ce qu'elle pouvait bien me trouver, elle qui en avait connu de plus virils, de plus sensibles, de mieux intentionnés, taillés sur mesure pour le Cercle 5000, Alice, loin de se démonter, avait coutume de répondre : « Nous avons le rien en commun », et cela mettait généralement un terme à la conversation. Je dois admettre qu'entre la vacuité de mes journées chez Monolite et les recherches d'Alice visant à localiser Zéro-sur-Néant, l'absence comblait une part importante de nos existences.

18

EN CE QUI A TRAIT à Zéro-sur-Néant, Alice ne s'est pas réveillée comme ça un matin, soudainement obsédée par l'idée de débusquer un hameau qui nous mettrait en orbite au classement. C'est un reportage de Lynn Linber-Lowe, la journaliste-vedette de Nouvelles d'autrui, portant sur la commune de Mille qui lui en avait soufflé l'idée alors que nous déjeunions et que les enfants doubles nous faisaient le cadeau d'une trop rare grasse matinée.

Plutôt que de miser sur des initiatives personnelles pour se faire remarquer par les jurés et accumuler de l'avant, de l'autrui investissait dorénavant dans des projets collectifs. C'était, selon Lynn Linber-Lowe, une tendance lourde avec laquelle il faudrait compter ces prochaines années. Il y avait bien eu quelques tentatives dans le passé, Lynn Linber-Lowe évoqua celle de la ville de Ductile, qui avait institué une forme curieuse de dictature,

« une dictature onomastique », dit-elle en s'appliquant à prononcer le mot sur lequel une bonne partie de ses auditeurs ne manquerait pas de buter, « dans laquelle les habitants étaient contraints d'exercer le métier correspondant à leur nom de famille », mais comme la mise en perspective ne faisait sans doute pas partie de son mandat à la station et qu'on l'attendait à la performance de l'autrui qui avait promis de se retourner comme un gant, oui, son corps entier sens dessus dessous, organes, boyaux, viscères palpitant à l'air libre, puis remis en place, lissés, comme si de rien n'était, un happening inédit, des années d'entraînement, la journaliste jugea bon de ne pas s'appesantir sur le cas de Ductile et s'en tint à son sujet principal.

De sa voix profonde, appliquée, ennuyante pour tout dire, comme si elle avait craint qu'un peu de fantaisie ne lui attire des bosses, qu'on lui reproche d'en faire trop alors que sa domination au classement était écrasante – elle faisait partie du Cercle 5000 et y occupait une position plus qu'enviable –, Linber-Lowe révéla sur Nouvelles d'autrui qu'un groupe de quatre familles avait échafaudé, il y a quelques années, le projet suivant : sur le terrain excentré appartenant au père de l'une des jeunes femmes, le groupe avait érigé quatre maisons de style colonial, des constructions en bois dur, aux larges balcons, dont la particularité, outre un goût discutable pour les ornements, était d'être parfaitement équidistantes.

« Voilà le principe fondateur sur lequel ces jeunes gens avides de se faire de l'avant se sont entendus, précisa la journaliste. À Mille, sachez-le, toutes les habitations de la commune ont la particularité d'être distantes de mille décimètres.»

Le groupe avait un temps pensé baptiser le nouvel ensemble commune de Cent, son idée première consistant à éloigner les maisons de cent mètres, mais cette dénomination lui paraissait un peu mesquine pour ses aspirations. La commune de Mille, voilà qui donnait bien mieux la mesure de ce qu'ils espéraient réaliser. Comme ce groupe de pionniers fut bientôt rejoint par plusieurs dizaines de nouveaux arrivants désireux de s'établir, les familles fondatrices constatèrent que, sans aménagements, la règle des mille décimètres provoquerait la faillite de l'entreprise. Elles l'assouplirent donc, proposant que tous les édifices soient dorénavant distancés de mille pas. Voilà qui permettait une marge de manœuvre suffisante à l'installation de nouveaux habitants et qui avait en outre l'avantage de laisser intact le nom de la ville.

Par une de ces ellipses avantageuses dont elle avait le secret, Linber-Lowe plongea ensuite ses auditeurs au cœur de ce qu'était devenue Mille aujourd'hui : une municipalité vibrante, envahie par de jeunes familles soucieuses de s'établir dans un environnement qui saurait favoriser leur progression au classement.

On entendit, dans l'un des extraits sonores dont la journaliste se servait pour enrichir ses reportages, des rires d'enfants en cascades qui venaient culminer au-dessus de la rumeur joyeuse des rues. En tendant l'oreille, et Alice que j'apercevais à peine entre les bégonias et le bouquet d'iris qui encombraient le comptoir de la cuisine me le fit remarquer, on distinguait un grondement sourd qui pesait sur l'ensemble, comme si Mille avait été située le long d'une gare de triage ou d'une autoroute :

— Tu ne remarques rien ?

— Ne t'inquiète pas, je suis sûr qu'ils dorment encore, répondis-je avant d'enfourner les restes d'un croissant déjà sec.

— À la radio, il y a comme un bourdonnement, insista-t-elle en doublant le volume.

Alice avait raison. On remarquait des bruits d'engrenage sous la voix de Linber-Lowe, quelque chose qui rappelait un frottement de courroies. Comme si elle répondait à nos interrogations, Linber-Lowe spécifia à tue-tête que l'on retrouvait à Mille le plus important réseau de tapis roulants et d'escaliers mécaniques couverts de toute la région.

Alice baissa le volume de la radio en grimaçant.

Pour traverser ce qui était devenu une agglomération de taille respectable sans enfreindre la règle des mille pas, ces aides mécanisées s'avéraient d'un précieux secours. La commune en était quadrillée. Selon la journaliste, il fallait voir ça au moins une fois dans sa vie. Des tapis roulants débrayables longeaient les champs, gravissaient les collines, traversaient indistinctement maisons, hangars ou édifices à bureaux. Des plateformes hydrauliques permettaient, en cas de trop forte dénivellation, de passer d'un niveau à un autre, car on avait fini par beaucoup construire en hauteur à Mille. L'étalement urbain entraînant des coûts d'infrastructures importants, il avait fallu se résoudre à empiler. Les quatre maisons du départ, impeccablement entretenues avec leurs volets pimpants, leurs galeries fleuries, leur spectaculaire surcharge, demeuraient au centre du projet, posées dans l'écrin d'ombre et de verdure que leur procurait le parc, mais elles juraient maintenant avec l'impression de branle-bas technique qui émanait de l'ensemble.

« Laissons si vous le voulez bien ces considérations esthétiques de côté, poursuivit Linber-Lowe. Cette contrainte de l'aménagement urbain a-t-elle une utilité ? Est-on plus heureux à Mille qu'ailleurs ? Je l'ignore, mais ce dont je suis sûre, c'est que les habitants de Mille en profitent largement au classement. Voilà ce qu'autrui manigance pour se faire de l'avant. Et vous ? » termina la journaliste selon sa formule habituelle avant de quitter immédiatement le studio car, comme je l'ai déjà mentionné, elle était attendue à la performance de ce transformiste auquel elle consacrerait sa chronique du lendemain.

C'est donc ce reportage signé Lynn Linber-Lowe qui ramena instantanément Zéro-sur-Néant à l'esprit d'Alice. Comme nous ne possédions ni l'un ni l'autre les appuis requis pour initier un projet collectif de l'envergure de Mille, elle réfléchissait qu'il serait rentable, et envisageable compte tenu de nos compétences et du peu de temps dont nous disposions, de mettre en valeur le potentiel inexploité d'un endroit existant. Et Zéro-sur-Néant, le hameau, le lieu-dit, les deux fermettes, que sais-je, la ruine où elle était passée petite, qu'elle se jurait de transformer en parc à thème métaphysique, lui semblait constituer l'emplacement idéal.

19

CHEZ LYNN LINBER-LOWE tout, à commencer par son nom de famille, donne l'impression d'un partage. Si vous voulez mon avis, le divorce de ses parents, plusieurs mois avant sa naissance, a eu des répercussions sur la formation de l'embryon, comme si les gènes de Patricia Linber et ceux de François Lowe, plutôt que de s'unir pour créer du neuf, s'étaient simplement divisé la tâche. Ainsi, et c'est très net sur la multitude d'objets promotionnels à son effigie mis en circulation chaque année, un peu au-dessous de la poitrine, Lynn perd toute trace de Linber et devient très distinctement Lowe. Je trouve amusant que cette proportion reprenne à peu de choses près la façon dont les biens ont été divisés entre les époux au moment du divorce. Tout le temps qu'ont duré les procédures, par souci d'accumuler de l'avant, mais aussi parce qu'ils en étaient venus à véritablement se détester, Patricia Linber et François Lowe se sont insultés, réconciliés, puis à nouveau déchirés, si bien que les conditions dans lesquelles le litige Linber-Lowe a été réglé font partie du domaine public. Conseillé par l'avocat qui avait déjà négocié les termes de son premier divorce, monsieur a arraché la majeure partie du patrimoine familial. La maison de campagne à Étale, la collection d'art contemporain, les meubles, les voitures, il n'a laissé à madame que l'appartement confortable, mais bruyant paraît-il – c'est ce que les avocats de Patricia Linber ont tenté de plaider sans succès –, où Lynn a été conçue.

Si sa mère a certainement été flouée, on ne peut pas dire que Lynn ait été désavantagée sur le plan du partage du bagage génétique. De Patricia Linber, elle a hérité ce regard intense, difficile à soutenir, ces yeux ourlés de cils très noirs, ces épaules et cette poitrine d'une rondeur qui donne à penser. De son père, elle possède la silhouette élancée, les mains graciles, les hanches fines, l'allure adolescente, une certaine nonchalance dans la démarche. Lynn Linber-Lowe est dotée d'un charme ambigu. Elle avoue candidement s'en servir chaque fois que la situation l'exige. C'est ainsi, et grâce à une détermination hors du commun, soyons honnête, une telle réussite nécessite forcément des renoncements, qu'elle aurait obtenu les confidences qui ont propulsé sa carrière. Entre nous, même si ses mœurs ont souvent été discutées, Linber-Lowe pourrait s'envoyer tout l'autrui qu'elle rencontre dans le cadre de ses reportages, elle serait encore bien loin de concurrencer son mari, dont les activités extraconjugales nécessitent l'emploi d'une secrétaire chargée de lui rappeler non seulement ses engagements, mais aussi le nom des femmes qu'il a déjà séduites. Car Dario ne supporte pas la répétition. Il n'aime que le neuf et, comme il le déclare sur les nombreuses tribunes que sa position au classement lui assure :

— Quiconque baise plus d'une fois sa maîtresse pervertit l'idée même de l'adultère ! Je trompe ma femme, Lynn Linber-Lowe, et je m'adresse ici à la poignée de demeurés qui ignorent encore le nom de cette femme formidable, je la trompe pour l'attrait de la nouveauté. Ce avec quoi elle ne peut rivaliser. En enfilant plus d'une fois la même maîtresse, je trahis Lynn au-delà de tout ! Vous voyez bien ! Je suis plus fidèle que tous ces pisse-menu qui baisent dans la même chambre d'hôtel la même Micheline dans la même position tous les mercredis après-midi depuis quinze ans !

Ni sa calvitie, ni son mètre soixante-neuf ne semblent être des obstacles à l'appétit de Dario. Ses chemises cintrées, son humour et une forme physique soigneusement entretenue attirent l'attention ailleurs. Je suis incapable de préciser à quoi exactement les femmes succombent quand elles décident de s'offrir à lui, je me demande même s'il ne se joue pas là une espèce d'effet d'entraînement faisant en sorte qu'une fois la machine lancée, un certain nombre de conquêtes au compteur, un seuil critique atteint, il suffit de laisser aller, de profiter de ses acquis.

J'imagine qu'une femme mise en présence d'un homme auquel une demi-douzaine de ses amies ont déjà cédé doit se sentir en confiance. On lui a raconté ses atouts, ses lubies, sa façon de s'y prendre. Elle sait ce qu'il va lui promettre, où il posera la main, les lèvres avant d'essayer de l'entraîner à l'écart. Comme elle est en terrain connu, cette femme se trouve plus à même de s'abandonner. Je soupçonne que les raisons pour lesquelles autant de femmes acceptent de s'offrir à Dario ont moins à voir avec l'homme qu'avec sa réputation. À mon avis, il s'agit bien davantage, pour la plupart d'entre elles, de vérifier si leurs copines, leurs collègues, leurs sœurs – au collège où nous avons étudié, Dario a réussi l'impossible pari de se faire chacune des quatre sœurs Lamberton – sont dignes de confiance.

En plus de son métier de journaliste, Lynn Linber-Lowe trouve le moyen de demeurer l'épouse officielle de Dario Frantisek, l'entrepreneur responsable de la rénovation du bowling dans lequel Alice et moi avons habité quelques années avant l'arrivée des enfants doubles (je reparlerai du bowling). Grâce à un système de franchises dont je ne maîtrise pas toutes les finesses, Lynn et Dario génèrent de l'avant à ne plus savoir qu'en faire.

« Malgré des qualités certaines, vous ne parvenez pas à vous faire remarquer ? Vous êtes las de croupir, déçus de voir votre nom associé à celui des médiocres, des tâcherons ? Vous présentez bien, supportez la pression, possédez des compétences rares ? Joignez-vous à l'équipe, dit la publicité que diffuse Nouvelles d'autrui. Devenez Lynn Linber-Lowe ou Dario Frantisek. Appropriez-vous ces noms qui vous ouvriront les portes du Cercle 5000 et contemplez votre position dominante au classement. Si vous êtes sélectionné, c'est à un monde de réussite que vous accéderez. »

Ainsi, pendant que le véritable Dario Frantisek en est à jeter les bases de quelques projets immobiliers ou à dévêtir une femme du monde, une douzaine de ses homonymes s'emploie à générer de l'avant dans d'autres domaines. Le soleil ne se couche jamais sur l'empire Frantisek. Pendant que les Dario Frantisek de jour récupèrent, l'équipe de nuit prend le relais.

20

— NOM DE DIEU, Mas, ça fait un bail !

Même si je ne le fréquentais plus depuis des années, Dario prenait régulièrement le temps de me passer un coup de fil. C'était comme ça depuis le collège. Je n'attendais plus de ses nouvelles et, au moment où je me disais que cette fois, ça y était, qu'il m'avait vraiment oublié, le voilà qui rappliquait.

— Ça, tu peux le dire, ça remonte à quoi ? Un an, un an et demi ?

J'avais fait comme si son appel ne me surprenait pas le moins du monde, mais chaque fois je ne pouvais m'empêcher de penser que sa secrétaire avait composé mon numéro par erreur et qu'au moment où elle lui tendait le combiné, après un moment d'hésitation qu'il aurait souhaité plus court, il réalisait que, loin d'être la rousse incendiaire dont il espérait la voix, c'est un vieux copain de classe qui se trouvait à l'autre bout de la ligne. Je l'imaginais faire les gros yeux pendant qu'il meublait tant bien que mal la conversation.

— Un an et demi, putain, le temps file… Alors, comment ça se passe chez toi ?

— Pas mal. On fait aller, et de ton côté ?

— Oh moi, j'ai vraiment pas à me plaindre.

— Ça, on peut difficilement t'oublier, Cercle 5000 et tout, j'ai le porte-clé, le sous-verre, le balai à chiottes Frantisek…

— Arrête, je sais qu'on me voit un peu trop, mes conseillers y travaillent, ils parlent « d'organiser la rareté » ! Mais si c'est pas moi, dis-toi que ça sera un autre et que ça sera peut-être pire !

À ce moment-là, nous avions ri tous les deux, le temps de réfléchir à ce que l'on pourrait bien se dire ensuite.

— Et ta femme…, ça va ?

— Elle va bien. Elle écoute Lynn tous les jours.

— Je le lui dirai, ça va lui faire plaisir. Lynn est un peu gamine, elle aime bien entendre ces choses-là.

— Alors dis-lui que je l'écoute aussi de temps en temps en allant au travail.

— Toujours chez Monolite ?

— Ouais, toujours. J'ai été promu testeur en chef.

— Je suis content pour toi.

— Ça en fait au moins un.

— Tu sais que si t'as un problème, tu peux toujours compter sur moi, hein ? Tu le sais, ça ?

— Je sais, Dario, c'est gentil.

— J'ai déjà aidé Flagos et Luis. Ils travaillent pour moi maintenant. Tu leur passes un coup de fil pour vérifier quel genre de patron je fais si tu veux. Surtout, tu te gênes pas ! Je serais content que tu te joignes à l'équipe, Mas, vraiment, ça serait sympa.

— C'est pas dans mes projets immédiats, mais je te remercie.

— T'as pas atteint ton plein potentiel, mon vieux, ça crève les yeux. On pourrait se pencher là-dessus, qu'est-ce que t'en dis ? Rien de formel, juste une petite discussion entre copains. Tu devrais passer au bureau un de ces quatre pour qu'on parle de tout ça. Tu sais où on est ?

— Dans l'ancienne usine de traitement des eaux.

— C'est ça, à Estampes, au bord du lac. On a une vue superbe.

Au terme de cet appel, je n'étais pas devenu Dario Frantisek, mais j'avais quand même accepté de visiter une des unités qui restaient disponibles dans l'ancien bowling.

— Je vous imagine parfaitement là-bas. Ta femme va adorer, fais-moi confiance. Tu lui diras que c'est un nouveau concept. On se sert de l'environnement comme tremplin, tu vois le truc. Pas besoin de se démener pour faire le guignol sous les capteurs, ce sont les lieux qui génèrent de l'intensité. Tout seuls. Sans forcer. On a laissé des irritants dans la finition du projet pour permettre aux nouveaux propriétaires de gueuler. Par exemple, les robinets coulent. Tous les robinets, sans exception.

Les planchers de bois ont pas été poncés exprès, pour les échardes ; la hotte recrache les graisses et la fumée à l'intérieur de la cuisine ; les joints entre les briques permettent les infiltrations d'eau. Tu comprends le principe ? On a créé des aspérités pour donner une chance aux nouveaux propriétaires d'exprimer leur mécontentement. On les encourage même à se regrouper en association dans le but de nous traîner en justice. C'est très stimulant pour eux. Vous y allez samedi matin, d'accord ? Et surtout, tu dis que c'est moi qui t'envoie, hein ? On s'est bien compris, Mas ? Tu dis que c'est moi qui t'envoie. Bon, allez, ça m'a fait plaisir, à bientôt, et mes amitiés à ta femme.

Au début des années quatre-vingt, sentant s'affermir la demande pour des habitations conceptuelles, alors que le public commençait à rejeter l'idée du logement traditionnel, jugé trop convenu, usé en termes de possibilités, reflétant de plus en plus mal les aspirations de ceux qui attendaient davantage de leur environnement, Dario Frantisek s'était lancé dans le développement de projets domiciliaires qu'il avait astucieusement baptisés les Habitats-Véritas. Son credo : respecter l'âme des bâtiments, intervenir au minimum pour qu'une fois ceux-ci transformés en logements, les nouveaux propriétaires aient le loisir d'y retrouver intact le cœur battant de chacun. Usant d'un réseau de relations patiemment tissé, Dario avait réussi à mettre la main sur un planétarium, un couvent, un ancien bain public et un bowling, des bâtiments dont l'unique point commun était l'état de délabrement dans lequel ils se trouvaient.

Avant de me révéler ses projets, Dario avait eu le temps d'écouler toutes les unités aménagées dans le planétarium, le couvent et le bain public. Ce qui nous laissait pour seule possibilité, à moins d'avoir la patience d'attendre une année de plus que se concrétisent les nouvelles constructions – Dario avait au programme la réfection d'un crématorium, d'un hypermarché, d'une banque et d'anciens abattoirs municipaux –, l'investissement dans la phase de « reconditionnement urbain » tout juste amorcée entre les murs de l'ancien bowling.

À l'intérieur du bowling, les parquets couraient sur toute la longueur de l'appartement. Certaines des lattes de ce qui constituait la piste numéro 1 avaient particulièrement souffert, comme si l'ancien propriétaire, de guerre lasse, pour limiter les dégâts, s'était résigné à sacrifier une piste entière aux tentatives des joueurs du dimanche. Notre chambre se trouvait là, étroite et longue, avec un lit coincé tout au fond. Notre lit. Un lit au fond de la piste réservée aux tâtonnements, aux hésitations et aux maladresses.

Fidèle à ses principes de rénovation, Dario avait descendu de simples cloisons de gypse afin de délimiter les pièces de notre appartement. Une minuscule salle de bain, installée là où officiaient auparavant les machines chargées de relever les quilles, un coin cuisine constitué de matériaux de récupération, un salon / salle à manger occupant une grande partie de ce qui avait été les pistes 3 et 4 complétaient l'espace dont nous nous étions portés acquéreurs en échange d'une somme raisonnable considérant la superficie dont nous disposions. Le rail qui ramenait les boules aux joueurs après chaque lancer, conservé très largement intact, c'est tout juste si l'on s'était donné la peine de pratiquer quelques ouvertures afin de permettre un passage d'une pièce à l'autre sans qu'il soit besoin d'enjamber la structure de métal, avait été transformé par Alice entre les pistes 2 et 3 en îlots de verdure au-dessus desquels courait, en écho exact, une série de trois puits de lumière.

Cela avait commencé petit à petit, un arbuste odorant, des cactus, puis, au fil des mois, de nouvelles plantes étaient venues s'ajouter. Finalement, c'est ce qui frappait à l'entrée de notre appartement, ce tumulte vert, ce défilé de ficus, de géraniums, d'azalées, de figuiers lyres, d'hibiscus, de fougères et d'orangers, tous sous la lumière, alors que le reste des pièces paraissait stagner en permanence dans une demi-obscurité. Il y avait là comme une joie organisée, obligatoire. Alice ne ménageait pas ses efforts et les hibiscus donnaient régulièrement de grandes fleurs rouges dont elle s'enorgueillissait. Il y avait la pièce aux plantes, et les autres, par comparaison, semblaient vides même lorsque nous les occupions.

Nos voisins, heureux propriétaires des aires de jeu 5 à 9, avaient décidé de conserver en activité une de leurs pistes de bowling. Il n'était pas rare, au beau milieu de la nuit, d'entendre l'un des époux, en proie à l'insomnie ou à quelque querelle, dissiper sa rage ou son ennui dans une partie à laquelle Alice et moi assistions en spectateurs privilégiés. On entendait tout, les quelques pas de recul pris par le joueur afin de s'assurer un élan fluide, sa course brève, le premier contact de la boule sur la piste, suivi d'un grondement réprimé, une appréhension avant la déchirure et puis le contact, sec, magistral, le bois fendu des quilles et la boule qui poursuivait sa course, qui s'écrasait lourdement au fond de la zone de réception. Venaient encore le bruit de la descente des machines, le tintement des quilles que l'on rassemble, le toc décevant qu'elles rendaient déposées de nouveau sur la piste, et enfin le couinement épuisé de la remontée.

Parfois, un silence s'intercalait avant que la séquence ne reprenne ; parfois non. Dans ces moments, Alice fixait avec intensité le plafond de notre chambre, les bras allongés sur le couvre-lit dans une position presque enfantine ; je voyais ses doigts frémir, ses lèvres murmurer et, à la fin de la partie, lorsque le bruit retombait, elle annonçait le score, cent trente-six, avant de se retourner pour s'endormir.

Deux ans après nous être installés au bowling, déçus des résultats que ce changement de décor avait générés au classement, traînant la vague impression de nous être fait avoir, nous jetions notre dévolu sur une petite maison située en périphérie d'Estampes, un quartier que les jeunes couples avaient commencé à investir, deux saules plantés de chaque côté d'un bout d'asphalte menant au garage, une dizaine de pièces aux proportions modestes mais agréables.

Cette maison, nous l'habitons encore.

C'est là où grandissent les enfants doubles. C'est aussi là où le rapporteur vient de s'installer afin de mener à bien ses observations parmi nous. Je m'apprête à vous parler de lui avec plus de précision, mais sachez déjà que, la porte d'entrée à peine franchie, alors que son barda lui pèse visiblement et qu'il serait mieux inspiré de le déposer sur la moquette (deux gros sacs de toile et une chaise pliante lui cisaillent l'épaule, et il doit compenser leur poids en se penchant exagérément vers la droite), le rapporteur déclare sur un ton grandiloquent, on dirait un percepteur romain venu prélever l'impôt aux confins de l'Empire :

— Une lettre datée d'il y a trois jours vous a annoncé mon arrivée. Je viens procéder à l'audit de votre intimité. Je suis ici pour traquer le faux-semblant et l'exagération.

Là, il marque une pause, comme si son laïus n'était pas entièrement au point, ou que l'émotion l'étranglait, une pause en tous les cas qu'il tente de camoufler en reprenant avec agressivité.

— Je cherche la preuve d'irrégularités. J'épinglerai toutes les tentatives de transmuer votre ordinaire en un mensonge profitable au classement.

Ensuite, il se racle la gorge, cherche un endroit où cracher, se résout à sortir un kleenex de sa poche. Alice lui sourit. Même s'il n'arrive que d'Estampes, elle suggère qu'il doit être fatigué par le trajet et l'invite à prendre place entre les plantes du salon.

21

LE RAPPORTEUR a une barbe de plusieurs jours, de petites dents acérées, des yeux écartés de poisson plat, le droit légèrement plus haut que le gauche, ce qui le condamne à une attitude de perplexité continuelle. Peu importe la situation, il paraît dépassé par les événements, incapable d'attribuer un sens au monde qui l'entoure. Nombreux sont les incriminés qui ont dû être tentés de le prendre en pitié, mais ce serait une erreur.

Bien qu'à moitié aveugle, le rapporteur est mauvais comme une teigne, prétentieux, hautain, arc-bouté sur son handicap duquel il tire, je le soupçonne, une force de nuire considérable. La trentaine bien entamée, il s'habille en adolescent, camoufle un début d'embonpoint sous des jeans trop larges et des t-shirts informes. Quand le spectacle de notre vie familiale l'ennuie, il bat des genoux, le regard fixe. Il mâchonne le bout de son stylo, inspecte la bibliothèque du salon, renifle le dos des livres comme si cela suffisait à lui en révéler le contenu.

Je ne veux pas donner l'impression de pinailler, mais j'ai la conviction que les effets d'un tel comportement ne doivent pas avoir été pris en compte dans l'élaboration du processus de révision auquel nous sommes soumis. Les appels à l'aide que le rapporteur adresse au ciel, ses moues de dépit, les soupirs exaspérés qu'il pousse quand le quotidien de notre famille lui paraît languissant provoquent en moi une nervosité qui ne peut que fausser les résultats de son enquête.

Lorsque le rapporteur se déplace pour s'assurer un meilleur point de vue ou pour vérifier l'authenticité de l'une des scènes que nous sommes en train de vivre, il traîne négligemment les pieds, entravé dans sa progression par des sandales de sport dont il laisse bâiller les attaches. Il ne se change pas plus d'une fois par semaine, consent de justesse aux rituels que commande l'hygiène la plus élémentaire. Il est chez nous en mission, ne se prive donc pas pour emprunter, dans nos rares échanges, le ton cassant que l'on réserve aux coupables et aux fraudeurs. S'il se donne à peine le mal de répondre quand on lui adresse la parole, c'est que nous ne sommes pas censés tenir compte de sa présence parmi nous.

— Je suis transparent, dit-il, transparent comme seuls le sont les gens qui n'ont rien à se reprocher.

Le rapporteur noircit inlassablement les pages d'un bloc de papier contre lequel il doit coller la joue pour arriver à les relire. Tous les soirs à vingt-trois heures, il retranscrit les observations de la journée sur un ordinateur qui ne m'apparaît pas plus grand que la paume de la main. On le voit se voûter, hésiter au-dessus de chaque touche, effacer, s'y reprendre à plusieurs fois afin de saisir les données, mais il s'obstine à refuser l'aide que nous lui proposons.

— Les incriminés ne doivent en aucun cas avoir accès aux observations du rapporteur qui leur a été assigné, siffle-t-il avec une voix aiguë. Tout cela est strictement confidentiel !

Pendant qu'il s'exécute, nous redoutons la faute de frappe, l'erreur de transcription qui nous attirera des problèmes supplémentaires. Nous prions pour que les enfants doubles, déjà couchés à cette heure, ne se réveillent pas en pleurant. Nous nous arrêtons pratiquement de vivre afin de ne pas troubler sa concentration.

Bien qu'il habite à la maison – nous lui avons installé un lit de camp au salon entre deux grands hibiscus et avons débarrassé une partie du vaisselier pour qu'il y dispose quelques vêtements –, qu'il partage nos repas, notre salle de bain et la totalité de nos activités, le rapporteur supporte mal la familiarité. Plusieurs semaines de cohabitation n'y ont rien changé, il reste à distance, assis sur une chaise de camping pliante munie d'un porte-gobelet qu'il transporte de pièce en pièce, sans se relever, le dos à demi plié, les fesses calées contre la toile, les mains agrippées aux accoudoirs.

Sa méforme est telle que le moindre déplacement le laisse essoufflé comme s'il avait parcouru des kilomètres.

Même si nous lui réservons une place à table, que nous l'invitons à partager nos repas, le rapporteur s'installe à l'écart, deux ou trois mètres de refus poli, crayon à la main, aux aguets, dans une attitude qui marie la sévérité de l'examinateur à la patience toute professionnelle du documentariste animalier. Il n'y voit pas davantage que s'il faisait nuit noire, mais ce rituel doit lui permettre de penser que les apparences sont sauves.

Puisque nous avons avantage à ce que le rapporteur ne rate rien des événements qui composent notre quotidien et que nous désirons par-dessus tout éviter que son handicap ou son manque d'intérêt ne joue en notre défaveur, nous avons pris l'habitude de décrire à voix haute les actions que nous posons :

— Je me baisse pour ramasser un jouet que mes petits chéris ont négligemment laissé tomber, dit Alice en remontant étrangement dans les aigus ; je dévale les marches quatre à quatre ; hop, je saute un repas ; j'enfile une robe qui me fait une silhouette avantageuse ; je me méprends sur le compte d'un ami perdu de vue ; je reste prostrée avec une moue dubitative où perce, malgré tout, l'espoir que les choses s'arrangent ; je fronce les sourcils ; je me cache pour pleurer ; je téléphone à un ami malade et courageux ; je caresse des idées lubriques.

Il arrive même qu'Alice exige des enfants doubles qu'ils renversent une deuxième fois leur verre, ou que nous répétions les gestes de tendresse que nous suspectons lui avoir échappé la première fois. Le rapporteur ne se rend généralement compte de rien ; lorsqu'il s'aperçoit de la manœuvre, il laisse échapper une flopée de jurons et menace de sous-évaluer tout le reste de la semaine s'il nous y reprend.

Malgré plusieurs tentatives d'apaisement, le rapporteur persiste à éviter les contacts, ne participe pas à nos conversations, n'intervient que pour réclamer une portion supplémentaire ou pour se plaindre de l'humidité qui règne en permanence chez nous. À ce titre, il est évident que la disposition de notre intérieur ne facilite pas ses observations. La présence envahissante des plantes dans chacune des pièces, la masse compacte des meubles que nous n'avons d'autre choix que d'empiler pour faire de la place à la végétation – ici, une table basse dont les tiroirs glissent et menacent de déverser leur contenu chaque fois que s'enfonce le pouf sur lequel nous l'avons juchée ; là, trois tours à disques compacts posées en équilibre précaire sur un coffre trop étroit pour leur base – constituent autant d'obstacles qui, jumelés à sa piètre vision, font de notre famille une assignation particulièrement délicate pour le rapporteur. Je sais bien que nous aurions avantage à lui faciliter la tâche, à rassembler quelques-unes des plantes sur la terrasse, à dégager un peu d'espace, à ouvrir les perspectives, mais le règlement est formel : il est interdit de modifier l'environnement dans lequel nous avions l'habitude d'évoluer avant son arrivée.

22

C'EST UN PEU à cause de moi si le rapporteur a été dépêché à la maison, un peu de ma faute s'il bivouaque sur la moquette du salon d'où il nous impose son air hébété et sa graphomanie. Une analyse méticuleuse des bulletins d'intimité que j'ai fournis durant les dernières années a révélé l'existence d'anomalies suffisamment graves pour justifier un contrôle.

La plus évidente d'entre elles concerne la composition même de la cellule familiale dont je déclare, semaine après semaine, être l'élément mâle. Il a été jugé peu probable que je partage annuellement la vie de plusieurs centaines de femmes différentes. On a crié à la fabulation, à l'imposture, mais j'ai pour moi un argument qui devrait prouver ma bonne foi : jamais un fraudeur n'aurait pris autant de risques pour générer aussi peu d'avant. Partager la vie de plusieurs centaines de femmes, mieux, en changer tous les jours, et continuer à croupir au classement derrière l'autrui qui n'en déclare qu'une, deux à la rigueur ? Se donner cette peine, monter une arnaque d'une telle ampleur et ne pas chercher à en tirer parti ? Il faudrait être complètement idiot.

Je peux vous assurer que mes bulletins d'intimité reflètent très exactement la vie que je mène. Même décontenancé par le manque d'intensité que révèle le bilan de certaines semaines, j'assume l'aspect linéaire, authentiquement prévisible de mes journées. Je n'exagère ni mon bonheur ni ma détresse. Si j'ai omis de déclarer dans mes bulletins d'intimité qu'il s'agissait de la même femme affublée quotidiennement d'un prénom différent pour répondre à ses exigences, si je n'ai pas considéré comme important de le faire, c'est qu'il me semblait évident que la multiplicité de ces femmes dans ma vie ne changeait rien à mon ordinaire, que leur présence successive ne me permettait de dégager aucune intensité supplémentaire. Oui, je reconnais ma négligence, mais que l'on m'accuse aujourd'hui de fausse déclaration, que l'on me soupçonne d'être frauduleux alors qu'au moment où l'on se parle, de l'autrui escroque à grand déploiement en s'inventant des amours fantastiques, des amours dont aucune preuve n'est jamais fournie, cela me donne envie de tout abandonner.

Quand un participant au classement s'aventure à ne pas consigner avec une méticulosité maniaque ses faits et gestes dans son bulletin d'intimité, qu'il ne précise pas ce qui lui semble être l'évidence même – comment penser qu'un homme tel que moi puisse séduire tous les jours une femme différente, voire la ramener chez lui en lui faisant miroiter quoi ? La perspective d'un apéritif au jardin ? Qui pourrait imaginer un séducteur n'ayant rien de mieux à proposer qu'un plateau télé, un peu de lecture, une demi-heure de vaisselle ? –, on s'inquiète de possibles irrégularités, on dépêche dare-dare un rapporteur pour documenter le méfait et, le cas échéant, au terme d'une enquête soi-disant impartiale, effectuer la saisie de tout pointage perçu en trop. Mais quand il est question de l'amour, là, il faut bien laisser courir. Pas le choix : personne n'a encore trouvé le moyen d'auditer l'amour. Force est d'admettre que l'on demeure aujourd'hui à ce sujet en pleine impasse méthodologique.

Le sentiment amoureux est susceptible de ne pas être partagé, je ne vous apprends rien, et c'est là pour les esprits malins son immense avantage. Il peut être ressenti sans impliquer de contrepartie et cela ouvre à toutes les malversations. Qui remettra en question la véracité du bulletin d'intimité produit par un type déclarant un coup de foudre pour une inconnue croisée à une petite fête chez des voisins, dans le moelleux du canapé de leur salon ? Remarquez, c'est toujours chez l'un ou chez l'autre que le grand amour leur tombe dessus, jamais dans la rue, ni au marché, non, bien sûr, parce qu'il serait alors possible de vérifier leurs dires. Avec le nombre de capteurs en activité dans la région, les préposés au catalogage auraient le loisir de retrouver l'intersection, le bout de trottoir où la rencontre est censée avoir eu lieu. Ils pourraient arrêter l'image, l'agrandir, chercher sur les visages des protagonistes la trace de leur bouleversement.

Imaginez maintenant le nombre d'arrivistes qui n'attendent que ça, l'amour, pas pour le frisson, pour aller tout bavasser dans leur bulletin d'intimité, tiens, pour se faire de l'avant, piétiner l'autrui qui a oublié, qui ne sait, qui n'ose pas. Que l'on débarque chez moi comme chez le dernier des vauriens, que l'on impose à ma famille la présence d'un adolescent à moitié aveugle, alors que d'aussi grossières manœuvres se déroulent en toute légalité ! Il faudrait légiférer, limiter à quatre ou cinq les objets d'amour, cela doit pouvoir se mesurer ; enfin, combien de fois autrui peut-il tomber amoureux, chimiquement parlant, par semaine ou par mois ? Il doit bien exister des mesures, on devrait pouvoir empêcher cette inflation, arrêter de se moquer de ceux et celles qui s'y collent honnêtement, qui tiennent le couple et ne parviennent au classement, malgré leurs efforts, qu'à des résultats très inférieurs.

Le rapporteur est à la maison pour établir la réalité des femmes dont j'ai déclaré l'existence dans mes bulletins d'intimité. Pour des raisons pratiques visant à faciliter l'enquête, leurs prénoms ont été consignés et classés par ordre alphabétique. Aéva, Amélie, Amielle, Aïmara, Audrey, Amanda, Anna, Anaïs, je peux vérifier si je le désire, il y en a eu plus de cent quatre-vingt-dix l'année dernière seulement. Je soupçonne le rapporteur d'avoir lourdement insisté pour obtenir au nez et à la barbe de ses collègues cette assignation providentielle. Pressé de questions, moqué, chahuté, je ne doute pas une seconde qu'il ait été jusqu'à utiliser son handicap pour justifier son empressement à enquêter lui-même.

Comment ne pas le comprendre ? Venir se glisser dans l'intimité de toutes ces femmes, détailler chacun de leurs gestes, s'insinuer dans leur chambre, les suivre jusque sous leurs draps, quel homme n'en a pas rêvé un jour ? Avec une telle concentration de cuisses au sortir du bain, de nuques ensommeillées, de bretelles glissant sur l'épaule, de bouches « bonjour-bonsoir, tu es en retard, ne m'attends pas ce soir », de pieds nus sur le carrelage, de culs se dandinant dans l'escalier, il y en a bien une qui devrait finir par lui tomber dans les bras, non ? Une femme, ne serait-ce qu'à cause du manque d'espace dans ce pavillon de banlieue rendu impraticable par les plantes ? Peut-être pourrait-il profiter de la configuration des lieux, tomber sur le bon numéro, celle qui se révèle plus conciliante que les autres, l'attirer vers lui, la faire asseoir dans sa chaise pliante et, tout en continuant à discuter galamment, glisser une main sous sa jupe ?

En arrivant à la maison, le rapporteur n'a pas caché sa déception de ne trouver qu'une femme, la mienne, pourtant splendide dans une robe rouge très ajustée sur les hanches, qu'elle avait enfilée pour souligner son arrivée. Je ne connaissais pas cette robe et je ne vous cache pas ma surprise de constater qu'Alice accordait suffisamment d'importance à la venue de l'importun pour prendre la peine de se mettre en beauté.

— Ne sois pas bête, me glissa-t-elle à l'oreille, alors que le rapporteur déposait finalement ses sacs dans l'entrée, tu sais très bien pourquoi je fais ça.

Plutôt que d'apprécier les efforts déployés par Alice pour lui être agréable, le rapporteur m'a jeté un regard mauvais, enfin, il a jeté dans ce qu'il considérait être ma direction un regard mauvais. S'il fallait détailler avec précision l'endroit où se sont posés ses yeux, je pencherais pour l'abat-jour en papier de riz de la lampe du couloir. Comme les poissons de fond, comme ce qui est sombre et froid, le rapporteur est attiré par la lumière.

Il a fouillé les placards, le garage, cherché une annexe à la maison où pourraient se cacher Astrid-Béatrice-Laure-Orélie et les autres, passé en revue les produits de beauté de la salle de bain, examiné de près les sous-vêtements rangés dans le tiroir d'Alice, avec une prédilection particulière pour un ensemble marron, liséré de dentelle mauve, auquel il revenait sans arrêt : « Il vous arrive de porter ça ? », l'image mentale de ma femme dans cette tenue semblant remuer en lui de très anciennes souffrances.

— Si ce soutien-gorge ne vous plaît pas, reposez-le où vous l'avez trouvé, ai-je senti le besoin de lui dire tant il s'attardait, mais Alice m'a rabroué :

— Tout va bien, chéri. Monsieur ne fait que son travail.

Ce devait être l'émotion, le fait qu'il venait à peine d'arriver parmi nous, que son personnage d'adolescent renfrogné n'était pas encore au point, mais le rapporteur s'est laissé aller à parler de sa mère, qui dessinait les patrons pour une marque de lingerie :

— Elle avait des mains de fée et jurait comme une maquerelle.

Alors que ses doigts couraient sur la dentelle, qu'ils la lisaient, je pense que c'est la formule qui convient le mieux, le rapporteur suivait le tissu comme un aveugle déchiffre le braille, avec minutie, butant sur certains détails du piqué comme sur un mot inconnu, il a évoqué avec tristesse l'existence de clientes privilégiées qui venaient directement chez lui essayer les échantillons, qui s'observaient longuement dans la glace du salon, jugeant de l'effet que les coussinets avaient sur leur anatomie, comparant le soutien, l'effet galbant, n'accordant aucune importance à la présence du fils de la maison, que sa maman décrivait avec délicatesse comme étant « si myope qu'il aurait du mal à retrouver sa propre queue dans un bordel ».

23

IL ME SEMBLE qu'à ce stade certaines précisions peuvent s'avérer nécessaires. Ainsi, peut-être l'utilisation du bulletin d'intimité, auquel cette histoire m'oblige à faire référence, ne vous est-elle pas encore entièrement familière. Sachez que le bulletin d'intimité est constitué pour son corps principal d'un jeu de fiches à perforer semi-rigides qui ressemblent à s'y méprendre à celles qu'utilisait jusqu'à tout récemment l'appareil politique américain pour élire son président.

À l'aide d'un poinçon dont le motif est réputé unique, les participants au classement doivent consigner de façon hebdomadaire les événements porteurs d'intensité survenus dans le cadre de leur vie privée. Les résultats obtenus grâce à cette technique d'autoévaluation sont ensuite couplés aux observations réalisées par les jurés à partir du matériel récolté par les capteurs dans la sphère publique. La mise en commun de ces résultats permet de constituer le score général au classement. Nous en avons déjà parlé. Pour éviter que les méthodes d'évaluation ne varient de façon trop marquée d'un individu à l'autre et pour s'assurer que chacun bénéficie d'une chance équitable de se mettre en valeur au classement, une table des équivalences présentant une série de critères objectifs a été développée. Cette table détaille avec précision la valeur attribuée à plusieurs milliers d'événements susceptibles de se produire dans la vie privée des participants. Elle est mise à jour tous les ans au moment de sa distribution dans les foyers de la région.

Afin de vous permettre de mieux comprendre la façon dont est structurée la table des équivalences, prenons l'exemple de la querelle amoureuse, qui constitue l'une des pierres d'assise de l'intensité vécue par les individus dans la sphère intime. À la portée de tous, démocratique dans son expression, quoique l'on sache que des facteurs socioéconomiques, historiques, génétiques en stimulent la fréquence, la querelle amoureuse est incontournable. Étant donné ses occurrences, elle doit être très précisément encadrée.

La table des équivalences définit la « Querelle amoureuse simple » comme un affrontement non planifié impliquant un minimum de deux individus entretenant des liens sentimentaux, sexuels, sexuels devenus amicaux, amicaux devenus sexuels – ayant entretenu des liens sentimentaux, sexuels ou amicaux, et trop lâches ou fatigués pour les rompre –, un minimum de deux individus donc, engagés dans un échange verbal d'une charge émotive supérieure à la moyenne de leurs échanges habituels. Un couple ne peut ainsi se déclarer en querelle amoureuse permanente. On jugera simplement dans ce cas que la querelle amoureuse constitue l'état normal de leur relation. Comprenez ici qu'une escalade de la querelle devient dès lors nécessaire pour inscrire de nouvelles entrées au bulletin d'intimité et ainsi espérer progresser au classement.

Pour éviter la simulation, que des couples malhonnêtes se disputent sans motif, simplement par appât du gain, pour profiter de la prime accordée à la discorde, l'objet de la querelle amoureuse simple doit pouvoir être défini avec précision. Une variation des motifs de la querelle est aussi jugée primordiale. Se disputer vingt ans durant au sujet d'une belle-mère envahissante, d'un amant présumé ou de l'installation d'une douche dans la salle de bain du sous-sol n'est tout simplement pas envisageable. Les hurlements de moins de quatre-vingts décibels, les grognements, les rougeurs, les larmes, les gestes d'impatience, de dépit ou de colère, le fait de taper du pied ou de claquer les portes, par exemple, sont inclus dans le pointage de base attribué par la table des équivalences sous la rubrique « Querelle amoureuse simple ». Il est donc absolument interdit de chercher à exploiter ces manifestations émotives en les déclarant sous une rubrique différente. Sachez enfin que des variantes de la querelle amoureuse simple sont susceptibles de valoir aux individus en faisant l'expérience une attribution supplémentaire pouvant être transcrite au bulletin d'intimité. La table des équivalences répertorie les variantes de la façon suivante :

34 Querelle amoureuse simple

34.1 Querelle amoureuse impliquant la projection d'un objet

34.2 Querelle amoureuse impliquant la projection d'un objet possédant une valeur symbolique ou sentimentale pour l'un des partenaires

34.3 Querelle amoureuse impliquant la projection d'un objet possédant une valeur symbolique ou sentimentale pour les deux partenaires (alliance, album de mariage, cadeau de noces, bricolage réalisé par un enfant, etc.)

34.4 Querelle amoureuse impliquant la manipulation de sacs de voyage ou de valises vides

34.5 Querelle amoureuse impliquant la manipulation de sacs de voyage ou de valises contenant des objets personnels

a) Ainsi que leur déplacement en direction de la porte d'entrée de l'espace de vie commun

b) Ainsi que le franchissement de la porte d'entrée

c) Ainsi que la descente des escaliers en direction de la voie publique

d) Ainsi que le chargement des sacs de voyage ou des valises dans un véhicule

e) Ainsi que la mise en marche de ce véhicule

f) Ainsi que la mise en mouvement du véhicule sur une distance de plus de cent cinquante mètres

g) Ainsi que la poursuite du véhicule par le partenaire éconduit

h) Ainsi que la participation des enfants (multipliez le pointage attribué par le nombre d'enfants impliqués)

i) Ainsi que celle du nouveau ou de la nouvelle partenaire

j) Ainsi que celle des voisins ou de passants alertés par la querelle amoureuse

k) Ainsi que celle du corps policier (municipal, provincial ou fédéral)

D'autres formes de querelles amoureuses moins dramatiques sont elles aussi répertoriées par la table des équivalences. Si les pointages attribués dans cette section restent globalement plus chiches, certains couples passés maîtres dans l'art de la réconciliation arrivent, bon an mal an, à tirer de ces querelles une source d'intensité tout à fait satisfaisante.

35 Autres querelles amoureuses

35.1 Querelle amoureuse se soldant par un rapprochement des partenaires

35.2 Avec excuses présentées à l'initiative d'un partenaire

35.3 Avec excuses mutuelles

a) Prononcées avec un zeste d'amertume
b) Prononcées sans un soupçon de colère
   1. de façon simultanée en se tombant dans les bras
   2. de façon simultanée en regagnant le lit conjugal
   3. en échangeant la promesse de ne jamais recommencer
c) En se rendormant chacun de son côté
d) En se blottissant l'un contre l'autre
   1. en échangeant un baiser superficiel
   2. en échangeant un baiser profond
   3. accompagné d'effleurements sur diverses parties du corps
   4. ainsi que par la description à voix haute d'actes à caractère sensuel que les partenaires se promettent, ou se menacent, d'accomplir
   5. ainsi qu'une relation bucco-génitale
   6. ainsi qu'une relation sexuelle complète
   7. comportant un orgasme simultané
   8. comportant au moins deux orgasmes alternés

9. comportant plus de deux orgasmes alternés
10. ne comportant volontairement pas d'orgasme
11. ne comportant pas d'orgasme
12. mais une rancœur partagée
13. ainsi que l'échange de reproches
14. se traduisant par une nouvelle querelle

Il existe une variété impressionnante de rubriques répertoriées par la table des équivalences afin de guider non seulement les jurés et les préposés au catalogage dans l'exercice de leurs fonctions, mais aussi les participants au classement auxquels incombe la tâche délicate, assommante pour tout dire, de compléter eux-mêmes leurs bulletins d'intimité. Quoiqu'il soit ruineux à la longue de procéder de la sorte, de l'autrui bien nanti n'hésite pas à confier sa comptabilité intime à des spécialistes qui prétendent connaître la table de fond en comble.

À mon avis, rien ne remplace une solide connaissance des rubriques et, aussitôt les enfants doubles en âge de comprendre de quoi il retourne, je me propose de leur faire apprendre la table par cœur. De mon côté, contrairement à Alice, qui a étudié certaines sections très en détail, qui est capable sur demande de réciter des pages entières, je me contente d'une connaissance des rubriques principales.

Je sais par exemple que la table fait référence à l'intensité attribuable à l'acquisition de biens de consommation, aux grands événements de la vie – naissances, avortements, fiançailles, décès, mariages –, j'en omets volontairement, la liste court sur une dizaine de pages, vous irez voir si cela vous intéresse ; à l'intensité attribuable à la victoire ou à la défaite d'une équipe sportive, au transfert de cette équipe dans une ville autre que celle où vous vivez, au transfert ou au renvoi d'un joueur auquel vous êtes attaché, ou que vous détestez, dans une ville autre que celle où vous vivez, à l'intensité attribuable aux conditions climatiques, aux catastrophes naturelles, au comportement d'un animal domestique, au retard dans la livraison du journal quotidien, au diagnostic d'une maladie commune, à celui d'une maladie inédite, d'une maladie inédite à laquelle on octroie votre nom, d'une maladie inédite et incurable à laquelle on octroie votre nom, à la floraison d'arbres fruitiers ou de plantes à bulbes, au bris, au vol ou à la disparition d'un objet auquel vous êtes attaché, d'une personne à laquelle vous êtes attaché, au déclenchement d'une guerre, d'une guerre civile, d'une rébellion, d'un coup d'État, réussi ou avorté, d'une élection démocratique dont les résultats correspondent à vos préférences, entrent en opposition avec elles.

Je sais que la table fait encore référence à l'intensité attribuable aux accidents, mouvements involontaires et autres lapsus, à la frustration sexuelle ou à la satisfaction des sens, à l'intensité attribuable au contentement de soi causé par les qualités physiques et psychiques que vous vous reconnaissez, à l'intensité attribuable à la peur de l'eau, du vide, du noir, de la foule, du lendemain, de la différence en général, encore une fois j'abrège, c'est à croire que la peur est partout. Vous comprenez le principe, je vous fais grâce de la suite, il ne m'est jamais arrivé de vivre un événement non répertorié dans la table des équivalences.

Pour ceux qui se demandent comment la violence trouve sa place dans un tel schéma, sachez que les viols, les meurtres, prémédités ou non, l'exploitation directe de son prochain, la torture et les autres modes d'intimidation menaçant l'intégrité des participants au classement sont exclus de la comptabilité générale. Pourtant, il faut l'admettre, ces mesures destinées à faire diminuer la criminalité dans la région n'ont pas produit les résultats escomptés. Si l'événement lui-même ne rapporte rien à l'agresseur ou à l'instigateur du conflit, les répercussions de ces crimes trouvent leur place sous différentes rubriques. En d'autres mots, votre meurtre, peu importe le motif, peu importe la virtuosité avec laquelle vous l'aurez planifié, ne vous rapportera rien. Que vous soyez reconnu coupable ou non ne changera pas grand-chose à l'affaire, mais la culpabilité que vous prétendrez éprouver, les remords deviendront une source d'intensité intarissable pour l'avenir.

24

ALORS QUE LA MISSION du rapporteur touchait à sa fin, je rentrai plus tôt du travail. J'avais besoin d'un peu de temps à moi, d'enfiler un short, mes chaussures de sport et de profiter du beau temps pour aller courir le long de la rivière. Je trouvai la maison calme. Un soleil de fin d'après-midi butait contre le rideau de verdure, les plantes jetaient leurs ombres brouillonnes jusque dans la cuisine. Les jouets des enfants traînaient entre les pots, des cubes de couleurs, des poupées démembrées, des hochets, des bavoirs, des vaisseaux de l'espace. Ils n'étaient pas là, sans doute laissés en consigne chez une voisine le temps qu'Alice reprenne des forces.

J'enjambai les violettes, les cactus, toute une variété de plantes à larges feuilles dont j'ignorais le nom mais qui n'en surchargeaient pas moins l'escalier. Je pensai prévenir de mon arrivée, hurler : « Coucou, je suis là ! », lancer un joyeux : « Il y a quelqu'un ? »

J'hésitais encore lorsque je suis arrivé à l'étage, où ma femme, allongée sur notre lit dans une pose qui me sembla d'abord grotesque – on aurait dit une pin-up des années cinquante, un bras replié sous la tête, une jambe allongée, l'autre à demi relevée –, avait enfilé par-dessus ses vêtements l'ensemble marron liséré de dentelle mauve qui plaisait tant au rapporteur.

Elle l'embrassait. Je ne pouvais pas en être sûr, mais en gravissant les escaliers, déjà, il m'avait semblé entendre des bruits de succion, d'étoffe froissée, la respiration enchevêtrée des amants. Je restais debout dans l'embrasure de la porte de notre chambre. La main libre d'Alice courait dans les cheveux sales du rapporteur. Je sentais confusément que cette scène méritait toute mon attention. J'aurais aimé prendre des notes pour restituer avec justesse l'intensité des sentiments que j'éprouvais dans mon prochain bulletin d'intimité, mais j'en fus incapable. Il y avait quelque chose d'extrêmement tendre, de maladroit et d'inesthétique dans leur étreinte et, si j'avais surpris une inconnue ainsi lovée dans les bras du rapporteur, je pense que la scène aurait pu réellement m'émouvoir. Un observateur détaché aurait trouvé touchante la demi-pénombre dans laquelle les amants avaient tenté de s'isoler, l'hésitation de leurs corps, cette tension qui les tordait. Mais je n'arrivais pas à me laisser aller. C'était ma femme après tout qu'un autre homme entreprenait, allongé à ma place dans le lit conjugal.

Je songeai un instant à fondre sur eux, à les séparer de force. L'envie de crier me tenaillait, mais il n'est pas si simple de se mettre en colère, vraiment en colère, quand il y a longtemps que vous ne vous y êtes pas exercé. Le choix des mots que vous prononcez, l'intonation que vous empruntez, la quantité d'air que vous laissez passer dans votre voix est déterminante. Une bonne colère ne s'improvise pas et je n'avais aucune envie de paraître ridicule, surtout en cette occasion. Je voulais être terrible, rien de moins. J'aspirais à ce que le rapporteur comprenne dès la première syllabe de quelle nature était la rage qui m'habitait. Puis, je m'aperçus que mon arrivée n'avait eu aucune incidence sur le comportement du couple qui batifolait dans les draps que j'avais occupés quelques heures auparavant. Ils continuaient à s'embrasser, le rapporteur palpant ce qu'il pouvait à travers les couches de vêtements, Alice se laissant mollement faire. J'en restais stupéfait. Au bout d'un moment, incapable de rebrousser chemin, de m'écrouler en pleurs ou de jurer comme n'importe quel autre mari humilié l'aurait fait, je me raclai la gorge pour signaler ma présence.

Alice entrouvrit lentement les yeux et, sans cesser d'embrasser le rapporteur qui paraissait transporté très loin de cette chambre, elle me fit signe avec le pouce levé que tout se déroulait pour le mieux. Puis elle referma les yeux et cala sa tête contre l'épaule du rapporteur.

Sous la rubrique « Infidélité des conjoints », la table des équivalences fait état des possibilités suivantes :

65 Infidélité des conjoints

65.1 Infidélité simple impliquant un partenaire d'un autre sexe

65.2 Infidélité simple impliquant un partenaire d'un autre sexe se traduisant par une grossesse

a) Interrompue

b) Menée à terme sans dévoiler l'identité réelle du géniteur

c) Menée à terme dans l'ignorance la plus complète de l'identité réelle du géniteur

d) En dévoilant cette identité de plein gré

e) En la dévoilant car la date de fécondation ne correspond à aucune activité reproductrice dans le couple légitime

f) En dévoilant l'identité réelle du géniteur à cause de caractéristiques du nourrisson éveillant les soupçons de l'élément mâle du couple légitime

65.3 Infidélité répétée impliquant un partenaire unique d'un autre sexe

a) Voir 65.2 pour les prescriptions relatives à la grossesse

65.4 Infidélité répétée impliquant des partenaires multiples d'un autre sexe

a) Idem

65.5 Infidélité simple impliquant un partenaire du même sexe

65.6 Infidélité simple impliquant des partenaires multiples du même sexe

65.7 Infidélité répétée impliquant un partenaire du même sexe

65.8 Infidélité répétée impliquant des partenaires multiples du même sexe

65.9 Infidélité concomitante (aussi dite parallèle)

65.10 Infidélité concomitante faisant l'objet d'une entente préalable dans le couple légitime

65.11 Infidélité concomitante faisant l'objet d'une entente a posteriori dans le couple légitime

65.12 Infidélité concomitante avec partenaires d'un autre sexe formant eux aussi un couple légitime (la concomitance de l'infidélité doit être due au hasard. Dans le cas contraire, reportez-vous à la rubrique 85 de la présente table – « Activités sexuelles dites alternatives » – 85.7 « Échangisme »)

a) Voir 65.2 pour les prescriptions relatives à la grossesse

65.13 Infidélité involontaire

a) Causée par la gémellité de l'un des partenaires du couple légitime

b) Causée par l'usage de substances altérant la perception

c) Voir 65.2 pour les prescriptions relatives à la grossesse

65.14 Infidélité simple impliquant une femme enceinte

L'infidélité découverte sur le vif, supposant le fait de surprendre l'être aimé en galante compagnie dans le lit conjugal, mérite au conjoint ainsi cocufié une attribution non négligeable. Pour qu'il me soit donné d'expérimenter en profondeur le rejet et la trahison, ma femme a pris le risque de me perdre. Je ne peux que louer son sens du sacrifice.

25

IL VOUS PARAÎTRA indélicat de ma part de le souligner, mais la première mort de mon père n'a rien d'honorable. Elle commence de façon anecdotique, je dirais décontractée, un peu plus et on n'y croirait pas.

Mon père ne se doute de rien, assis sous un tilleul si droit et si maigre qu'il ne lui fait même pas d'ombre. Sans avoir l'air d'y toucher, mon père se prépare une mort tempérée, pavillonnaire, une mort 1,15 étouffée par le mur antibruit qui sépare la maison de la voie rapide, en contrebas. Il est allongé dans une chaise longue dont il a relevé le dossier pour lire à son aise. On dirait un préretraité. Un préretraité ou un sage. Cet homme s'économise, cela semble clair. Il bouge à peine pour tourner les pages de son livre, étend mollement le bras pour attraper un abricot bien mûr. Mon père aimait les fruits bien mûrs.

Les abricots sont posés sur une table basse, à côté de la chaise, dans un bol de céramique jaune dont il faut s'approcher de très près pour en distinguer les défauts. Il fait bon, on entend à peine le raclement des voitures qui accélèrent avant de s'engouffrer dans le tunnel permettant de franchir la rivière. Ma mère qui rajeunit au-delà du raisonnable est en rendez-vous à l'extérieur dans une clinique du centre d'Estampes. Mon père le sait et fait mine de la croire quand elle prétend avoir rendu visite à une amie. Il n'agit pas différemment lorsqu'elle revient, après deux semaines d'une improbable cure, avec un front si lisse que l'on dirait une toile tendue, une surface qu'aucune inquiétude ne semble plus être en mesure de venir troubler. Quand ma mère réapparaît les paupières bouffies, le visage tuméfié malgré les chapeaux, les lunettes, les fards, il trouve encore le moyen de la complimenter sur son teint, de lui murmurer en l'embrassant qu'elle a l'air reposée. Ne croyez pas à de l'indifférence. Mon père était un homme pudique. C'est cette pudeur qui le retient de poser plus de questions, de manifester son accord ou son incompréhension, cette pudeur et aussi sans doute, je me mets à sa place, il s'agit de suppositions, il est possible que j'aie tort, cette pudeur et la crainte de découvrir l'ampleur des insatisfactions de ma mère, la peur de la savoir malheureuse auprès de lui. Tant qu'il ne cherche pas plus loin, mon père peut encore aspirer à une certaine tranquillité, préserver l'illusion d'une vie de couple réussie. Pourtant, cette pudeur ne l'a pas empêché de se couvrir de honte. Je sais, la vie est curieusement faite.

Contrairement à ma mère, mon père porte son âge. Il est ambigu, avec une tête trop fine pour ses larges épaules. On a l'impression de le voir en perspective, comme si sa tête accusait un perpétuel retard, qu'elle arrivait de plus loin, une tête au point de fuite, une tête qui serait bientôt là, un peu de patience. Mais la tête de mon père n'arrive jamais, elle reste en retrait, vous observe de là-bas, sans méchanceté, simplement lointaine et, après bien des discussions, bien des reproches, on en vient à penser que c'est mieux ainsi.

Mon père porte son âge. Peut-être même qu'il porte leur âge à tous les deux. Ce n'est pas impossible. À côté de ma mère qui rajeunit au-delà du raisonnable, mon père paraît sec, usé. Ses yeux sont aussi rouges que sa peau agressée par la lame du rasoir. Mon père qui est mort deux fois avait la barbe si forte qu'il devait se raser matin et soir. À trois heures de l'après-midi, une ombre dure lui recouvrait déjà le visage. On ne l'embrassait pas. On lui donnait l'accolade en détournant rapidement la tête.

Mon père mange un abricot et lit. Il est très absorbé. Il ne réalise pas, c'est absurde, que l'abricot, comme la pêche, comme la cerise, la prune, à quoi pensait-il, que l'abricot comme le brugnon, enfin comme pratiquement n'importe quel fruit, bon sang, que l'abricot possède un noyau.

Mon père croque dans la chair mûre et, d'un seul coup, transporté par sa lecture, engloutit le reste du fruit. Je suis persuadé qu'à ce moment-là sa tête qui musarde en arrière, sa tête qui ne se presse pour rien ni personne, que sa tête revient à l'avant-plan, qu'elle surgit au corps, révulsée, mais il est trop tard, le noyau est venu se ficher dans la trachée. Mon père suffoque, se frappe violemment la poitrine du plat de la main, mais l'air ne passe pas.

Mon père trouve encore la force de quitter sa chaise longue, de soulever le loquet de la clôture, de sortir de son minuscule jardin en courant, cramoisi, les yeux remplis de larmes, son livre à la main. Il ne l'a pas lâché, il n'a pas eu le temps. Mon père qui ne lisait pour ainsi dire jamais est en train de mourir un livre à la main.

Il est dans la rue, en plein sous les capteurs accrochés aux dix mètres le long du mur antibruit, lui qui voudrait hurler. C'est ma mère qui a classé cet extrait, imaginez, ma mère qui est tombée par hasard sur cette scène. De tous les préposés affectés au catalogage, il a fallu que ce soit elle qui évalue l'agonie de son amour. Ma mère en tailleur dans la petite pièce encombrée de bocaux et de conserves au fond de la maison, des semaines après que l'événement s'est produit, encore sous le choc, ma mère qui m'a raconté mon père sur le trottoir, affolé, battant des poings, piquant des sprints insensés, à la recherche d'une forme humaine dans ce quartier de périphérie, à une heure où chacun travaille ou se cache, honteux de ne pas le faire. Ma mère m'a raconté mon père recroquevillé comme un enfant jusqu'à ce qu'une voiture daigne s'arrêter.

Mon père n'est pas mort d'avoir avalé un noyau d'abricot. Sa mort commence comme ça, elle débute dans un minuscule jardin de banlieue 1,15, sous un tilleul sec et droit et incapable d'ombre, alors que ma mère s'affaire à une éternelle jeunesse. Mon père n'était pas encore mort pour la première fois quand la voiture l'ayant recueilli l'a déposé à l'hôpital. Non, à ce moment-là, les médecins pouvaient encore espérer le sauver, retirer le noyau en envisageant, dans le pire des cas, la possibilité de séquelles à cause du manque d'oxygène au cerveau.

Au bloc opératoire, sous anesthésie locale, mon père est entre bonnes mains. Le chirurgien manie les instruments comme s'il découpait un poulet le dimanche au bout de la table familiale. Il a été contraint d'inciser la gorge de mon père pour extraire le noyau. Ce n'est pas la procédure normale, mais l'opération ne pose pas de problème insurmontable non plus.

Je me dis que la tête et le corps de mon père doivent avoir trouvé une harmonie, là sur le billard. Je me dis qu'une infirmière, peut-être, le trouve beau dans son supplice, ce n'est pas impossible. On doit entendre le bruit de soufflet du respirateur, celui des instruments qui s'entrechoquent, les roulettes des civières qui couinent dans le corridor à l'extérieur de la salle d'opération. On doit percevoir, sous le masque, la concentration un peu lasse de celui qui a l'habitude de sauver des vies.

Ce sont des suppositions. Je n'étais pas là et je ne sais pas exactement comment se déroule ce type d'intervention.

Je sais par contre qu'il y a eu des complications, qu'un œdème s'est formé dans la gorge de mon père, une réaction allergique au désinfectant utilisé par les hôpitaux pour stériliser les instruments. Au moment de faire pénétrer le bronchoscope pour libérer le noyau, les voies respiratoires de mon père se sont mises à enfler et il a fallu interrompre d'urgence la procédure. C'est à ce moment précis que le chirurgien a été contraint d'inciser. Trachéotomie.

Ce qui suit, je vous l'ai dit, n'a rien d'honorable. Mon père est allongé. Il est inconscient, et sa barbe, bien que les infirmières viennent de le raser, a déjà recommencé à pousser. Le chirurgien s'apprête à ouvrir la chair pour insérer le respirateur, alors – comme je regrette cet instant, comme je regrette la méprise qui s'en est suivie –, troublant le silence clinique, mon père qui n'était pas encore mort pour la première fois, mon père qui n'avait plus qu'à tenir encore un peu, mon père presque sauvé se met soudain à hurler :

— Mort aux gros, aux Francs, mort aux Wallons, à ces enflures de Flam…

Mon père n'a pas le temps de terminer sa phrase. Le sang gicle. On s'active autour de lui. Bientôt, il a les yeux grand ouverts sur la table d'opération, un sourire stupide aux lèvres. Il sourit, c'est ma mère qui me l'a raconté, ma mère qui est arrivée quelques heures après la première mort de mon père, ma mère incapable de pleurer à cause d'une injection qui lui paralysait les traits, ma mère incapable de peine, comme si l'immobilité de son visage se communiquait aussi à ses sentiments. Ma mère statufiée, abrutie devant le visage de bienheureux de son mari. Le scalpel a sectionné la trachée. En sursautant, le chirurgien a tranché la gorge de mon père sur toute la largeur. Mon père n'est pas mort d'avoir avalé un noyau d'abricot ni d'une asphyxie causée par un œdème, non, mon père est mort couvert de honte en proférant des injures racistes.

Peut-être vous semble-t-il détestable, pathétique dans son ignorance et dans l'étalage qu'il en a fait. Mon père était pourtant un modèle de tolérance. Les événements paraissent me donner tort, mais il est possible que vous compreniez ce que personne n'a cherché à comprendre. Les moments de réflexion que mon père s'accordait sous le tilleul l'avaient convaincu que la tolérance n'existait pas de façon naturelle en l'homme, qu'il fallait l'exercer. La tolérance comme le tir à l'arc ou le saut d'obstacles. Une aptitude qu'il appartenait à chacun de développer ou d'entretenir. Enfant, il n'était pas rare que je les entende au beau milieu de la nuit, maman et lui, retranchés au sous-sol, se répondant, s'alimentant même dans des duels auxquels je peinais à croire :

— Mort aux Celtes, commençait ma mère d'une voix enjouée, mort aux Slaves, aux Sioux et aux Suisses ! Que crèvent ces salauds de Hongrois, cette pourriture de bourgeois.

Mon père reprenait alors au vol, le plus sérieusement du monde, d'un peu plus loin, à cause de cette distance qui ne le quittait pas :

— Mort aux chrétiens ! Mort aux musulmans, aux hindous, mort aux juifs, mort aux justes et aux athées !

Et ma mère qui rajeunit maintenant au-delà du raisonnable, de plus en plus excitée, poursuivait en un crescendo strident, je croyais que la pauvre allait y laisser les cordes vocales :

— Mort aux Catalans, aux Basques et aux Bretons, mort aux Corses, aux Turcs et aux Turkmènes. Que l'on nous débarrasse de la racaille. Mort aux Arabes, aux orphelins et à leurs frères, mort aux démocrates et aux républicains. Je dis mort aux Ouzbeks et aux Chinois ! Mort aux bridés et aux nègres ! Mort à ces enculés d'Islandais !

Elle poussait un petit cri alors que mon père ajoutait, plus disert qu'il ne l'avait été durant les dernières semaines :

— Mort aux beautés ! Mort aux laiderons et à leurs filles ! Laissez crever les pauvres, les avares de France et de Navarre ! Mort à ceux qui saignent, mort aux froids, aux faibles, mort aux moribonds, aux cancres ! Que sèchent dans leurs orbites les yeux des Uruguayens. Je dis mort aux Croates, aux Coréens, aux Canadiens et à leurs chiens, mort aux Serbes, aux Bosniaques, aux félons, mort aux ancêtres sur cinq générations. Que trépassent les tièdes, les tristes, que périssent les solitaires et les Antillais. Que se desquament, que se délitent, que soient démembrés, équarris les salopards qui ne sont pas d'ici !

Et ma mère riait dans la nuit 1,15.

Durant ces séances auxquelles s'astreignaient régulièrement mes parents, personne n'était épargné. J'irais jusqu'à dire que, même dans ces moments où ils laissaient libre cours à leur frustration, où s'exprimaient toute la rancœur, la méchanceté et la mauvaise foi dont ils étaient capables, mes parents semblaient avoir à cœur d'assurer une juste représentation des sexes, des races, des handicaps et des religions. Mon père qui est mort deux fois couvert de honte croyait en un modèle hydraulique de la tolérance. Pour lui, au fil des jours, par accumulation de frustrations, de mauvaises fortunes, la méchanceté et la haine se déposaient en l'homme, et il suffisait de faire la vidange pour retrouver de meilleures dispositions.

Que mon père soit mort la première fois en hurlant : « Mort aux gros, aux francs, mort aux Wallons, à ces enflures de Flamands ! » est une injustice qui aurait dû lui être épargnée. Or, ce ne serait pas la dernière. La seconde mort de mon père ne l'implique presque pas. C'est une mort en dehors de lui, une mort que j'aurais pu lui éviter, n'insistez pas, je le sais mieux que quiconque.

26

LA SECONDE MORT de mon père se déroule en plein air. Le ciel traîne un gris commun, sans idée, que l'on a tôt fait d'oublier. Ce n'est pas grave, le mort n'est même pas là, un soleil resplendissant n'aurait rien changé à la scène. Le mort est occupé ailleurs, à l'hôpital, où il se vide lentement. L'équipe médicale applique les procédures, tente d'ordonner ce qui n'a pas de sens. Le chirurgien essaie sans doute de déterminer sa part de responsabilité dans l'accident. Peut-être, alors qu'il accomplit des gestes automatiques, retirant ses gants, son masque, cherche-t-il chez ses collègues un peu de réconfort ? En tous les cas, l'ambiance doit être pesante dans la salle d'opération, avec ce corps étendu, avec le sang épongé à la va-vite sur les tuiles blanches. Oui, il doit faire froid dans cette pièce, mais éloignons-nous, la seconde mort de mon père commence à quelques kilomètres de là.

Pour éviter que l'on ne m'accuse de présenter les faits à mon avantage, je baserai mon témoignage sur l'enregistrement que ma mère a obtenu grâce à l'une de ses collègues du catalogage. Comme la maladie interdit aujourd'hui au mari de cette collègue le moindre déplacement, elle a trouvé dans le catalogage un moyen d'occuper ses journées en demeurant auprès de son amour infirme. Je ne vous le cache pas, j'ai dû insister lourdement auprès de ma mère. Elle trouvait malsain mon entêtement à mettre la main sur cet extrait ; pire, elle s'exposait et elle exposait sa collègue à des sanctions si l'on découvrait qu'une partie du matériel récolté par les capteurs avait circulé en dehors du réseau. Malgré ses réserves, ma mère n'a pu se résoudre à me priver de la mort de papa.

Sur cette bande d'une dizaine de minutes, je l'abandonne aux chiens.

À l'écran, c'est moi sur le trottoir. Vous ne pouvez pas vous tromper, mon nom, mon âge et mon adresse apparaissent sur la bande de défilement grise. Je porte un pantalon de toile beige et un blouson de sport bleu en nylon. On m'aperçoit de dos, la tête penchée sous cette fragile lumière d'automne. Dans quelques instants, on va m'apprendre que mon père est mort pour la première fois. Ça va se faire de manière étonnante, observez le manège.

Je m'apprête à traverser le boulevard qui mène jusqu'à la promenade de bois traité aménagée à Estampes le long du lac dont les eaux hésitent entre le vert et le noir. À cet instant, rien ne me distingue de l'autrui qui se presse pour profiter d'une des dernières journées agréables avant que ne s'installe l'hiver. On discute entre amis, on gronde les enfants, on s'arrête pour regarder un groupe de jeunes qui s'ébroue en contrebas. Le lac est vaste comme une mer, mais en plus dur, en plus tendu, comme s'il se préparait à affronter je ne sais quelle menace. Le lac ressemble à de l'acier encastré dans le gris du ciel.

On me voit bien ici, les mains dans les poches, passant devant les buvettes, les marchands de journaux et de parasols qui bradent les invendus de l'été. Je flâne sur le trottoir opposé à la rive tandis qu'Alice est partie passer le week-end chez son frère avec les enfants doubles. J'ai perdu l'habitude d'être seul. J'ai mis des heures à m'extirper de la maison et je regrette de ne pas être sorti plus tôt pour aller courir le long des berges.

Je m'apprête à traverser le second tronçon du boulevard quand, passant à ma hauteur, une voiture freine brutalement. Je recule de quelques pas, bute contre la structure en béton du terre-plein, me rétablis en m'accrochant à la pancarte indiquant la liste des hôtels disponibles dans le coin. Le conducteur actionne la vitre électrique, dont le mécanisme couine comme un nouveau-né :

— On vous cherche partout, hurle-t-il comme si je me trouvais à trente mètres. Votre portable est fermé ou quoi ?

Je fouille dans la poche de mon blouson, l'homme a raison, mon portable est effectivement éteint. Je me dis que ce doit être la pile. Je fais quelques pas vers la voiture, le téléphone à la main, comme si l'on venait de me prendre en flagrant délit, comme si je venais de mettre en péril la sécurité de toute ma famille. Arrivé à côté de la portière, face au conducteur dont le visage ne m'évoque rien, je glisse :

— On se connaît ?

Il n'y a pas le son sur les enregistrements réalisés par les capteurs, vous devez me faire confiance pour la suite du dialogue, mais c'est exactement ce que je dis :

— On se connaît ?

Je pose la question sans agressivité, amusé que l'on puisse se soucier de moi au point de s'arrêter en plein milieu de la chaussée, amusé que l'on désire me parler au point de prendre ce risque. En me penchant un peu vers la portière de la berline, je constate que le conducteur est trapu, rougeaud et presque chauve. On ne le voit pas bien dans l'angle où est orienté le capteur, mon corps nous en empêche, mais le conducteur porte un ensemble verdâtre dont l'élastique à la taille lui comprime le ventre. Ça klaxonne sur le boulevard, ma descendance et moi nous faisons maudire dans une variété impressionnante de vocables et, au moment où une Ford rouge manque de le percuter, le conducteur se décide à enclencher les feux de détresse.

— Je travaille à l'hôpital, répond-il finalement d'une voix traînante, comme s'il m'offrait un cadeau inestimable en donnant suite à ma question.

L'air climatisé fonctionne au maximum dans l'habitacle et cela m'étonne, on est bien dehors.

Je dis :

— D'accord, mais on se connaît ?

Et lui :

— C'est votre mère qui m'a demandé de m'arrêter.

Elle est là, je ne l'avais même pas vue, assise sur le siège du passager, raide, indifférente à ce qui l'entoure, ma mère qui rajeunit au-delà du raisonnable, son visage étrange, comme si quelqu'un cherchait à modeler ses traits depuis l'intérieur, qu'il tirait la peau, aspirait l'excès de chair, et qu'on le voyait à l'ouvrage, pinçant ici, lissant là.

— Maman ?

Elle essaie de sourire, n'y parvient pas, agrippe la poignée pour sortir de la voiture, se ravise. Elle dépose une main sur la cuisse du conducteur. L'homme me regarde avec intensité.

— Votre père est mort tout à l'heure à l'hôpital. Je suis désolé, dit-il avant de redémarrer.

Sur le coup, je suis persuadé qu'il s'agit d'une voiture allemande, un modèle qui s'est très peu vendu par ici, je crois même qu'il y a eu deux rappels, une histoire de régulateur de vitesse, mais en regardant le véhicule s'éloigner, je me rends compte que les feux arrière ne correspondent pas, que je confonds avec une autre marque. Ma mère s'éloigne en compagnie de ce qui m'a tout l'air d'un médecin bedonnant et presque chauve. Je ne dis pas chirurgien, ce serait trop triste : comment accepter qu'un homme ait transformé ma mère jusqu'à la rendre conforme à son idéal ? Encore une fois, on ne peut pas remarquer ce détail à cause de l'angle dans lequel est orienté le capteur, de la distance qui nous sépare de la scène, mais ma mère a posé sa main sur la cuisse du conducteur, et il s'agissait d'un geste d'intimité, d'une caresse impossible à confondre avec un moment d'égarement causé par le choc.

À la mort de mon père, ma mère se laisse raccompagner par un ami. Elle emprunte la route qui longe l'enfilade des lacs avant de traverser la rivière alors qu'il serait beaucoup plus simple, depuis l'hôpital, de rentrer à la maison 1,15 directement par la voie rapide. À la mort de mon père, ma mère se paie un peu de tourisme en galante compagnie. C'est cette pensée qui prend toute la place alors que je remonte péniblement sur le terre-plein. Ma mère qui rajeunit au-delà du raisonnable aux côtés d'un homme autre que mon père, à prendre le frais, à glisser le long des berges dans l'habitacle insonorisé d'une grosse berline intérieur cuir. Ma mère qui choisit de couper son deuil avec une portion de sa vie extraconjugale, qui dévoile sa condition de femme adultère en même temps que la disparition de son époux. Au départ, je ne comprends pas, et puis je réfléchis, quoi de plus normal après tout que de combler la place soudainement laissée libre ? L'amant pleurant le mari, l'amant soudain propulsé dans de plus officielles fonctions, promu à d'inédites responsabilités, quoi de plus touchant au fond ?

Cela pourra paraître difficile à croire, mais il me faut quelques minutes pour réaliser que mon père est mort. Ce n'est pas l'information que mon cerveau a traitée en premier lieu. Il y a eu compétition pour l'attention, et c'est l'infidélité de ma mère qui l'a emporté. Voilà ce qui explique le visage hagard que l'on distingue maintenant à l'écran. Et puis, comme si j'avais été interrompu, comme si quelque chose d'important me revenait péniblement à l'esprit, je me rends compte. Le hasard m'offrirait-il enfin ma chance ? De tous les fils déambulant sur ce boulevard maquillé en promenade de bord de lac, avec ces longues rampes de bois traité, ces bacs à fleurs, ces escaliers plongeant vers les berges, je serais l'élu ? Celui auquel échoirait une douleur authentique ? Auquel on offrirait le plain-chant de la dépossession ? Le cadavre encore chaud de mon père me porterait-il plus haut ? Devrais-je acquiescer à cette courte échelle d'outre-tombe ?

Je me dis que c'est le moment de sortir le grand jeu, de chercher le capteur le plus proche et de m'effondrer dessous, accablé de chagrin. C'est le moment d'implorer le ciel, de me jeter à genoux et de pleurer toutes les larmes de mon corps. À l'écran, on me voit tétanisé, mon premier deuil, pensez. Je sens qu'il faudrait laisser libre cours à l'émotion, suivre l'instinct qui se déroule dans les nerfs. Je devrais m'élever, transcender mon état pour toucher au sublime. Depuis leur écran de contrôle, roulette en main, les jurés doivent apercevoir mon âme. Je cherche le capteur le plus proche, j'esquisse un geste du bras, je manifeste l'imminence d'un bouleversement, j'ai l'air de dire : « Ne me quittez pas des yeux, ne cherchez pas ailleurs, c'est ici que ça va se passer. »

Mais voilà, trop longtemps inutilisé, l'instinct se déplie. Je le soupçonne de partir de très loin, parce qu'il lui faut une éternité pour arriver jusqu'à moi. La preuve, je reste de marbre. Mon père est mort ! Que demander de plus ? Que devrai-je inventer si la mort de mon père, de mon père cocu qui plus est, ne provoque qu'un vague frémissement au niveau de la colonne, un imperceptible tremblement ? Assis sur le terre-plein, entre des arbustes que l'on retrouvera au printemps saccagés par le gel, naufragé de pacotille au milieu d'un boulevard où se succèdent les vagues de voitures, je désespère de ne rien ressentir.

J'essaie d'amorcer le processus, d'enclencher la douleur, de revenir sur la séquence des informations qui devraient normalement m'y mener. Je réfléchis. J'aime mon père. Il est mort. Il a dérivé encore plus loin qu'à l'habitude. Je compte sur mes doigts. Un : j'aime mon père. Deux : il est mort. Trois : je n'en ai pas d'autre. Quatre : il ne reviendra plus. Cinq : jamais plus.

Rien. Je suis sur le point d'abandonner quand je perçois finalement un signal. Je relève la tête, l'instinct tente un contact. L'émission est faible, ça chuinte dans les dendrites, toute cette friture le long des nerfs, ce tressaillement au creux du ventre, je me dis que ça doit bien mener à quelque chose, ce ne serait que justice, non ? Du fond de sa retraite l'instinct se manifeste. Je suis tout entier tendu, à l'écoute, prêt à me plier à la moindre de ses volontés.

Maintenant, observez le résultat. Aussi invraisemblable que cela puisse paraître, ma première réaction, mon premier geste concret à l'annonce de la mort de mon père est de m'accroupir, insensible au vrombissement des voitures, aux injures des automobilistes turbocompressés dans leurs habitacles étanches. Je me penche pour relacer ma chaussure. On me voit très bien à l'écran prendre mon temps, tirer les lacets, les remonter œillet par œillet, et puis, avec application, nouer une boucle enfantine. Les voitures me frôlent, je sens leur haleine chaude. Je rattache mon lacet, formidablement absent à moi-même.

En fils indigne, je suis en train de rater la mort de mon père.

Et puis je me relève. Il y a le lac droit devant, lisse comme du papier d'aluminium, la plage dont le sable ressemble vu d'ici davantage à de la vase, un groupe de jeunes touristes américaines qui disparaissent à moitié sous d'énormes sacs à dos. Je me relève, plus léger d'un père. Je cherche à me rapprocher de l'eau. Les voitures klaxonnent, zigzaguent pour m'éviter. Et c'est là qu'ils ont été très malins.

Observez cet homme au front dégarni, cet autrui à la cinquantaine sportive, assumée, regardez-le prendre son élan depuis le trottoir d'en face. Ça, on peut dire qu'il démarre au quart de tour. Regardez-le fondre sur moi de sa belle foulée Adidas. Monsieur sait courir. Il a du ressort. Il tient la distance. D'ailleurs, monsieur n'est même pas essoufflé quand il arrive à ma hauteur. Je pourrais aussi courir comme ça, mais pas pendant la mort de mon père, ce serait impossible avec sa carcasse sur les épaules.

L'homme ne me demande pas mon avis, il me saisit par le bras pour m'aider à traverser, pour me ramener sain et sauf de l'autre côté du boulevard. Je reste hébété, les touristes américaines déposent leurs sacs à dos, consultent un plan de la ville, boivent à même la bouteille une eau minérale qui n'est pas du coin. Monsieur nous assoit sur la rambarde qui sépare le trottoir de la plage, juste dans l'angle du capteur accroché à la façade de l'hôtel de l'Anse. Il transpire tendresse et compassion. On comprend à ses gestes, à sa façon de me prendre par les épaules, qu'il est là pour me soutenir. C'est du grand banditisme, je le sens tout de suite, il se prépare un vol qualifié, et personne autour ne songe à intervenir. De l'autrui en t-shirt de bonne coupe, dans la vente ou la finance, de l'autrui à la ride élégante est en train de me détrousser de la mort de mon père. À voir la bande, aujourd'hui, j'enrage. J'aurais dû me libérer de son emprise, refuser sa douceur, mais je reste blotti comme un oisillon, incapable du moindre geste, stupéfait.

Mettez-vous un instant à la place des jurés à qui incombe la tâche délicate d'évaluer le contenu de cette scène : comment pourraient-ils bien s'y prendre pour évaluer l'intensité d'un sentiment dont la manifestation la plus spectaculaire se trouve précisément à être l'absence de réaction ?

À la première mort de mon père, je fais un bide.

L'homme est attentif et disponible. Comme je ne sais pas quoi lui dire, comme je me sens obligé de lui expliquer la raison de ma présence au milieu de la chaussée, je me confie et il fond instantanément en larmes. Monsieur éclate en sanglots, inonde mon blouson d'un gros chagrin. J'ai peine à le croire, mais la mort de mon père affecte un complet inconnu au point qu'il se recroqueville sur le trottoir, secoué par les spasmes. Il geint, on dirait un animal. Si cela est possible, ma stupeur redouble. On ne peut pas être aussi inexpressif. Il n'existe pas de visage plus impassible que le mien à ce moment-là. À l'écran, on a l'impression que toute vie a déserté mon corps. On ne voit qu'un blouson de nylon qui faseye, du tissu jeté sur une masse inerte, une silhouette découpée contre le vert et noir du lac avec à ses pieds la forme convulsive d'un homme accablé de douleur.

Je le répète, ils ont été très malins. Bientôt, une jeune femme, une passante, avec ses achats dans des sacs en plastique, ses soucis, son âge, son envie d'autre chose, s'arrête, s'accroupit auprès de l'homme, tente de le calmer, lui frôle le visage, l'attire contre elle. À son contact l'homme se détend. La jeune femme pleure des larmes d'une grande sincérité. Son malheur, je le vois, tout le monde peut le voir, est criant de vérité. Elle ne sait pas pourquoi elle pleure – comment voulez-vous qu'elle le sache, personne ne lui a expliqué – mais son visage est bouleversant. C'est toute la douleur du monde qu'elle semble prendre sur ses épaules à cet instant. On dirait un couple qui vient de perdre un enfant, des amants séparés par la guerre, les rescapés d'un naufrage, ils en font des tonnes. Sans surprise, un attroupement se crée autour d'eux. Ça pérore, ça s'inquiète, ça insiste pour qu'on leur soulève la tête ou les pieds, ça s'agglutine sous le capteur, chacun vient faire son petit tour au premier plan, grappiller les miettes, progresser au classement pour presque rien.

Alerté par la foule, le maître nageur, un rouquin d'à peu près ma taille, quitte son poste d'observation sur la plage. Il court, sa trousse de secours à la main, remonte les escaliers quatre à quatre, enjambe la rambarde d'un bond athlétique, repousse les curieux, réclame qu'on lui laisse l'espace nécessaire. L'apercevant, la jeune femme s'étend sur le sol dans une très belle posture d'abandon. Le secouriste ne fait ni une ni deux, il retire son t-shirt pour que l'on aperçoive ses muscles se bander tandis qu'il prodigue de très approximatifs premiers soins. Les touristes américaines prennent des photos à l'aide de leurs téléphones portables. Une ambulance arrive, deux roues sur le trottoir, la civière, les masques à oxygène. On embarque la femme et l'homme. Au mépris de la plus élémentaire éthique professionnelle, le secouriste abandonne les baigneurs dont il a la charge pour accompagner le couple. Je n'ai le temps de rien dire, ces escrocs repartent toutes sirènes hurlantes. Je n'ose pas imaginer ce que leur larcin va leur rapporter. Je n'ose pas.

Appuyé contre la rambarde, j'absorbe le choc. Une jeune touriste me demande de la photographier avec ses amies. Elles tirent la langue en se penchant vers l'objectif. Je dis :

— My father just died.

Elles éclatent de rire. Je prends la photo.

— Thank you, glousse celle à qui appartient l'appareil.

— You're so cute, ajoute une brune en récupérant le sac à dos qu'elle avait laissé à même le bois de la promenade.

Après avoir abandonné mon père aux chiens, après l'avoir laissé dépecer sous mes yeux, je reste seul. Il me vient à l'esprit de téléphoner à ma mère, à Alice, regardez, je sors le portable de la poche de mon blouson, commence à composer, et puis me ravise, l'écran n'affiche rien. J'ai honte. Je serais prêt pour la tristesse mais il m'apparaît un peu tard pour pleurer.

27

— C'EST UNE HISTOIRE invraisemblable, cruelle, vraiment, on se demande comment de telles choses peuvent survenir, entreprit de raconter Alice juchée sur la machine à laver, la tête inclinée à cause du manque d'espace sous les étagères, à cause des fougères dont les feuilles refusaient de se plier aux dimensions de la pièce, pendant que je terminais de baigner les enfants doubles. Le cerveau humain n'est pas fait pour envisager la possibilité d'une telle malchance. On entend cette histoire, on devine peut-être même pour les plus malins où tout ça va mener, mais on ne veut pas y croire.

Et pourtant, mes chéris, c'est l'histoire d'un père et de son fils brouillés depuis plusieurs années. Brouillés au point de ne plus s'adresser la parole, de ne plus se voir, ni le dimanche, ni à Noël, ni aux anniversaires, ni au baptême des enfants, jamais. Fâchés comme on ne se fâche que dans les familles. Une colère du sang qui mélange et emporte tout. Une exaspération de l'autre, cet autre au plus près de soi, ressassée, contre laquelle on a tellement lutté que c'est avec soulagement, un jour, à bout de forces, que l'on s'y abandonne. On est bien dans cette colère, voilà la vérité. On s'y réfugie le soir venu. On s'y pelotonne les jours de doute, sûrs de ce chagrin, de cette douleur qui ne nous filera pas entre les doigts. On fonde une famille dans cette colère, une famille organisée selon des règles différentes, dans laquelle l'autorité, la responsabilité, la violence sont partagées équitablement entre ceux qui s'en veulent, dans laquelle, une fois n'est pas coutume, on trouve sa place auprès des siens.

Un matin, donc, on ne sait pas pourquoi, le père annonce à sa femme que la dispute a assez duré, qu'il part voir son fils pour dissiper les malentendus. Il dit cela simplement, comme si c'était une évidence, qu'il n'y avait qu'une seule chose à faire cette journée-là. Il vérifie la pression des pneus de la voiture, le niveau d'huile, déplie la carte au bon endroit, la jette sur le siège avant. Il emporte une bouteille d'eau, un sandwich, et promet de téléphoner dès son arrivée. Au moment de s'éloigner, en passant devant la maison, il envoie la main, comme il en a l'habitude.

Au volant, le père ne pense à rien. Il roule dans cet état d'engourdissement qu'éprouve parfois le conducteur quand la route s'offre, qu'elle fonce, butée, droit devant elle. Il roule, bercé par l'entre-deux, dans ce temps qui ne compte pour rien, avec la sensation diffuse, tout de même, d'agir pour le mieux. La carrosserie brille au soleil. Le paysage défile. Et puis, en sens inverse, le fils. Le fils parti de chez lui le matin à la rencontre de son père. Le père et le fils circulant sur des voies opposées, et pourtant lancés dans la même direction, l'un vers l'autre, déjà réconciliés. Le père et le fils tués sur le coup, mes chéris, après neuf ans de délicatesse, à peu près à équidistance de leurs domiciles respectifs. Route dégagée, visibilité parfaite, aucune trace de freins sur la chaussée. Un élan net et pur.

Alors que les enfants doubles patientaient dans la baignoire vidée de son eau, que les bateaux de plastique échoués au fond donnaient l'impression d'une mer d'Aral en miniature, que l'émail bleuté luisait d'une tristesse étale, je regardai ma montre mais Alice, sautant de façon athlétique de la machine à laver, une serviette à la main, ne me laissa pas le temps de lui annoncer son chrono :

— Ne te donne pas le mal. Je ne veux même pas savoir combien j'ai fait.

Elle frictionnait les enfants doubles comme si leur vie en dépendait.

28

EN DÉBALLANT les cadeaux, même quand elle savait ce qui se trouvait à l'intérieur, même quand elle les avait enrubannés toute seule, Alice roulait des yeux gourmands. Elle détachait les bouts de scotch avec minutie, prenait soin de ne pas abîmer le papier, collait un chou argenté sur sa tête pour faire rire les enfants doubles. Elle maniait les couverts et découpait les aliments avec application comme pour démontrer à tous qu'au-delà des débordements auxquels elle était sujette – ses soliloques, la soudaineté avec laquelle ils s'imposaient à elle ne manquaient pas d'étonner et certains de nos amis organisaient maintenant leurs soirées dans l'espoir qu'un tel accident se produise –, qu'au-delà de ces débordements, il lui était possible de conserver une maîtrise acceptable de sa personne. La majorité de ses actes trahissaient ce besoin de mesure, illustraient le mal qu'elle se donnait pour présenter une image rassurante.

Au bout d'un moment pourtant, comme elle était incapable de brider ce qui constituait son caractère véritable, le naturel revenait en force. Elle laissait exploser une énergie proportionnelle à celle qui avait été entravée, l'énergie d'une heure ou plus concentrée en quelques secondes, si bien que le papier d'emballage était soudain déchiqueté, la nourriture engloutie en grognant, le vin vidé d'un trait. Et le résultat, cette impression de dérapage qu'avaient ceux qui l'entouraient, ce sentiment de voir une digue céder sous les assauts d'un mal invisible, me paraissait plus spectaculaire encore que si elle n'avait pas tenté de se contraindre.

Dans toute la maison, les guirlandes clignotaient, accrochées aux arbustes, enroulées autour des pots : les branches d'un ficus ployaient sous le poids d'angelots dépareillés, de boules brillantes, un grand cactus prêtait son tronc à une ribambelle d'ampoules blanches, une crèche avait été installée sous les hortensias. Lancées d'une plante à l'autre, les guirlandes formaient une toile lumineuse qui s'enchevêtrait au-dessus de la moquette à la manière d'un réseau électrique miniature. Le placard de l'entrée avait simplement été condamné, l'entrelacement des décorations y était si dense que l'on ne pouvait plus y accéder sans mettre l'ensemble en péril, plus l'enjamber sans courir le risque de projeter ce petit monde dans le noir.

Des cadeaux étaient disposés au pied de chacune des plantes, si bien que le rituel du déballage demandait un temps considérable. Il arrivait même qu'épuisés, les enfants doubles doivent se résigner à faire une sieste à mi-parcours. À peine étaient-ils réveillés que leur mère les grondait s'ils ne trépignaient pas d'impatience à l'idée de poursuivre ce que la fatigue avait interrompu. Tandis qu'elle développait les cadeaux, ma femme, ma petite femme souriait avec insistance en nous encourageant à l'imiter. Elle désirait que notre attention se concentre sur le bonheur qu'elle s'apprêtait à ressentir. Elle réclamait le meilleur de notre présence et, si quelqu'un se laissait aller à rêvasser avant qu'elle n'ait terminé, elle le rappelait sèchement à l'ordre.

Pour Alice, mon passage à l'heure d'été, mon ambition déçue, Noël représentait une occasion unique de progresser au classement. Selon elle, peu de périodes prédisposaient autant les membres d'une famille à éprouver des sentiments entiers, réels, bouleversants. En effet, sans qu'il soit nécessaire d'en rajouter, par sa force gravitationnelle, par la puissante déviation des orbites de chacun que provoquait son passage, Alice prétendait que Noël favorisait les collisions et qu'il aurait été stupide de se priver de cette trop rare occasion d'engranger de l'avant.

Comme elle savait la compétition féroce, elle disait qu'il suffisait que l'un d'entre nous ait la tête ailleurs, soit un peu engourdi par la fièvre, ne se sente pas l'esprit à la fête pour que, dans une autre ville, une autre maison, des plus enclins à saisir les possibilités qui s'offraient à eux tirent profit mieux que nous de l'événement. À l'entendre, des familles soucieuses de prendre de l'avance sur autrui n'hésitaient pas à recevoir chez elles, et souvent pour toute la durée des festivités, démunis, orphelins, handicapés, vieux ou incurables célibataires, qu'elles s'empressaient de couvrir de tendresse afin de démultiplier le total de leurs bulletins d'intimité. Alice assurait avoir entendu parler de familles reconstituées jouant le tout pour le tout, allant jusqu'à réunir autour de la même table le temps d'un réveillon les anciens maris et les nouveaux conjoints, les ex-femmes et les maîtresses, laissant la soirée suivre son cours dans un chassé-croisé de frères et de demi-sœurs, de belles-mères, de faux cousins, de volaille et de pères biologiques. L'atmosphère ne manquait pas d'être explosive mais chacun, s'il passait un mauvais quart d'heure, n'en repartait pas moins avec la certitude de se retrouver en meilleure position au classement qu'en arrivant.

Le Noël d'avant la prise de contrôle, sous le gros hibiscus, dans une enveloppe de carton rose suffisamment opaque pour que je ne puisse pas, par transparence, deviner de quoi il s'agissait, une enveloppe sur laquelle elle avait inscrit mon nom en lettres rouges en remplaçant de façon tout à fait inhabituelle le *a* de mon prénom par un cœur, Alice avait glissé un forfait-cadeau valide pour une semaine de cure à la Clinique du renouveau continuel plus (*Plus de vous en vous*).

Depuis quelques années, le nombre de cliniques spécialisées dans le traitement des individus en perte de vitesse ne cesse d'augmenter. On reconnaît à leur devanture sobre, à leur signalétique discrète évoquant l'institut d'esthétique ou le salon de thé, qu'elles ont choisi de privilégier une approche participative. Au départ assez mal vue, la fréquentation de ces instituts spécialisés dans l'optimisation des ressources qui sommeillent en chacun de nous, servis, il est vrai, par une douzaine d'exemples de remontées spectaculaires au classement, a finalement été acceptée. Bien sûr, on ne se vante pas d'avoir eu à fréquenter un tel établissement, mais les patients sont de plus en plus nombreux à s'y rendre pour y subir des check-up d'optimisation, des retouches performatives générales.

Quand on arrive à la Clinique du renouveau continuel plus, sanglées dans des sarraus d'un bleu évoquant un ailleurs idéal, debout derrière des îlots dont le design rappelle celui d'un guichet dans une foire consacrée à l'innovation technologique – une petite plateforme en inox prolongeant de longues tiges d'aluminium surgies du plafond –, souriantes, idéalement en phase avec les promesses de reconversion de l'institut qui les emploie, les jeunes femmes responsables du tri, après avoir procédé à une entrevue sommaire des candidats, divisent les patients en quatre catégories.

Il y a d'abord les fonctionnels, une clientèle privilégiée dont l'objectif consiste à améliorer le rythme de sa progression au classement. On les reconnaît dans les couloirs à leur démarche affirmée, à leur façon de vous dévisager afin d'établir une fois pour toutes qu'il n'y a pas de méprise possible : ils ne doivent leur présence en ces murs qu'à leur initiative. Ce sont des cadres supérieurs, des sportifs de haut niveau, des chefs d'entreprises, des chanteurs dont la carrière connaît un passage à vide. Ils viennent en cure comme d'autres vont aux sports d'hiver. Ils retrouvent des amis, se ressourcent, réactivent un réseau de relations qu'ils ont par trop négligé.

Parmi les fonctionnels hébergés dans d'autres pavillons, beaucoup de fils et de filles de bonne famille, de presque retraités qui ne craignent pas d'investir une partie de leurs économies afin d'apprendre à gérer dans la durée l'avant accumulé au classement pendant leur vie active. Viennent ensuite les stagnants, ceux dont la position demeure stable depuis plusieurs mois consécutifs, parmi lesquels on trouve une quantité effarante d'autrui dont la performance à la Régionale des talents promettait un avenir radieux qui ne s'est jamais concrétisé, les dégressifs légers et les dégressifs terminaux.

Je suis classé dégressif léger.

La jeune femme qui l'a déterminé au terme de l'entretien préliminaire n'a pu s'empêcher de sourire en me l'apprenant. Mon profil lui avait permis d'établir une évaluation précise et cela l'avait rassurée quant à ses capacités diagnostiques. Je connais des médecins comme ça, qui vous annoncent, analyses à la main, incapables de réprimer un air satisfait, que le cancer qu'ils soupçonnaient est bien celui qui vous fouille les entrailles.

Je suis passé au vestiaire, où l'on m'a fait enfiler un survêtement gris anthracite qui n'aurait pas détonné sur le campus d'une université américaine – le haut et le bas assortis, taillés dans un tissu élastique que la

Clinique juge certainement favorable à la réussite de la cure, un tissu qui, je l'imagine, participe d'une mise en condition des patients, puisque, on nous l'a fait comprendre dès notre arrivée, le succès ou l'échec de l'entreprise dépend d'abord de nos efforts, que c'est un peu ce que l'on attend de nous ici, une gymnastique intime ouvrant sur de nouvelles possibilités, une souplesse permettant l'adhésion à un programme. Une hôtesse m'a invité à attendre la visite de l'intervenant dans la salle de consultation insonorisée mise à ma disposition. Elle m'a ensuite demandé de retirer mes chaussures de sport et de m'allonger dans le fauteuil qui occupait le centre de la pièce, un modèle capitonné avec appuie-tête dont l'inclinaison et le revêtement rappelaient celui d'un cabinet de dentiste. Elle s'est glissée derrière moi et m'a massé les tempes du bout des doigts en de petits mouvements experts et discrètement dégoûtés.

— Vous pouvez vous confier en toute sécurité à votre intervenant, m'a-t-elle murmuré en quittant la pièce, c'est l'un de nos plus réputés. C'est lui qui vous accompagnera durant votre séjour.

29

LA SALLE était pratiquement nue. Une fenêtre rectangulaire laissait entrer la lumière qui ne rencontrait aucun obstacle jusqu'au mur du fond, où se trouvait une porte de verre dépoli. Mis à part le fauteuil sur lequel j'étais assis, le mobilier se résumait à une petite chaise appuyée contre un mur, au-dessus de laquelle était punaisée une affiche vantant les mérites de la Costa Verde. Sur la gauche, un lavabo surplombé d'une glace toute simple, quelques cotons-tiges dans des bocaux transparents et des livres posés sur une étagère complétaient le tableau. J'attendis ce qui me semblait être une bonne demi-heure. Des bruits étouffés parvenaient des salles avoisinantes, mais il m'était impossible de déterminer avec précision s'il s'agissait de gémissements de plaisir ou de douleur, si un homme ou une femme en était l'origine.

J'entendis alors la porte s'ouvrir derrière moi.

— D'abord, vous vous orientez mal, dit l'homme qui fit irruption dans la pièce. C'est une règle de base. Le capteur d'entraînement est là (il pointa le coin opposé de la pièce où une coupole opaque, une grosse pupille de bœuf, était accrochée au plafond) et vous regardez là. Résultat : les jurés vous voient constamment de profil et il est beaucoup plus difficile pour eux de décoder les émotions qui animent votre visage. Chaque fois que vous passez à proximité des capteurs, vous gâchez des occasions. Vous comprenez ?

Il fit pivoter le fauteuil dans lequel j'étais assis de manière à l'orienter face à l'objectif.

— Voilà, comme ça, au moins, même si votre présence n'a rien de décisif, même s'il ne se dégage pas de vous cette qualité de l'être qui fait le succès des meneurs, vous vous donnez toutes les chances.

Mon intervenant parlait avec une aisance journalistique. Il détachait chacune de ses phrases comme s'il avait pu être interrompu à tout moment par l'animateur resté en studio. On aurait dit un envoyé spécial qui témoignait de la situation plus qu'il ne s'adressait à moi. J'imagine qu'un enfant privé de ses parents comme de l'attention de tout autre humain, un enfant qui apprendrait à parler en regardant exclusivement le journal télévisé en viendrait à s'exprimer comme lui.

— Nous allons vous remettre sur la bonne voie, monsieur Baldam. Faites-moi confiance. D'ici quelques jours, vous serez transformé.

L'intervenant ouvrit le porte-documents qu'il tenait sous le bras et me tendit une brochure soigneusement présentée. Sur la page couverture, une illustration luxueuse montrait une femme et un homme enlacés dans la plus parfaite des béatitudes.

— Nous allons feuilleter le menu ensemble, dit-il avec un sourire. Il ne nous faudra que quelques minutes, vous verrez. Ensuite, je vous aiderai à choisir les ateliers les mieux adaptés à votre niveau actuel d'équité personnelle.

Le programme mis au point par la Clinique du renouveau continuel plus afin de venir en aide aux dégressifs légers se divisait en deux sections distinctes. Il regroupait d'un côté les activités dites « de ressourcement actif » et de l'autre celles visant à mieux exploiter les tares et autres déficits que les sujets se montraient incapables de mettre eux-mêmes en valeur auprès des jurés.

— Concentrons-nous d'abord sur les qualités que vous êtes susceptible de développer, poursuivit l'intervenant en attirant mon attention sur la première partie de la brochure. S'il arrivait que vos résultats ne soient pas à la hauteur, nous aurons toujours la possibilité de nous rabattre sur les activités de type 2.

Je compris que résidait là une partie du secret de l'efficacité tant vantée de la Clinique du renouveau continuel plus : lorsque les patients admis en cure avaient fait la preuve de leur incapacité à s'augmenter, avaient échoué dans leur tentative de sublimer leurs talents, qu'il devenait clair que leurs aptitudes ne leur permettraient jamais de s'élever au-dessus du tout-venant, loin de jeter l'éponge, les intervenants les amenaient alors à tirer le meilleur des aspects les plus sombres, les plus mésestimés de leur caractère. Rien ne se perdait. Des névrosés communs, des angoissés à la petite semaine, des lâches sans envergure se voyaient ainsi encouragés à aggraver leurs travers de manière à les rendre plus faciles à détecter, plus étonnants pour les jurés.

C'était l'une des finesses par lesquelles l'industrie de l'augmentation de soi avait trouvé une légitimité auprès du public. Maintenant que j'y étais à mon tour, dégressif léger fraîchement débarqué à la Clinique du renouveau continuel plus, allongé pieds nus dans un fauteuil de dentiste, je me sentais en droit d'exiger le meilleur. D'un autre côté, je ne comptais pas participer à la transformation plus qu'il ne le fallait. J'avais envie qu'Alice n'ait pas investi tout cet argent pour rien. Que l'on me manipule, que l'on me motive, que l'on me restructure, je n'opposerais qu'une résistance de façade, le strict minimum de la mauvaise foi. Je désirais une soumission honorable me permettant de changer sans avoir l'impression de complètement me trahir.

Mon intervenant avait les lèvres fines, le cheveux épais, l'assurance tranquille de ceux qui se savent nés pour réaliser de grandes choses. C'était un presque jeune homme, avenant, décontracté, beau comme on peut l'être quand on ne naît pas beau, d'une beauté qui s'est construite patiemment, par un lent travail, et dont le résultat varie d'une journée à l'autre, voire d'un moment à l'autre.

C'est souvent le problème de ce genre de beauté : tout semble tenir à un fil et un geste un peu brusque, une émotion un peu forte, une contrariété, on le sent, suffirait à fissurer l'ensemble. D'ailleurs, malgré ses efforts, mon intervenant ne parvenait pas à stabiliser son charme. Il avançait la mâchoire pour camoufler un menton qu'il devait juger fuyant, ce qui avait pour effet de lui creuser les joues. Il fronçait alors les sourcils pour soulever les pommettes et tenter de rétablir l'harmonie de son visage, mais ses yeux se plissaient dans le mouvement et il perdait beaucoup de l'intelligence qui faisait la force de son regard. Il devait s'en rendre compte, car il étirait ostensiblement la bouche en écartant les narines dans l'espoir de compenser ce qui venait de se produire. En fait, il était épuisant de regarder mon intervenant. Durant nos entretiens, malgré sa volonté de me voir présenter un visage souriant au capteur d'entraînement fixé au plafond de la salle de consultation, car « vivre aujourd'hui ne s'improvise pas » et « tout est dans l'interprétation » ou encore « il n'y a plus de place pour les dilettantes », je passais la majeure partie de mon temps à fixer le sol pour ne pas avoir à affronter l'enchaînement de plissements et de crispations qui agitait continuellement ses traits.

Le choix des ateliers proposés par la Clinique du renouveau continuel plus était intimidant. *Trésors de l'inhibition, Usage de la vérité* I et II, *L'or des complexes, Soif de soi, Vices et vertiges, Le sexe qui marche,* tout semblait être mis à ma disposition pour que je reprenne enfin de l'altitude. Comme j'avais du mal à finaliser mon choix, l'intervenant me laissa entendre avec un air lubrique qu'historiquement, pour une raison qu'il ignorait, les plus belles femmes se retrouvaient au Sexe qui marche. Il s'y était lui-même inscrit il y a quelques années et ne le regrettait pas. Il m'avoua que sa performance au classement devait beaucoup aux conseils avisés qu'il avait reçus lors de cet atelier.

— Le sexe est un véhicule performatif extraordinaire, me dit-il. Peu importe vos habiletés de base, on vous apprendra là-bas à dépasser le niveau récréatif.

Je me gardai de lui en faire part, mais au point de vue sexuel il me semblait depuis un certain temps ne même plus atteindre le niveau récréatif. J'étais plutôt fixé à un stade où la faible occurrence des rencontres me confinait à un rôle de participant conscient de sa chance, d'invité soucieux de ne pas indisposer son hôte.

Alice n'y est pour rien. Je crois même qu'elle montrerait davantage d'ardeur si je ne disséquais pas si souvent ce que sont devenues nos étreintes. Lorsqu'elle aborde le sujet, je pleure le sexe-épicier, nos positions d'abdication, notre prétendu synchronisme – depuis le temps, nous nous connaissons si bien.

C'est par hasard que j'en suis venu à simuler l'orgasme. La première fois, je m'en souviens, Alice et moi partagions une étreinte d'une intensité honnête. Un bien-être diffus m'entourait, le plaisir y comptant pour moins que la représentation mentale des gestes que nous étions en train de poser, mon envie de ma femme aiguillonnée par le désir de savoir comment ces gestes s'inscrivaient dans un contexte plus large : l'amour charnel comme une stimulation culturelle, une excitation apprise faite d'extraits de films, de romans, de pages de magazines. Elle me chevauchait, les jambes croisées sur le côté, assise en amazone sur mon sexe tendu, les yeux mi-clos, les cheveux dénoués, ses seins blancs de bonne élève – leur frémissement appliqué, leur envie de bien faire – se balançant doucement dans l'air de l'après-midi. C'est notre position. La seule qui permette à Alice d'oublier ce qu'elle considère être son handicap. Elle ne tolère pas que je puisse la voir autrement qu'en contre-plongée.

Alice chantonnait comme elle le faisait souvent lorsque nous étions enlacés de la sorte. Elle remontait ses cheveux en chignon, sifflotait lorsqu'elle oubliait les paroles. Je l'embrassais sans y penser, dégagé de toute obligation de passion, engourdi par le mouvement de va-et-vient qu'elle imprimait à ses hanches. Il n'y a pas à dire, nous étions bien l'un dans l'autre, nos corps abouchés, cette proximité nous dispensant d'avoir à considérer la nature exacte des sentiments que nous éprouvions. C'est dans ce contexte qu'une crampe violente me contracta soudain la jambe droite. J'essayais de me dégager, de rouler sur le côté, de déplacer Alice pour accéder au muscle endolori et soulager la douleur qui me cisaillait le mollet, mais elle interpréta mon impatience comme une invitation à poursuivre et elle se mit à bouger de plus en plus vite sur moi, chantant à tue-tête, sans se soucier ni de l'harmonie ni du tempo, me giflant avec ses bagues, me tirant les cheveux, me crachant au visage.

Comme la crampe ne se dénouait pas, au contraire l'étau se resserrait, on aurait dit la morsure d'un grand squale, j'exprimais avec vigueur mon mécontentement par une série de « Argggghhh ! » et de « Gnnmmfff ! » doublés de jurons qui auraient dû si ce n'est éveiller ses soupçons, du moins lui indiquer qu'elle n'était pas exactement en train de me conduire au nirvana. Mais non. Pendant que ses crachats dégoulinaient dans mes yeux meurtris, pendant qu'elle m'entaillait les oreilles à coups de canines, j'enfonçais mes ongles dans sa chair, tentant de la désarçonner par des contorsions savantes et désespérées. C'est à ce moment-là, alors que je ne parvenais même plus à identifier de quelle partie de mon corps, de quels points névralgiques irradiait la douleur, alors que je ne savais plus laquelle de mes blessures mériterait d'être traitée en priorité, alors que j'allais finalement réussir à la faire basculer loin de moi, qu'Alice eut un orgasme qui, d'où je me trouvais, sembla prodigieux. Elle cessa d'abord de respirer pendant une bonne minute, les yeux grand ouverts, comme si elle entrevoyait, par-delà l'espace de la chambre, un ailleurs idéal, un espace protégé d'amour, de compréhension et de tendresse, puis, dans un crescendo qui débuta par un soupir, comme si elle laissait à nouveau l'air pénétrer ses poumons, un soupir qui enfla progressivement jusqu'au cri, elle sortit à la fois d'elle-même et du champ de mes perceptions, me laissant seul, cloué au lit et perclus de douleur.

Elle ne revint à nous qu'après un temps qui me sembla considérable, un temps que je mettais à profit en étirant ma jambe à demi paralysée, en retrouvant mon calme, en me tamponnant à l'aide d'un kleenex les lèvres, les yeux et l'arcade sourcilière. Après son retour, il y eut une réplique de moindre intensité et Alice jouit sur place, le visage grave, stoïque, comme si tout cela ne la concernait pas.

Je ne me suis jamais décidé à lui avouer que ce qu'elle tient, aujourd'hui encore, pour « l'expérience sexuelle la plus inattendue, la plus oblique, la plus absolument fusionnelle » que nous ayons vécue ne tient en réalité qu'à un malentendu. Depuis, quand il m'apparaît évident que nous n'arriverons à rien, qu'il est tard ou que les enfants doubles sont susceptibles de se réveiller d'un moment à l'autre, je n'hésite pas à adopter, afin de trouver une sortie qui ne soit pas déshonorante pour elle, la position qui me permettra le plus certainement de provoquer la crampe salvatrice.

Le jour où l'orgasme simulé par un homme sera pris en compte par la table des équivalences, sachez que je risque de m'apprécier rapidement au classement.

30

À L'AVANT DE LA SALLE, la monitrice porte un bandeau élastique jaune, une montre noire à gros cadran et des chaussures de sport assorties à des mini socquettes d'un blanc éblouissant. Rien d'autre. Elle est petite, musclée, rigole pour mettre l'assistance à l'aise. Je ne sais pas pourquoi, son accent ne le laisse aucunement supposer, mais je l'imagine espagnole, d'une Espagne côtière, asphyxiée l'été par les hordes de touristes venus du nord, une Espagne de vacances où il est parfois possible, entre les autocars stationnés le long de la plage, d'apercevoir la mer.

Des lunettes de soleil un peu larges pour son visage, un gloss brillant sur les lèvres, ses cheveux sombres laissés libres sous le casque, moulée dans sa robe d'été par la vitesse du scooter et je tombe amoureux. Or comme ça, entièrement nue, j'hésite, le choc est trop brutal. Je me dis que ce doit être étudié pour que sa présence ne détourne pas les curistes de l'objectif premier de l'atelier. Que la monitrice devienne un objet de fantasme n'avance à rien dans la durée, elle ne sera plus là demain, son image alimentera deux, disons trois mois d'activité libidinale et puis tout sera à recommencer. Voilà pourquoi cette jeune femme sacrifie son potentiel érotique pour permettre aux participants du Sexe qui marche d'explorer le leur. Voilà ce qui me paraît expliquer cet hara-kiri sensuel.

La monitrice a les seins ronds, on dirait deux genoux. Ce n'est pas une poitrine excitante, c'est une poitrine saine qui bouge à peine lorsque sa propriétaire se met en tête de sautiller d'un bout à l'autre de la salle d'entraînement. Dans la glace qui tapisse le mur du fond, juste en dessous de la barre d'exercice, il m'est possible d'apercevoir son cul, la blancheur insolente laissée par le maillot alors que le reste de la peau est intégralement hâlé. J'aperçois aussi, par un jeu de perspectives assez surprenant, les visages de ceux qui se retrouvent ici. Nous sommes une quinzaine, assis à même le parquet, en demi-cercle autour de la fausse Espagnole. Shorts, t-shirts plus ou moins ajustés, ensembles de sport gris anthracite fournis par la Clinique pour plusieurs, chacun s'est mis à l'aise, s'est préparé comme il le pouvait.

En habituée, ma voisine a déjà commencé à s'étirer. Elle a les lèvres exagérément pulpeuses, comme si une bête venimeuse venait de la piquer, une chevelure d'un blond vénitien somptueux, les jambes musclées et on devine, à travers son pantalon de lycra, les formes rebondies de celles qui ont fait du gymnase leur église.

Je ne suis pas seul à l'observer, au moins trois femmes du groupe l'examinent aussi. Leurs sentiments me sont étrangers, mais d'où je me trouve, je ne parierais pas sur une sympathie spontanée.

Je sais bien que cela ne fait pas partie des objectifs de l'atelier, mais si je devais faire l'amour avec l'une des participantes du Sexe qui marche, j'en choisirais une autre, plus au fond, une brune aux cheveux courts, au nez constellé de taches de rousseur, qui rentre les épaules pour camoufler ce qui me paraît être une jolie poitrine. Quand nos regards se croisent dans la glace, un peu à droite de l'admirable séant de la monitrice, elle replie les bras. Son malaise m'amène à baisser les yeux à mon tour et je dois me rendre à l'évidence, malgré les heures de jogging, je m'empâte. L'ensemble de sport fourni par la Clinique n'y change rien, je m'affaisse. La nervosité me fait exhaler une légère mais persistante odeur de transpiration et l'idée même de faire l'amour avec qui que ce soit se dissipe. Pourtant, alors que la monitrice attend que s'installent les retardataires qui continuent graduellement à faire leur entrée dans la salle, cela ne m'empêche pas d'imaginer entre les participants au Sexe qui marche une variété de combinaisons qui ont en commun de m'exclure.

Il me semble qu'au-delà de mes complexes, ma simple présence à cet atelier me fait déjà un bien fou, que l'ambiance régnant dans cette salle légitime en moi l'existence d'une pensée érotique. Je me sens sexué et comme être sexué, comme homme physiologiquement capable d'un accouplement, même si je ne mérite pas de chevaucher la brune aux jolis seins assise au fond – je ne le mérite pas, parce que j'ai du ventre, des jambes disproportionnées par rapport à mon torse, que je suis mi-velu, mi-glabre et que, m'apercevant nu, une femme aussi fragile pourrait prendre peur –, même si je ne couvrirai jamais sa poitrine de baisers, même si je ne la lécherai probablement pas alors qu'elle halète sur la table ou sur quelque meuble que sollicite la fantasmagorie masculine, suppliant qu'on l'achève ou que ça continue pour toujours, je n'ai pas le temps de m'arrêter aux détails, le Sexe qui marche peut démarrer d'une minute à l'autre, même si je ne profite pas de telles largesses, il m'est possible de me la représenter dans une position équivoque. Je la vois alanguie sous les yeux attentifs de ma voisine au lycra qui en oublie un instant la plénitude que lui procure sa propre beauté.

J'imagine ma voisine s'abaissant à la rencontre d'un corps autre que le sien, un corps inférieur, moins ferme, moins lisse, moins performant de toute évidence avec ce surplus de chair qui fuit la caresse, cette blancheur qui choque, et pourtant, ma voisine fascinée par ce corps d'une gaucherie attirante, d'une sensualité brute, archaïque, avec ce sexe à l'épilation approximative, avec ces hanches pleines, ces coudes, ces genoux rugueux, cette peau qui sent le savon, cette odeur pauvre du savon. J'imagine ma voisine qui caresse l'intérieur des cuisses de la jolie primitive, ma voisine dont les lèvres pneumatiques se posent comme des ventouses sur ce corps qui vient de loin, qui lui écarte doucement les bras pour l'empêcher de se couvrir, ma voisine se soulageant un instant de sa peur, tandis que la monitrice, arrivée sur ces entrefaites, d'une main taquine les tétons de la jolie brune et de l'autre lui enfonce rythmiquement un doigt dans le cul.

La nudité de la monitrice ne semble gêner ni les hommes ni les femmes, qui se sont effectivement inscrites en grand nombre au Sexe qui marche. Sa peau luit un peu sous l'éclairage de la salle de sport.

— Je crois que nous sommes au complet, dit-elle au bout d'un moment, en refermant la porte à l'arrière de la salle.

Je vous l'avoue, tandis qu'elle bondit pour rejoindre sa position initiale, il me faut faire un effort pour détacher les yeux de sa toison taillée en un fin rectangle.

À l'avant de la classe, juchée sur une demi-douzaine de tapis de sol empilés les uns sur les autres, les jambes entrouvertes, le dos à demi relevé, la monitrice exhibe un petit drapeau dont le manche est en plastique flexible. Elle retire la pellicule qui recouvre le manche, agite le drapeau en riant :

— Passons maintenant aux choses sérieuses !

Et ceux qui ont déjà assisté au cours ne peuvent s'empêcher de s'échanger des regards entendus. Ma voisine est déjà en position, allongée sur le dos, les yeux mi-clos, les pieds joints, dans ce qui ressemble à une position de méditation. Elle respire profondément. Ses mains sont disposées en triangle autour de son sexe. Ses ongles rouges attirent l'attention sur ses doigts de presque vieille. Je ne suis pas vieux. Il me semble en tous les cas avoir déjà été plus vieux qu'aujourd'hui. Bien sûr, mes traits s'affaissent, ma peau se creuse, mais j'accueille ces bouleversements avec soulagement. Ma mère qui rajeunit au-delà du raisonnable a tort. J'ai l'impression que la vieillesse joue en ma faveur, qu'elle justifie une certaine étrangeté de mon visage.

La monitrice enduit le manche du drapeau d'un lubrifiant contenu dans une bouteille qu'il lui suffit de presser pour que le liquide clair se répande. Elle annonce sur un ton enjoué :

— Climax-building. C'est le moment de tonifier le muscle pubo-coccygien !

Sans autre préambule, elle introduit délicatement la hampe du drapeau en elle.

— Rien ne vaut une démonstration !

Je m'allonge à même le sol, les coudes repliés, pour suivre la démonstration qui se déroule à l'avant de la classe.

— Hop ! Hop ! Hop !

Fiché au milieu de ses cuisses, le drapeau s'agite de haut en bas. Son sexe semble envoyer un signal, deux coups à droite, un coup à gauche.

— Hop ! Hop ! Vous devez sentir que ça travaille juste là (la monitrice indique la région avec une main tandis que le drapeau continue son va-et-vient). N'oubliez pas de respirer, contractez, oui, comme si vous vous empêchiez de faire pipi, c'est ça, hop ! hop ! hop ! Jusqu'à quinze, un temps d'arrêt, et puis on recommence. Allez hop ! Hop ! Onze, douze !

Je m'allonge complètement, ferme les yeux, dépose les mains autour de mon sexe et tâche de tonifier ce que je peux dans la région prescrite. Pendant que ma voisine, répondant aux encouragements de la monitrice, émet de petits râles, que sa respiration s'accélère, je visualise le muscle pubo-coccygien. Je vois un étau s'ouvrir et se refermer, je vois la pâte à modeler rose des enfants doubles, des lianes tressées et tout un bazar d'images tropicales.

L'après-midi au Sexe qui marche est consacré à une série d'exercices pratiques qui se déroulent en laboratoire. Après avoir avalé un repas diététique composé pour leur permettre d'optimiser leurs possibilités sensuomotrices, les participants sont escortés par leur intervenant jusqu'à l'étage supérieur du bâtiment qui abrite la Clinique du renouveau continuel plus.

L'ascenseur s'ouvre sur un couloir où des affiches rétroéclairées mettent en vedette les visages satisfaits d'anciens patients. Je reconnais au passage un des cadres supérieurs de chez Monolite, un petit homme au tempérament volcanique à qui le maquillage et le choix du trois quarts profil confèrent une sérénité que je sais factice. Au bout du couloir, derrière une porte de bois clair ne comportant aucune indication particulière, se trouve le local de Réhabilitation génitale.

La pièce est toute en largeur, éclairée comme dans l'idée que l'on se fait d'un lupanar. De longs abat-jour descendant du plafond diffusent une lueur rouge qui donne aux visages un air de concupiscence général. Rien n'a changé depuis le corridor, mais dans cette lumière, on jurerait que le sang affleure sous la peau, que les tempes palpitent, que les corps se préparent à l'amour. La musique, les canapés profonds, le bar, les cigarettes mises à la disposition de ceux qui le désirent, tout me semble ici chercher à faire oublier le contexte de la cure. Il me vient à l'idée de rebrousser chemin, de prendre la jolie brune aux taches de rousseur par la main, de lui hurler qu'elle est belle et que je veux l'aimer et l'entraîner très loin de cet endroit, et de l'embrasser en lui promettant que nous vivrons ensemble toute l'intensité du monde et que nous serons amoureux et efficaces et méticuleux à consigner ce qui nous unit dans nos bulletins d'intimité, et que pfft !, elle peut me faire confiance, nous remonterons le classement comme les ballons qui ramènent les plongeurs à la surface lors des concours d'apnée, qu'il n'y a pas de raison que nous en restions là, que ce sera la revanche des dégressifs légers, mais elle regarde dans la direction opposée et ses bras obstinément repliés contre sa poitrine n'inspirent rien de bon.

Je serre contre moi la pochette en plastique que vient de me remettre mon intervenant en me souhaitant de profiter pleinement de l'atelier.

— Abandonnez-vous. Pensez luxure. Pensez plaisir. Les moments qui suivront n'en seront que plus profitables.

Il dit cela de façon solennelle avant de s'éloigner dans le corridor en bavardant avec ses collègues, intervenants comme lui, dont on voit dépasser jeans et chaussures de sport sous les sarraus.

Une quinzaine de stations séparées les unes des autres par des cloisons opaques occupent la partie arrière de la pièce attribuée aux exercices de Réhabilitation génitale. On dirait une série de petits box, d'églises schématiques, de confessionnaux, un alignement d'hôtels sur lesquels les participants tâcheront de convoquer le dieu Sexe. Ce n'est pas moi qui m'exprime ainsi, je vous rapporte les paroles d'un des curistes qui m'accompagnent. Il y a parmi nous un prêtre défroqué, désireux de rattraper au plus vite des années d'austérité sensuelle. Son intervenant a bien tenté de le décourager de s'inscrire au Sexe qui marche avant d'avoir connu la chair, prétextant que la première fois est « une véritable aubaine », lui faisant miroiter ce que prévoyait la table des équivalences pour la perte de la virginité à cinquante ans passés, mais le prêtre était prêt à sacrifier quelques positions au classement contre l'assurance de ne pas avoir l'air complètement idiot lorsque cela se produirait.

On m'a attribué la station 14, aménagée à côté de l'extincteur, tout au bout de la rangée. Il n'y a personne dans la station voisine, je me dis que quelqu'un a dû profiter de la pause du midi pour faire défection. J'aurais aimé que la jolie brune se retrouve près de moi. J'aurais aimé partager avec elle, même séparé par une cloison, cette étrange intimité. Je referme le rideau derrière moi. À l'intérieur du box, il y a un fauteuil de cuir aux larges accoudoirs, un cendrier, des verres, des bouteilles et une paire d'écouteurs. Les jambes d'un mannequin surgissent agressivement du mur du fond. Je me laisse tomber sur le fauteuil comme si c'était la chose la plus naturelle du monde. Je constate que les jambes entrouvertes devant moi ont troqué leur sexe contre une ouverture hygiénique d'une demi-douzaine de centimètres de circonférence. Un écran les surplombe. Je me sers une rasade de brandy. Je ne bois généralement pas de brandy, mais c'est ce que les lieux inspirent. Un alcool fort pour faire passer la gêne de se retrouver là, parmi mes semblables, dégressifs légers.

Pendant que j'optimise mes capacités, que je m'oblige à améliorer mon niveau d'équité personnelle, spectateur dans un peep-show dérisoire, je me demande ce qu'est encore en train d'inventer autrui pour me distancer. Je me dis qu'à l'extérieur de la Clinique, leurs exploits largement relayés par Nouvelles d'autrui, certains ont peut-être trouvé le moyen de respirer sous l'eau, de développer l'algorithme permettant de vivre jusqu'à treize vies parallèles sans jamais se faire prendre, d'identifier les composantes physiologiques responsables des émotions et de les provoquer sur commande, autrui toujours plus fort, plus rapide, plus vif, autrui reproduisant le rythme biomécanique du ventre maternel pour mettre en marché un lit qui assure un repos optimal, autrui sur tous les fronts et de tous les combats, je me dis qu'il faudrait prévoir un temps de repos, une pause, tandis qu'à l'écran, au-dessus des jambes de latex, surgissant depuis le fond apparaît en tournoyant le pictogramme rouge des écouteurs. J'ajuste la courroie sur ma tête. Après nous avoir souhaité la bienvenue, une voix de femme très douce nous invite à ouvrir la pochette de plastique qui nous a été remise à l'entrée par notre intervenant.

— Vous trouverez à l'intérieur un jeu d'embouts stérilisés correspondant à l'appareil génital que vous avez identifié lors de l'entretien préliminaire comme celui de votre préférence sexuelle.

La pochette résiste un peu, mais je parviens à extraire un genre de fleur plastifiée, dont la tige vient s'insérer sans qu'il soit besoin d'insister dans l'ouverture à l'entrejambe du mannequin de latex.

— Si vous avez choisi l'appareil génital féminin, appuyez à l'écran sur la section tactile représentant une femme.

Du bout du doigt, j'exerce une légère pression sur l'écran à l'endroit où se trouve une blonde assise en lotus sur un fond de ciel pur.

— Nous n'avons pas enregistré votre choix. Merci de bien vouloir appuyer à l'écran sur la touche correspondant à votre sexe de prédilection.

Je recommence l'opération en appuyant plus fermement cette fois au niveau de l'abdomen de la jeune femme sans pouvoir m'empêcher de penser que le sexe de prédilection, qu'on le veuille ou non, c'est toujours un peu le nôtre.

— Avant de commencer, nous vous demandons de bien vouloir observer la coloration de l'appareil génital qui vous a été remis. Ce code couleur vous permettra de suivre facilement les indications qui vous seront communiquées au fil de la séance.

Il ne fait pas très clair dans le box, mais en orientant le faisceau de l'abat-jour plus directement sur la prothèse, j'arrive à distinguer une subtile variation dans la pigmentation du sexe qui me fait face.

— En rose soutenu, les grandes lèvres, en rose plus clair, les petites, en pervenche, le clitoris, en bleu aqua, les trois premiers centimètres de l'intérieur de la vulve, en mauve la partie intérieure plus profonde. La section texturée sur la face antérieure situe le point G.

La voix est toujours aussi douce, mais je perçois cette fois une pointe d'autorité.

— L'appareil génital qui vous a été remis est équipé de senseurs. Peu importe votre enthousiasme ou votre excitation, il vous est demandé de le manipuler avec délicatesse. La saisie des données peut être invalidée par des manipulations trop brusques.

Avant de commencer la séance de Réhabilitation génitale proprement dite, les sujets qui le désirent peuvent sélectionner un film pornographique d'une quinzaine de minutes pour les aider à se mettre en condition. Je regarde trois femmes explorer les moindres détails de leur anatomie. L'une d'entre elles possède une langue extrêmement mobile et un tatouage à l'intérieur du bras où l'on peut lire, en étant patient car elle change sans arrêt de position, le nom de celui qui doit être son petit ami. Je me dis que Samuel, pour autant qu'il se trouve encore dans les parages, ne doit pas s'ennuyer.

31

— TENDRESSE, OK, contact oculaire, OK, préparation des muqueuses, OK, variation de l'angle d'attaque, de la profondeur, OK.

Je ne dois pas me laisser déconcentrer. En appui sur les avant-bras, le torse légèrement relevé, je garde le rythme. Je glisse des regards de braise. À intervalles réguliers, je susurre une variété de mots doux.

J'ai choisi pour l'examen final du Sexe qui marche une interprétation personnelle de la technique du 3 – 1 – 1 mâle, qui consiste à enchaîner trois mouvements rapides du bassin, à en intercaler un plus lent avant de conclure la séquence coïtale par une action rapide distincte des trois premières. Ce qui ne revient pas, comme certains d'entre vous pourraient le penser, à réaliser une variante inspirée d'un simple 4 – 1. Au risque de paraître un brin tatillon, je me dois de porter à votre attention que, dans le 4 – 1, le sujet mâle enchaîne une série de quatre mouvements rapides avant de clore la séquence par un mouvement plus lent. Le 3 – 1 – 1, et c'est ce qui fait le secret de son efficacité, exige de distinguer le dernier mouvement rapide. Il ne s'agit pas de pousser comme un bourrin, d'y aller plus doucement, avant de recommencer sans se poser de questions, sans modifier quoi que ce soit à l'allure, non, loin de là. Au dernier mouvement, il faut pouvoir danser, s'alléger, s'oublier, suivre la mesure et y accorder la montée du plaisir. Le 3 – 1 – 1, c'est la forme fixe de l'amour, une contrainte à oublier, à transcender pour espérer toucher au sublime. Les intervenants de la Clinique du renouveau continuel plus ont été limpides à ce sujet, le 3 – 1 – 1 exige rigueur et finesse. Bien exécuté, il exauce les amants au-delà des figures libres, brouillonnes, archaïques, des tâtonnements auxquels se livre autrui dans le plus grand désordre. Il est à la portée de tous de palper au hasard, de frotter, de lustrer, de grogner et de geindre, tout le monde sait d'instinct comment s'agiter sur celui ou celle qui se trouve là, comment se soulager de la tension, chacun peut se débrouiller pour que ça trouve son chemin dedans ou dehors, mais il existe tellement mieux. Trois actions rapides, une plus lente, là réside la beauté du 3 – 1 – 1 ; je le répète, un dernier élan qui ne doit sous aucun prétexte être de la même nature que les trois premiers : un mouvement de grâce pure, enlevé, aérien, qui sache à la fois conclure et annoncer la prochaine séquence. Même s'il s'agit d'un enchaînement complexe, risqué pour tout dire compte tenu du nombre de recalés ces dernières années, il s'est imposé à moi comme l'unique possibilité. Là où le 4 – 1 condamne les amants à une rythmique primaire, à une activité métronomique, le 3 – 1 – 1 insuffle légèreté et poésie.

Je vous ai dit que j'avais choisi une interprétation personnelle pour l'examen final. Ma contribution au 3 – 1 – 1 mâle se résume à inclure un temps d'arrêt entre le mouvement lent et la dernière attaque. Une subtile désobéissance aux préceptes du Sexe qui marche, qui je l'espère deviendra ma signature. Je m'en voudrais d'appliquer directement les enseignements reçus durant l'atelier ; j'aimerais que ma partenaire remarque la richesse de mon art amoureux, qu'elle comprenne que je possédais, avant même de venir me ressourcer à la Clinique, un potentiel d'exception. Je voudrais ramener à Alice un résultat brillant, une attestation d'excellence qu'elle s'empresserait de faire encadrer et d'accrocher au-dessus du lit conjugal : *La Clinique du renouveau continuel plus et Sylvia Uscamo, évaluatrice terrain, attribuent à Mas Baldam le niveau d'amant fonctionnel plus, mention très bien.*

Je souhaite que les amies d'Alice découvrent le diplôme par hasard en déposant leur veste ou leur sac à main dans notre chambre, qu'elles y pensent tandis que je leur demande, le soir à table, des nouvelles de leurs enfants, qu'elles y réfléchissent sans pouvoir détacher les yeux de mes mains alors que je m'applique à découper le gigot.

— Contrôle du muscle pubo-coccygien non déterminé,

sujet hors séquence, dit l'évaluatrice sans cesser de me regarder et en souriant de façon très lointaine.

Elle ne semble pas réaliser l'importance de ce qui se joue ici. Je ne dois pas me laisser déconcentrer, ne pas briser l'allure, elle va bien finir par découvrir l'inspiration géniale de cette pause, de ce soupir que j'intercale. Trois mouvements, un temps d'arrêt, une reprise. Je danse, j'aime, je vole. Malgré le contact du préservatif, malgré la puissante odeur d'alcool du désinfectant dont j'ai dû m'enduire au début du processus, je fais corps avec l'amour. Je suis l'amour. En contact permanent avec mon intervenant resté dans la pièce voisine pour colliger les données, l'évaluatrice se trémousse gentiment sous moi. Elle roule des hanches, remonte un peu les jambes, va jusqu'à me caresser les épaules, mais je ne me laisse pas divertir par ces ruses. Je danse, j'aime, je vole.

L'évaluatrice ressemble aux mannequins que l'on retrouve dans les pages « Chemisettes de nuit » des catalogues de vente par correspondance. Vous savez, cette brune à frange, sexy et distante, aux mains très pâles laissées ballantes le long du corps, aussi à l'aise dans la sage robe de coton page 243 que dans le déshabillé coquin qui illumine le verso. Elle porte un micro sans fil avec casque ultra léger. Pour parvenir jusqu'à ses lèvres, il faut déplacer la tige de plastique qui lui barre le visage. Même si elle me laisse faire, j'ai l'impression que, dans le cadre de ses fonctions, l'évaluatrice n'aime pas beaucoup être embrassée. Pour l'instant, je m'oblige à combattre les idées susceptibles de nuire à la qualité de ma prestation. Celle-ci par exemple : l'évaluatrice est au standard des sensations et, au moindre faux pas, elle va me transférer ailleurs, vers un autre lit, vers une autre femme.

Dans le cadre de l'examen final, en vue d'assurer la consolidation des acquis en milieu naturel, un partenaire est mis à la disposition des patients inscrits au Sexe qui marche par la Clinique du renouveau continuel plus. Un genre de contrôle de qualité. Il faut comprendre les organisateurs, la réputation de leur établissement tient forcément à la performance de ceux et celles qui sont passés par là. Ils ne peuvent relâcher, comme ça, au petit bonheur, des patients sexuellement inefficaces, sous peine de voir leur affaire péricliter.

— Sujet hors séquence. Rythmique alternative, en attente de données supplémentaires. Maintien de l'érection, OK, tonus, OK, habiletés motrices et respiratoires, OK, répartition de la masse corporelle, OK.

Même si le ton qu'elle utilise pour communiquer ses impressions à mon intervenant ne le laisse supposer en rien, l'évaluatrice me pétrit maintenant fermement les fesses. Je me dis que ce doit être la procédure, qu'elle ne fait qu'appliquer les consignes, qu'il ne serait pas étonnant que, dans une minute ou deux, elle ne décide de passer sa main dans mes cheveux en faisant mine de s'abandonner. C'est son travail, après tout, j'en connais de plus désagréables, de certainement moins bien considérés par la table des équivalences. Les hommes dans sa position doivent aussi avoir leurs petits secrets pour faire surgir au plus vite les qualités d'amante chez les femmes qu'ils évaluent. Je ne suis pas du genre à me formaliser de ces libertés prises avec la vérité.

Il se produit tout de même une chose étrange : chaque fois que je laisse s'introduire un soupir dans la rythmique du 3 – 1 – 1, cette variation dont je parlais plus haut, l'évaluatrice semble quitter la neutralité bienveillante dans laquelle se déroule notre étreinte pour m'agripper et m'attirer au plus profond d'elle. Cela arrive une fois, puis une autre, je crois à un réflexe, à une irruption intempestive de préférences personnelles dans le cadre de sa pratique professionnelle, mais il n'y a bientôt plus de doute possible, c'est elle qui accélère ou ralentit le rythme au gré de ses envies :

— Sujet en séquence 3 – 1 – 1, coordination, OK, rapport vigueur/tendresse, OK.

Je ne sais pas comment elle fait, sa voix ne trahit rien de son excitation, on jurerait la guichetière d'un comptoir bancaire, mais au moment d'éprouver ce qui ressemble à du plaisir, elle détourne la tête et pose pudiquement la main sur son micro.

VI

32

— C'EST EMBÊTANT.

J'ai tendance à dire « C'est embêtant » lorsque des circonstances adverses se présentent. Il est un peu plus de quatorze heures. Je termine de déjeuner dans l'un de ces casse-croûte qui prolifèrent au pied des immeubles du centre-ville d'Estampes. En général, je mange seul, mais il arrive que l'un de mes collègues, soucieux d'améliorer l'aspect *Intégration au groupe* de son évaluation de rendement chez Monolite, ne lance, sur le ton mi-badin, mi-résigné qui trahit ceux pour qui la sociabilité reste un effort, une pile de dossiers sous le bras : « Alors, Baldam, on va bouffer ? »

Je porte un costume crème qui ne me va pas spécialement bien. La veste, un peu étroite aux épaules, s'évase bizarrement sur les hanches dans un effet abat-jour que je tente de compenser en glissant les mains dans les poches et en les ramenant sur le ventre pour tendre le tissu. Le pantalon tombe mieux, ce n'est pas difficile. À dire vrai, il est un peu tard dans la saison pour porter un tel costume, mais autour de moi personne ne semble s'en formaliser.

— C'est embêtant, monsieur Frigor, dis-je en terminant de noter l'adresse sur un bout du napperon du snack-bar où j'ai échoué, mais puisque vous insistez, je serai là vers dix-neuf heures. Ça vous convient ?

Je range le portable dans la poche intérieure de ma veste, et puis, par réflexe, comme si ma mère allait se manifester pour me reprocher cette manie que j'ai de gaspiller, je dissimule tant bien que mal les restes d'une pizza froide sous une serviette de papier. Je me lève en défroissant mon costume, qui plisse au niveau de la taille, vide le contenu de mon plateau dans une poubelle déjà pleine à ras bord et, sans un regard pour ceux qui repoussent au maximum le moment d'y aller, je retourne à mon poste de testeur en chef.

33

POUR ACCÉDER au cabinet de notaires Frimah, Frigor & Gourd, il faut d'abord traverser les faubourgs de Ductile, où les affiches poussent vers le ciel comme si elles se disputaient la lumière. Sur des kilomètres, le monde se résume à une succession de Magasins-Entrepôts, de Serial-Discount, d'Église pentecôtiste de la rédemption, de Prince des Abats ou de Fêlé du Futon.

— Tu ne comprends rien, me répète Alice, qui trouve pratique de tout faire au même endroit, on voit bien qui se tape les courses ! Pendant que Monsieur se paie le luxe d'angoisses esthétiques, Madame trimballe les paquets !

Alice se trompe. Je n'ai rien contre les voyants attributs du commerce, rien contre leur fascinante vulgarité. Sans aller jusqu'à célébrer leur avènement, je suis sensible aux efforts que ces entreprises ont déployés pour occuper le territoire. Comment ne pas être ému par ces jeunes cadres à la rougeur anglo-saxonne, la nuque épaisse sortant d'une chemise blanche, assis en classe économique, le clavier de leur PC coincé contre un début d'embonpoint, par leurs joues de poupons instruits, leurs yeux intelligents fixés sur le tableur Excel qui indique comment diffuser plus loin encore la bonne parole corporative, par ces missionnaires auxquels on ne rembourse même pas l'alcool qu'ils commandent le soir à la chambre d'hôtel où ils débarquent, un peu froissés, après un vol de treize heures ?

Il reste qu'autour de Ductile, les néons clignotants, guirlandes, fanions, panneaux rétroéclairés et autres monstres gonflables accrochés aux toits des magasins ont gagné un espace qui défie l'entendement. Ça hurle, ça s'inscrit en couleurs dans les replis de votre cervelle. Il m'arrive de rêver, de ne garder au réveil aucun souvenir d'une présence humaine, mais de conserver une image très nette des produits que j'utilisais. J'ouvre les yeux avec à l'esprit des logos démentiels, des machines inédites, une idée de l'avantage concurrentiel que procure chacune d'elles. J'ouvre les yeux et c'est la façon de les mettre en marché qui m'est venue pendant la nuit, le plan de communication, les offensives tactiques, le déploiement des escouades sur le terrain. Je rêve de cœur de cible, de publipostage, de taux de rappel assisté. Je rêve dans une langue qui s'est insinuée en moi, à laquelle j'ai adhéré. Je rêve en responsable du marketing, désormais incapable d'établir la distinction entre celui qui vend et celui qui achète.

Dans ce coin de pays, on va encore dire que j'exagère, mais j'en suis persuadé, aussitôt les enfants en âge de comprendre la valeur de l'argent, on leur fourre une poignée de billets dans chaque main puis on les envoie marcher seuls le long des routes, leurs petits pieds dans le gravier, les papiers gras, les sacs de plastique, tout ce que le vent a bien voulu souffler là. Un matin, papa-maman, qui sourient à belles dents en se remémorant leur propre initiation, papa-maman ayant confiance en son intelligence, abandonne sa progéniture dans un parking à l'entrée de la zone commerciale. Deux ou trois mots d'encouragement, un baiser affectueux, parfois, et on laisse les petits se débrouiller jusqu'à la fermeture, trouver d'eux-mêmes de quoi s'alimenter, se distraire, ou se vêtir si la température, brusquement, se rafraîchit. On les observe à la jumelle, on se congratule d'une voiture à l'autre, assis sur une glacière, un sandwich à la main, quand l'un des jeunes concurrents, par réflexe ou par chance, se tourne vers une boutique correspondant au goût ou au standing de ses géniteurs.

34

AU VOLANT, il n'est pas rare que je m'énerve. Un peu. Je ne m'énerve jamais vraiment. Je suis exaspéré, impatienté, agacé, mais réellement en colère, cela n'arrive jamais. Et, quand monte en moi l'envie de faire un doigt d'honneur à l'abruti qui vient de me couper la route, comme la fenêtre de la Subaru côté passager est bloquée et qu'il me faudrait ouvrir la portière pour y passer le bras, je préfère m'abstenir.

Alice prétend que sur le plan des émotions je ne couvre qu'une zone réduite, que je manque d'entraînement et de souffle. Ce qui n'est pas tout à fait juste. Il arrive même que ce soit elle qui freine un temps nos projets. Pardonnez mon indélicatesse, mais Alice ne peut pas, je donne un seul exemple, avoir d'enfants. Les différents médecins que nous avons consultés ont été catégoriques à ce sujet. Bien entendu, au-delà des sentiments d'injustice et de colère qu'elle a véritablement ressentis, cette incapacité lui a permis de générer pas mal d'avant au classement. Alors que je me suis refusé à cette manœuvre, je ne serais pas étonné que les bulletins d'intimité d'Alice aient systématiquement témoigné de cette douleur, le fait de ne pouvoir enfanter devenant une sorte d'intensité minimum garantie, de tourment de base lancinant, généreusement récompensé par la table des équivalences. C'est ce qui explique l'arrivée des enfants doubles, qui ne sont pas jumeaux mais doubles, je le précise, c'est comme ça qu'ils sont arrivés, deux à la fois, peut-être pour venger les disparitions de mon père, laver l'affront, faire contrepoids.

L'idée en est venue à ma femme, ma petite femme, à presque quarante ans.

— Il nous faudrait des enfants, me dit-elle alors que nous étions au salon. Qu'est-ce que tu en penses ? Il nous faudrait des enfants à aimer et à gronder.

Et puis elle a souri. Elle a eu un geste de la main comme si elle les imaginait dans un coin de la pièce, entre les plantes qui envahissent la maison, exactement comme on évalue à l'avance l'effet que produira un meuble dans un intérieur.

— Un ici et un là.

Elle s'est déplacée vers la cuisine pour apprécier, avec le recul, si ce qu'elle venait de décider lui convenait toujours.

— Un ici et un là, a-t-elle répété, en déplaçant du pied le pot en terre d'un géranium qui la gênait, et j'étais d'accord. Une famille d'un seul coup.

Il est généralement admis que les enfants sont épuisants mais rentables. Je m'explique. Tout ce que vous entreprenez avec eux vous emplit du sentiment du devoir accompli, vous conforte dans l'impression d'être un parent attentif, capable de sacrifice, disponible malgré une vie qui ne vous laisse pas une seconde pour souffler. Au contraire, les activités que vous planifiez en leur absence génèrent culpabilité et malaise, vous renvoient sans ménagement à votre égoïsme, à votre besoin de calme et de solitude. Il faut bien le constater, qu'ils se débarrassent une heure ou deux de leur progéniture ou qu'ils la supportent jusqu'à l'épuisement, en termes d'intensité les parents gagnent à tous les coups. Cela établi, il s'agit pour eux de doser, de rester disponibles à d'autres sources d'intensité susceptibles de les faire progresser au classement entre les naissances. Là réside l'un des grands défis des géniteurs. Comment ne pas se laisser avaler, comment conserver une individualité, un espace à l'abri ?

De l'autrui, plutôt que de combattre, s'abandonne à l'enfant, décide de s'y vautrer, d'en produire par couvées, à coups de quatre, six ou huit, de former des équipes complètes, des chambrées, au diable leur vie d'avant, leurs rêves ou leurs aspirations. À mon avis, c'est un calcul qui en vaut d'autres. Auprès des jurés, cela doit produire son effet de vous voir déambuler dans les rues avec votre poussette triple, votre tête de nuits sans sommeil, vos kilos de couches et de lingettes. Harnaché de la sorte, vous multipliez la surface d'impact et les capteurs aussi bien que les jurés peuvent difficilement rater un tel équipage.

Il est vrai que certains poussent l'exercice beaucoup plus loin. Si j'en crois ma mère qui rajeunit au-delà du raisonnable, Nouvelles d'autrui a déjà rapporté le cas de parents ayant élevé à dessein des enfants impossibles. Ces parents expliquaient avoir violé sciemment tous les principes d'éducation afin que leurs enfants, une fois adolescents puis adultes, commettent fugues et délits, refusent de se plier à quelque autorité que ce soit, éprouvent un attrait irrésistible pour la drogue – les interviewés avouaient les y avoir initiés eux-mêmes, du cannabis broyé dans les purées de légumes –, glissent vers la délinquance, se retrouvent dès douze ans enceintes pour les filles ou en prison pour les garçons. Malheureusement pour eux, et selon ma mère, Lynn Linber-Lowe était très claire à ce sujet, comme il est dans la nature des enfants de prendre le contre-pied de ce qui est souhaité par leurs parents, après avoir traversé la puberté comme une eau calme, les fils et les filles de cette famille étaient devenus médecins, ingénieurs et linguistes.

Pour éviter que leurs parents n'en tirent profit au classement, ils avaient aussi refusé de rompre les ponts avec leurs géniteurs. Mieux, malgré les responsabilités croissantes, l'attention que demandaient leurs propres familles, ils s'employaient à demeurer aimables et affectueux. Ils envoyaient des cartes postales pendant leurs vacances, téléphonaient régulièrement le dimanche, s'assuraient de ne provoquer aucun remous. Afin de ne pas éveiller les soupçons, ils racontaient à qui voulait bien l'entendre avoir vécu une enfance sans histoire, que leurs parents avaient leurs petits défauts, bien sûr, mais qui n'en n'avait pas ?

Ma mère qui rajeunit avait été outrée par ce reportage. Elle se demandait s'il était moral, c'est le mot qu'elle utilisait et cela ne lui ressemblait pas, s'il était moral pour des parents d'utiliser leurs enfants à des fins de rentabilité au classement, de chercher à en profiter au-delà de ce qu'ils pouvaient naturellement rapporter. J'eus l'impression qu'elle regrettait de ne pas avoir eu cette audace, de s'être empêtrée dans des considérations éthiques dont d'autres, visiblement, ne s'embarrassaient pas. Pendant cette conversation, sous prétexte de me tenir au courant des agissements d'autrui, ma mère semblait plutôt me reprocher le mauvais investissement que j'avais constitué enfant. Il est possible que je déforme ce qui s'est réellement dit ce jour-là. Il est possible que l'annonce de la prise de contrôle me pousse à éprouver une méfiance rétrospective, que je sois tenté d'éclairer le passé à la lumière des événements survenus par la suite.

Comme Alice ne pouvait pas avoir d'enfants, nous avons décidé d'en adopter. Je vous épargne ici les procédures, elles-mêmes suffisamment contraignantes pour alimenter durant plusieurs mois nos bulletins d'intimité.

Sachez simplement qu'au bout d'un an et demi de tractations, nous étions prêts à rencontrer ceux qui allaient partager notre existence, ceux qui nous appelleraient papa-maman en plissant comiquement la bouche. Nous avions vu les photos, bien sûr, mais l'idée de pouvoir les toucher, d'enfouir notre visage au creux de leur cou, de sentir la chaleur de leurs petits corps nous rendait fous d'excitation.

Le jour de notre première rencontre, les enfants doubles étaient emmitouflés dans des ensembles de coton blanc qui donnaient l'impression qu'un prêtre surgirait d'un instant à l'autre pour leur administrer les sacrements du baptême. Appuyés contre les gros coussins d'un canapé à rayures, ils se tenaient par la main, les yeux mi-clos, avec une expression que j'aurais juré être celle de la déception, une déception assumée, leurs petits visages ayant l'air de dire : « N'en faites pas toute une histoire, c'est déjà suffisamment difficile comme ça. »

Ils n'étaient pas frère et sœur, ne se ressemblaient même pas, l'un rougeaud, un visage moyenâgeux, de grosses joues dans lesquelles perçaient des yeux inquiets, ses quelques cheveux noirs dépassant sous le bonnet blanc qui remontait sur son front, l'autre anguleux, les lèvres écarlates, de biais, nerveux, comme s'il en manquait une partie, comme si la mère ou le père biologique n'arrivant pas à se résoudre à voir l'enfant le quitter en avait conservé une portion pour ses dossiers. Pourtant, ils étaient inséparables, soudés au point qu'il suffisait d'en bercer un pour que l'autre s'endorme aussitôt, de secouer un hochet devant l'un pour que l'autre éclate de rire.

— Ce sera plus facile pour vous, avait glissé le responsable de notre dossier avec un air conciliant. Vous n'êtes plus tout jeunes, avait-il ajouté pour montrer que l'important n'était pas là, qu'il pardonnait d'avance nos maladresses.

— Oui, ce sera plus simple, avait répondu machinalement Alice en cherchant où déposer son manteau.

Ils étaient devant nous. Nos enfants. Tandis que le responsable y allait d'un discours rodé par des années d'exercice, de drôles de pensées se bousculaient dans ma tête. Nous prenions nos enfants comme des autostoppeurs. Je me voyais m'arrêter en bord de route, me pencher au-dessus du siège, m'étirer pour ouvrir de l'intérieur la portière arrière. Alice descendait de voiture, les installait l'un après l'autre dans leurs sièges, réfléchissait une minute puis, reprenant sa place à mes côtés, sans même se retourner, leur donnait un nom.

Lorsque nous les avons enfin serrés dans nos bras pour leur manifester notre bonheur, pour qu'ils sentent à quel point nous étions prêts à les aimer, les enfants doubles ont exprimé leur mécontentement d'être séparés en gémissant et en refusant de lever les yeux vers nous. Les bénévoles de l'association présents sur les lieux, une grosse femme au sourire triste portant une tunique brodée qui s'arrêtait à mi-cuisse et un jeune Asiatique à cheveux longs, ont eu beau expliquer que cela ne durerait pas, qu'il nous appartenait de gagner leur affection, Alice a éclaté en sanglots. Je crois qu'elle était sincère, mais il est possible que je me trompe. La sincérité de ma femme connaît parfois d'étonnants détours.

35

MONSIEUR FRIGOR a un peu la tête de Louis de Funès en plus jeune, en plus joufflu et en moins tourmenté. Quand il vous salue, il écarquille les yeux, s'incline avant de présenter une main dont la douceur surprend. On l'imagine tout de suite au coucher, assis au bord du lit, sa tendre moitié endormie, en train de s'enduire méticuleusement les paumes d'une crème de bonne qualité. Il porte un costume anthracite qui ne doit pas être donné, rembourré aux épaules pour étoffer une silhouette fragile, une chemise lilas boutonnée jusqu'au col et une cravate d'un violet à peine plus soutenu qui produit un effet ton sur ton assez réussi. Pour être tout à fait honnête, l'ensemble est coordonné avec tellement de soin qu'il donne l'impression de reproduire l'agencement qu'un styliste aurait réalisé dans la vitrine d'une boutique de vêtements pour hommes. On s'attend, au nom de je ne sais quel mimétisme, à ce qu'un si petit homme ait une voix maigrelette, haut perchée ou mal assurée, or celle de Frigor résonne dans tout le hall d'entrée.

Je suis en retard d'une dizaine de minutes. Au sortir de la zone commerciale, le cabinet de notaires Frimah, Frigor & Gourd n'est pas évident à repérer, caché au fond d'une cour intérieure abritant ébénistes, plâtriers ou entrepreneurs en maçonnerie. La façade en brique rouge de l'immeuble est soigneusement entretenue. Une plaque discrète, métal brossé et rivets apparents, rappelle au visiteur de ne pas se laisser influencer par l'agitation qui règne autour de lui – même à cette heure, les ouvriers en bleu de travail vont et viennent, transportent des matériaux, déplacent les machines, s'interpellent d'un bout à l'autre de la cour – lui rappelle qu'il s'apprête à rencontrer des professionnels.

— Vous êtes à votre aise ?

Bien calé dans l'un des gros fauteuils de cuir du bureau de monsieur Frigor, un whisky à la main, je me trouverais tout à fait détendu si une « nouvelle plutôt désagréable », pour reprendre les termes qu'il a utilisés cet après-midi au téléphone, ne me pendait au nez.

— Ça peut aller.

J'ai allongé les jambes, croisé les pieds pour me donner une contenance. La nuit est tombée à l'extérieur. De la fenêtre du bureau de maître Frigor, on aperçoit, à travers les branches d'un grand orme, et au-dessus des toits des bâtiments de la cour, les lueurs de la zone commerciale toute proche.

Au départ, je ne parle pas beaucoup. Je le laisse évoquer ce qu'il appelle avec précaution « cette situation délicate ». Je hoche la tête quand il le faut. Je dois l'admettre, monsieur Frigor fait un notaire remarquable. Il détache soigneusement les syllabes, pose sa voix avec un plaisir non dissimulé. De temps à autre, il se lève, inspecte un des bibelots qui trône sur l'étagère vitrée occupant la majeure partie du fond de la pièce, se rassied, reproduit le même manège avec la figurine d'à côté, une porcelaine aux couleurs vives censée représenter une oie et son gardien.

Lorsqu'il se déplace de son bureau vers l'étagère, bien que les deux meubles ne soient éloignés que d'une dizaine de pas, Frigor s'interrompt, laissant parfois une phrase en suspens jusqu'à ce qu'il atteigne sa destination. En fait, tout se déroule chez lui comme si les fonctions motrices et celles de l'élocution s'alimentaient à une source dont les réserves seraient insuffisantes pour permettre la concomitance des deux activités. Parler ou se mouvoir, il semble que Frigor doive choisir.

De mon côté, je ne m'éloigne pas un instant du fauteuil dans lequel j'ai été invité à m'asseoir. Mon verre à la main, j'inspecte le bureau : les murs gris bleu, l'imitation de tapis persan achetée, j'en mettrais ma main au feu, chez Tapis-Folie, un magasin de la zone commerciale voisine, les livres classés par taille, les diplômes, les photos de famille sur lesquelles, cela est suffisamment rare pour être souligné, Frigor n'apparaît pas de façon systématique. Partout, sur le rebord de la fenêtre, de la table basse, des petites pierres, des fleurs séchées, les attentions d'une femme. Et puis, discrètement situé à gauche quand on entre, un meuble trapu, encombré de journaux et d'enveloppes, dont la partie frontale coulisse, découvrant un bar qui abrite une dizaine de bouteilles, quelques verres et une section réfrigérée.

Pour l'instant, de sa voix profonde, Frigor discute de la nécessité de faire face à l'adversité. Il prétend que les hommes confrontés à la douleur sont toujours seuls. Il égrène un chapelet de lieux communs, tourne autour du pot, m'offre un second whisky que j'accepte de bonne grâce, s'en sert un.

— C'est exceptionnel, dit-il en avalant une large rasade.

Il se rassied à son bureau, se relève, examine une cane de porcelaine accompagnée de ses petits, la repose amoureusement sur l'étagère avant d'allumer le système d'éclairage, qui révèle d'un seul coup, impeccablement alignées dans la bibliothèque vitrée, une collection de figurines dont le mauvais goût est éclipsé par le nombre. Il y a un silence. Pas un vrai silence, mais un silence entre nous. D'ailleurs, on distingue sans peine le bruit des ouvriers qui s'activent dans la cour, le hoquet d'un moteur diesel. Le notaire regarde un peu au-dessus de ma tête.

— Le nom de ce cabinet est une drôle d'histoire, finit-il par laisser tomber, sans détacher les yeux de ce qui semble le fasciner quelques centimètres au-dessus de mon crâne. Vous savez peut-être que, par un arrêté tout à fait unique, le Conseil municipal de Ductile s'est octroyé il y a bien longtemps la possibilité de déterminer la profession de ses habitants à partir de leur nom de famille ?

Comme tout le monde, j'ai entendu parler de cette histoire :

— Effectivement, ça me dit quelque chose.

Frigor fait pivoter son fauteuil et s'y enfonce.

À l'extérieur, un des monstres gonflables accrochés aux toits des entrepôts de la zone commerciale a dû se détacher de l'une de ses amarres, si bien qu'à intervalles irréguliers, au-delà du grand orme, lorsqu'il passe à travers les projecteurs censés dissuader les voleurs de repartir avec la voiture d'un brave type occupé à faire ses courses, il m'est possible d'apercevoir par la fenêtre du bureau du notaire un Viking rubicond levant sa coupe à je ne sais quel triomphe.

Les yeux dans le vague, faisant doucement tinter les glaçons dans son verre vide, Frigor donne l'impression de vouloir rester comme ça, perdu dans des pensées qui ne regardent que lui.

— Une histoire absurde, dis-je à mi-voix, sans autre intention que de respecter l'atmosphère de recueillement qui s'est installée.

Le notaire se redresse. Il me regarde avec intensité et j'ai l'impression que tout lui revient instantanément : la mauvaise nouvelle qu'il lui faut m'annoncer, les heures tardives passées à l'étude, alors qu'il devrait se trouver chez lui depuis longtemps, où femme et enfants sont en train d'apprendre à se passer de sa présence.

— Ah oui ? Vous en connaissez beaucoup, des méthodes d'organisation sociale qui, tout en assurant une saine progression de leurs membres au classement, éliminent les problèmes de sélection de personnel, simplifient à l'extrême la question de l'orientation scolaire et contribuent, en prime, à endiguer l'immigration ? Réfléchissez ! Comment pensez-vous qu'un Benzechri ou un Andropoulos puisse trouver du travail ici ? Ces gens continuent leur chemin et vont s'installer ailleurs, ils ne sont pas stupides !

Lorsque Frigor élève la voix, son visage se couvre de larges plaques rouges qui prennent naissance à la base du cou avant de se répandre jusqu'au sommet du front. Cela doit inquiéter sa femme, enfin cela inquiéterait certainement la mienne.

— Il nous appartient de faire du monde dans lequel nous vivons un espace intelligible ! Et le langage est la pierre de touche sur laquelle nous avons entrepris de construire une société rigoureuse. À Ductile, se conformer à cette forme inédite de coordination civile, c'est dominer le doute et vivre libre !

Du bout du pied, je tente de lisser le tapis qui se soulève légèrement devant mon fauteuil.

— J'ai une question, dis-je, feignant un aplomb qui me fait défaut. Quand une profession n'est pas représentée parmi les habitants, vous rebaptisez en vitesse durant la nuit ?

Visiblement attristé par le spectacle de son verre vide posé devant lui, le notaire s'est levé pour se resservir.

— Bien sûr que non. Vous n'êtes pas sérieux.

Le cœur n'y est plus, ça se sent tout de suite. Frigor avance, s'arrête, ajoute par souci de précision, car rien ne l'y contraint :

— Je vous concède que, dans les cas d'extrême nécessité, il nous arrive de procéder par tirage.

Encore un effort, il étire le bras. La porte du meuble coulisse.

— Vous voulez dire que certains des habitants de Ductile occupent des postes pour lesquels ils ne sont pas qualifiés ?

— Comme ailleurs, qu'est-ce que vous croyez. Nous ne sommes pas à l'abri de l'incompétence.

— Et vous ?

C'est à un vieux cognac que Frigor s'attaque maintenant. Il saisit la bouteille, en détaille l'étiquette avec respect avant de l'incliner généreusement dans son verre.

— Je ne vous cache pas que les débuts ont été difficiles, consent-il du bout des lèvres avant de me proposer de l'accompagner en indiquant mon verre vide à l'aide du goulot. La charge de notaire était vacante. Un tirage au sort m'a désigné. Ensuite, au nom de je ne sais quelle cohérence dans l'aberration, Frimah et Gourd ont été choisis par le conseil municipal pour m'accompagner dans ma pratique.

J'esquisse un sourire incrédule.

— Ne vous moquez pas, sourit à son tour Frigor. Dans votre situation, cela serait à tout le moins inconvenant.

36

UN TYPE ÉTAIT ENTRÉ dans la pièce sans avoir été annoncé, avait déposé sur le bureau de Frigor une pile impressionnante de documents. Mon cas attendrait.

— C'est bon, j'arrête, avait-il dit avant de se laisser tomber dans le fauteuil qui jouxtait le mien.

Frigor, relativement sobre à ce moment-là, n'avait pas bronché, agissant comme si cette interruption ne le surprenait pas le moins du monde, m'invitant par le fait même à ne pas m'en formaliser.

Le type sentait l'extérieur, le froid et une eau de Cologne de grande distribution. Son visage rondouillard, ses petits yeux rapprochés, sa tête de bon vivant que les épreuves de l'existence n'avaient pas réussi à assombrir complètement donnaient envie, si ce n'est de le connaître, du moins de poser un geste. Je tendis la main, mais il ne réagit pas. Il regardait le notaire d'un air renfrogné.

— Je n'en peux plus, annonça-t-il de façon théâtrale à Frigor, qui avait déjà entrepris d'ordonner les documents sur son bureau afin de s'y retrouver dans cet amoncellement de papiers.

Le notaire leva très lentement les yeux.

— Vous êtes sûr de ne pas avoir précipité votre décision ? répondit-il avec sérieux. Peut-être n'avez-vous pas examiné tous les recours qui s'offraient à vous. Ce choix aura d'importantes conséquences, vous savez.

— Je sais, je sais, souffla l'homme. Faites ce que je vous demande et je me débrouillerai avec les conséquences.

Frigor m'adressa alors un regard qui me demandait de me montrer compréhensif, qui suggérait qu'il n'avait d'autre choix que de me faire patienter. J'inclinai légèrement la tête pour lui signifier que je comprenais, mais qu'il ne fasse pas traîner, quand même.

Tout le temps que dura l'entretien avec le notaire, le type qui venait de pénétrer dans le bureau garda son coupe-vent. Il était venu régler quelque chose, il repartait immédiatement, nul besoin de s'en séparer.

— Dès mercredi matin, indiqua Frigor en remettant à l'homme ce que je jugeais être un pamphlet explicatif, vous devrez vous présenter à l'hôtel de ville pour votre audition finale. Les termes exacts et les dispositions légales sont exposés dans le livret que je viens de vous remettre.

— C'est tout ?

Le type au coupe-vent ne paraissait pas décontenancé.

— Oui, ce sera tout, conclut lentement le notaire en descendant très loin dans les basses.

Je me taisais. Me lever pour quitter la pièce aurait attiré sur moi une attention dont je désirais me passer. On m'oubliait un peu, qu'à cela ne tienne, ces deux-là pouvaient très bien régler leur différend sans moi. Le type regardait le notaire avec défi. Il n'attendait visiblement que le signal de prendre le large.

— J'oubliais, pour compléter votre déclaration, ajouta Frigor avec une drôle de lueur dans le regard, il ne reste qu'un détail.

Le type ne bougeait pas.

— Vous êtes tenu par la législation municipale de m'exposer ce qui motive votre défection, dit Frigor en retirant un dictaphone miniature du tiroir de son bureau. Un comité – dont j'ai le privilège de faire partie – évaluera votre requête et, si vos explications sont jugées satisfaisantes, vous serez libre de quitter Ductile sans pénalité, c'est-à-dire sans avoir à rembourser une partie de l'avant que vous avez accumulé grâce à nous. On ne goûte pas les mercenaires par ici, vous voyez. Je ne saurais trop vous conseiller de vous montrer convaincant, monsieur Derechef, c'est toute une ville que votre faillite éclabousse.

Pour être sûr que l'on ne s'avise pas de lui faire répéter ce qu'il avait à dire, Derechef se pencha alors vers l'avant, au plus près du dictaphone, en appuyant les deux poings sur ses cuisses.

— Je suis à bout, débuta-t-il simplement, comme si cette phrase avait le pouvoir de résumer les épreuves qui l'avaient mené jusqu'ici, dans l'un des bureaux du cabinet de notaires Frimah, Frigor & Gourd.

— Vous m'avez l'air tout à fait bien portant, ironisa Frigor en faisant allusion, il me semble, à la bonne constitution de son client.

— C'est que j'ai pris une décision qui me soulage, répondit ce dernier avec calme. Je n'avais pas le choix.

— Ne nous faites pas pleurer, ricana Frigor en cherchant de mon côté une complicité à laquelle je me refusais. Expliquez-nous plutôt ce qui vous fait souffrir au point de vouloir nous quitter. Ce sont des voisins, des amis que vous abandonnez lâchement. Et n'allez pas me dire que vous comptez trouver mieux ailleurs. Lordre, Dévers ou Estampes ne vous offriront pas cadre plus épanouissant, vous rêvez en couleur.

Mon verre était vide. Je caressai pendant un instant le projet d'agripper la bouteille qui se trouvait sur le bureau de Frigor, mais je me ravisai.

— C'est à cause des femmes, continua Derechef en se maîtrisant. Ça ne peut plus continuer.

— Les femmes…, dit rêveusement Frigor, et je crus un instant qu'il allait compléter cette exclamation par un bon mot emprunté à quelque poète ou philosophe ayant jeté une lumière inédite sur la question, mais il ne fit que laisser ses mains retomber avec lourdeur sur son bureau.

— Vous ne pouvez pas imaginer leurs exigences, poursuivit Derechef sans se décourager, toutes ces nuits passées à leur susurrer les mots qu'elles n'attendaient plus, à les cajoler, à leur faire mal parfois.

Frigor leva les yeux au ciel.

— Le corps a ses limites, insista Derechef dont le visage s'était empourpré, une veine saillante lui barrant la tempe, comme si la colère contenue refluait par ce canal. Je n'en peux plus. Je ne vous demande même pas de comprendre. Vous ne les avez jamais entendues crier votre nom pendant des heures en grognant et en vous injuriant.

Le notaire eut un rire mesquin. Il tapotait son verre d'une manière qui m'apparut provocante.

— Ne vous moquez pas, j'aimerais bien vous y voir, cinq nuits et autant d'après-midi par semaine, malade ou pas, amoureux ou pas. Non mais, vous imaginez ma vie de famille ? J'aimerais bien vous y voir, obligé d'aimer des femmes qui ne vous inspirent parfois rien d'autre qu'une prodigieuse indifférence. Je ne suis qu'un homme et il m'est impossible de satisfaire à répétition les trois mille habitantes de Ductile.

— Un peu moins, dit Frigor, et n'exagérez pas vos qualités, je vous prie. J'ai des amies très proches qui ne se gênent pas pour critiquer vos services.

— Mettez-vous à ma place une seconde si vous en êtes capable, si l'idée d'une prodigieuse variété sexuelle n'a pas complètement embrumé votre esprit. Je n'arrive pas à satisfaire ces femmes, même si mon nom indique le contraire, même si mon père et mon grand-père, paix à leur âme, y parvenaient. C'est une question de démographie. La population de Ductile augmente, les femmes sont plus nombreuses et plus avisées en amour.

— Ah ça, n'allons pas nous en plaindre, roucoula le notaire.

— Pas une émission de télé, de radio, pas un magazine qui n'y aille de ses conseils. Je passe un temps considérable à me documenter pour étancher la soif de nouveauté de toutes celles qui me sollicitent, un temps que je ne consacre pas à leur compagnie et, comme je suis le dernier de la lignée, je ne peux pas déléguer. Je n'y arrive plus. J'ai besoin de dormir, vous comprenez, de dormir seul ! Faites disparaître Derechef, vous trouverez bien quelqu'un pour assurer la relève, les candidats ou même les candidates ne doivent pas manquer, n'allez pas me dire que l'on ne se bousculera pas pour me remplacer. Mettez fin à ce supplice, croyez-moi, je suis prêt à en assumer les conséquences.

37

ON AURAIT DIT une mauvaise blague. Assis derrière son bureau, perdant de sa belle assurance, Frigor se cramponnait à son verre, gin ou vodka tonic, je n'avais pas réussi à tenir le compte jusque-là. Il me regardait avec des yeux désolés, puis se ravisa, regrettant de s'être laissé attendrir. Ses gestes paraissaient empruntés, comme s'il était incapable de choisir entre eux. Le notaire me communiquait une nouvelle invraisemblable, mais c'est lui qui paraissait le plus désarçonné de nous deux. On aurait dit une mauvaise blague et, à ce moment-là, je ris, oh pas très fort, mais je ris quand même, pour accompagner cette annonce, pour ne pas la laisser seule dans la stupeur qu'elle provoquait en moi.

Je venais d'apprendre que j'étais l'objet d'une prise de contrôle hostile, d'une offre publique d'achat sur la personne. Comme ce type d'opération ne m'était pas spécialement familier, Frigor, lui-même abasourdi par l'annonce qu'il me faisait – peut-être était-ce par l'alcool qu'il se resservait sans faiblir depuis mon arrivée dans son bureau –, prit la peine de m'expliquer qu'une offre publique d'achat consistait en une transaction par laquelle une personne physique ou morale proposait d'acquérir à un niveau supérieur à son cours actuel au classement la totalité des constituants – il se lança alors dans une longue énumération : « Sont considérés comme faisant partie des constituants : les os, les nerfs, les muscles, les tendons, les organes, les systèmes nerveux sympathique et parasympathique, les membranes, le sang, toute la collection des sécrétions, que ce soit l'âme, les larmes, le sperme ou l'urine, le mouvement, les gestes, l'action produite par la mise en commun de constituants ci-dessus énumérés, un enfant, un abri ou un meurtre, par exemple, ces termes n'étant pas exhaustifs et pouvant être complétés, modifiés ou annulés à tout moment » –, mais aussi des productions psychiques et émotives d'un individu cible.

L'individu cible, dans ce cas, n'étant autre que moi.

Frigor marqua une pause. Il jeta un long regard vers l'étagère du fond où attendait, parfaitement alignée, sa collection de figurines et soupira avant de reprendre d'une voix monotone :

— Sont considérées comme faisant partie des productions psychiques : les idées, les sentiments, les souvenirs, les envies, les besoins, les obsessions, les rêveries diurnes ou nocturnes, le caractère, les psychoses, les névroses, les désillusions, les volontés, les doutes, la voix intérieure, les indignations, l'inconscient, les pulsions, mécanismes de défense, de projection, de déplacement et le reste de la quincaillerie freudienne, l'expression artistique sous toutes ses formes, littéraire, picturale, informatique ou scénique, et pour tous supports, ces termes n'étant pas exhaustifs et pouvant être complétés, modifiés ou annulés à n'importe quel moment.

La prise de contrôle serait annoncée sur les ondes de Nouvelles d'autrui, qui avait négocié l'exclusivité, et, selon le notaire, les petits porteurs – Frigor consulta rapidement une feuille volante portant l'en-tête de son étude, « Entendez votre tante et son mari, la cousine de votre mère » – se hâteraient d'apporter leur contribution à l'opération. Évidemment, en temps normal, mon avis sur cette prise de contrôle hostile aurait dû être sollicité. Or, pour une raison que Frigor ignorait, non seulement cela n'avait-il pas été fait, mais il avait été communiqué par son étude que j'encourageais les actionnaires à accepter l'offre qui leur était proposée.

Comme cette dernière était accompagnée d'une promesse de rentabilité accrue au classement – mon acquéreur me considérait comme honteusement sous-évalué –, Frigor ne voyait pas comment l'ensemble de la procédure pouvait être interrompue. En clair, grâce à une rationalisation de ma personne et de mes activités, les nouveaux propriétaires promettaient aux actionnaires de me faire progresser au classement plus rapidement et plus sûrement que je n'aurais été en mesure de le faire. Ils évoquaient même la possibilité de me faire pénétrer d'ici peu le Cercle 5000.

L'actionnariat majoritaire, ma mère qui rajeunit au-delà du raisonnable et Alice, s'étant déjà rallié à l'offre, le notaire prévoyait qu'il ne faudrait qu'une ou deux semaines tout au plus pour que le changement de propriété ne devienne effectif. En d'autres termes, une ou deux semaines avant que je ne passe sous contrôle des raiders.

— Et pour empêcher ça ?

Je posais la question machinalement, attendant plus qu'autre chose d'obtenir confirmation de ma condamnation.

Frigor ne me déçut pas.

— Il aurait fallu y penser avant. Honnêtement, je ne vois pas ce qui pourrait être tenté dans votre situation.

Le notaire s'enlisait. Il avait prévu de m'annoncer la nouvelle de cette prise de contrôle, de cette OPA hostile lancée contre moi de façon sensible, de me laisser le temps d'accuser le choc, un petit quart d'heure pendant lequel il se serait montré empressé, courtois, disponible, puis, d'un seul coup, il aurait coupé les ponts, me raccompagnant jusqu'à la porte de son étude pour ne pas avoir à affronter la suite, me gratifiant d'une bourrade sur l'épaule, quelque chose de viril qui dise : « Nous sommes tous frères dans ce merdier », mais j'avais passé plus d'une heure dans son bureau, l'alcool partagé nous rapprochait et la pauvreté de mes réactions ne lui facilitait pas la tâche.

— Il faudrait trouver rapidement dans votre entourage quelqu'un pour organiser une contre-offre, bredouilla Frigor en vérifiant dans ses dossiers un détail qui semblait être devenu d'une extrême urgence. Vous comprenez, un chevalier blanc qui accepterait de voler à votre secours.

J'esquissai un sourire. Nous savions tous les deux que personne ne volerait à mon secours, puisque ceux qui étaient susceptibles de le faire se trouvaient à l'origine même de l'opération menée pour réaliser mon acquisition. J'imaginais quand même un cavalier tout de blanc vêtu traversant la zone commerciale à l'entrée de Ductile, franchissant les parkings, avalant les terre-pleins. J'imaginais l'homme et sa monture répondant à mon appel de détresse, soudés comme un seul corps, centaure éblouissant. Je le voyais se rapprocher au grand galop, mais à la hauteur du cabinet de notaires, comme la grille était fermée et la cour mal éclairée, il ne s'arrêtait pas et s'éloignait dans un fracas de sabots.

Frigor toussa, quelque chose de profond, d'enraciné, qui lui laissa plusieurs secondes la respiration sifflante. Son visage était las, ses yeux rougis par la fatigue, mais le notaire continuait d'agir en professionnel. Il émanait de lui une condescendance sensible, une civilité contrainte qui m'empêchait de le prendre entièrement en grippe.

Par la fenêtre de son bureau, les enseignes lumineuses de la zone commerciale brillaient autour du grand orme comme un halo. J'aurais aimé sortir de la pièce, reprendre la vieille Subaru pour quitter Ductile, rouler vite sur l'autoroute afin d'oublier l'OPA. Et puis, une fois à la maison, me glisser dans la chambre des enfants doubles, leur chambre qui sent l'urine et le pain chaud, me pencher vers eux pour embrasser leurs petits visages bouffis de sommeil. Pourtant, je ne bougeais pas.

En arrière-plan, comme s'il se trouvait relégué aux marges de mon attention, à une frange au bord de ma conscience, j'entendis alors Frigor, dont l'élocution de plus en plus hasardeuse n'arrangeait rien à la confusion qui m'envahissait, me conseiller de ne rien dramatiser, soulignant qu'à bien y regarder, il s'agissait d'une occasion à saisir, que je n'avais pas grand-chose à perdre considérant mes contre-performances des dernières années au classement. Selon lui, tout se passerait en douceur. J'avais eu la chance de tomber sur une équipe d'une intégrité irréprochable et, plus important encore, une équipe qui saurait procéder au redressement.

Mon acquéreur n'avait pas jugé utile de se faire connaître autrement que sous l'intitulé pudique d'une compagnie à numéro, mais j'en apprendrais plus d'ici peu, Frigor m'en donnait l'assurance. On me contacterait en temps et lieu et on répondrait aux questions que je ne devais pas manquer de me poser.

Pour l'heure, Frigor me priait de ne pas m'éloigner de mon domicile ni de chercher à contacter les actionnaires ayant accepté de se départir de leur participation en ma personne.

— C'est préférable pour tout le monde, dit-il avec un sourire qui faisait peine à voir tant il lui avait demandé d'efforts, les affaires de famille sont toujours les plus pénibles.

Ne pas les contacter, la belle affaire. Comme si je pouvais empêcher Alice et ma mère de m'adresser la parole.

38

L'ASSEMBLÉE des actionnaires a sans doute été organisée chez ma mère, dans le salon 1,15, à l'heure où le soleil de l'après-midi plombe à travers la véranda. Les volumes y sont agréables, la décoration discrète. Les meubles trouvent d'instinct une utilité. Grâce au mur acoustique, on entend à peine le grondement des voitures qui accélèrent avant de s'engouffrer dans le tunnel en contrebas. Les enfants doubles auraient eu tout l'espace pour jouer, régurgiter ou s'endormir sur la moquette épaisse. Alice aurait pu les avoir à l'œil pendant qu'elle prenait la parole, sa présence quotidienne à mes côtés justifiant qu'elle le fasse, son amour pour moi la propulsant au rang d'expert. Je l'imagine se lisser nerveusement le front d'une main tandis qu'elle étire de l'autre l'extrémité du menton, combattre une envie puissante de grimper sur la table basse dont la surface de verre marque au moindre contact.

Alice finalement debout face au couple improbable formé par ma tante et son mari, ces deux-là enlacés si étroitement qu'il serait impossible au plus patient des observateurs de déterminer avec exactitude à qui appartient ce doigt, cette main, ce bras ; un couple siamois relié par le flanc, par la longue peur d'être seul. Alice debout face à la cousine de ma mère, une femme au visage maigre et à l'haleine chargée des malades. De ceux dont on s'attend constamment à apprendre le décès mais qui réussissent à nous survivre, rongés depuis si longtemps que la mort elle-même, écœurée par le goût rance de leurs entrailles, finit par se lasser. Alice, tout à fait digne dans les circonstances, debout devant la famille pour formuler un appel à l'aide qui n'ait pas les allures d'une supplication. J'imagine très bien ses chaussures de sport sur les napperons de dentelle ajoutés pour protéger le plateau de verre, le douloureux rictus de ma mère qui détourne la tête en faisant mine de vérifier ce qui occupe les enfants doubles.

À leur place, je n'aurais pas hésité une seconde à laisser Nouvelles d'autrui en sourdine pour rappeler aux plus sensibles de mes actionnaires que la décision à prendre s'imposait, qu'il ne servait à rien de se laisser émouvoir par la photo de moi enfant trônant toujours sur la desserte.

Lesquels sont venus ? La cousine, la tante et son mari, participants forcés à Mas Baldam depuis la Régionale des talents, se sont-ils effectivement déplacés ? Lesquels d'entre eux ont répondu par courrier, cochant une case sur la lettre notariée que leur adressait le cabinet

Frimah, Frigor & Gourd ? Je ne sais pas. Je ne tiens pas à le savoir.

Loin de penser à en finir, par un curieux retournement des choses qui n'est pas sans rappeler l'affection que les victimes développent parfois pour leur bourreau, je m'étais plutôt mis à m'inquiéter pour mes repreneurs. Non seulement je savais ne pas posséder les caractéristiques susceptibles de leur permettre de rentabiliser à court ou à moyen terme leur investissement – je ne produisais rien, n'inventais rien, ne transformais pas, le soir venu, par une mystérieuse alchimie, la médiocrité en or –, mais j'avais de plus la certitude qu'il leur faudrait des efforts considérables pour ne pas succomber à l'envie de me laisser tomber après quelques mois d'exploitation.

J'imaginais des scénarios apocalyptiques dans lesquels ce que l'on avait payé pour faire mon acquisition, jumelé à mes contre-performances répétées, provoquait l'effondrement de tout le secteur, un crash sur les actions du quadragénaire blanc.

À d'autres moments, à l'inverse, je sentais que cette prise de contrôle hostile représentait pour moi une chance inespérée de mettre les choses au clair. Avec grosso modo le même jeu en main, une administration plus au fait des nouvelles techniques et des progrès de la gestion intime trouverait-elle le moyen de relancer au classement ma carrière déclinante ?

J'étais curieux de découvrir comment la nouvelle équipe, à partir du même matériel, du même caractère, des mêmes connaissances, de la même sensibilité, à partir des mêmes dégoûts, des mêmes frayeurs, s'y prendrait pour contourner les obstacles qui avaient mis à mal ma détermination. Ferait-elle mieux ? Pire ? Réussirait-elle là où j'avais échoué ? Peut-être que, lassé par la mauvaise image qu'autrui associe aujourd'hui à Mas Baldam, on déciderait de me relancer sous un nouveau patronyme ? Peut-être m'offrirait-on les services d'un spécialiste qui, à l'aide d'un logiciel puissant, m'inventerait un nom qui impose le respect, un nom susceptible de se frayer un chemin dans l'inconscient de chacun et d'y rester gravé comme un synonyme de succès ? Je pense à du Dario Frantisek, à du Victor Volzik, à du Ramez Rhor, à du Witold Gomez Lomerta, je pense à du Frank Klamer, à du Blaise Olaf Blondin, à du Philippe Genuine Firestone, à ces noms dans lesquels on retrouve en concentré le destin de ceux qui les portent, des noms taillés sur mesure pour le Cercle 5000 et pour lesquels les femmes se damnent. Grâce à la nouvelle administration, Mas Baldam renaîtrait de ses cendres, apprendrait l'espagnol, le tir à l'arc, garderait plus longtemps ses érections. Autrui n'aurait qu'à bien se tenir.

39

HARRY POURSUIT une thèse sur les habitudes d'autodestruction socialement acceptables. Plusieurs facteurs ont retenu son attention jusqu'ici, elle cite sans hésiter le travail, l'alcool, la culpabilité, la reconnaissance filiale, la télévision. On n'avait pas mis les pieds dans le bar depuis une minute qu'elle était déjà assise à nos côtés, trop empressée pour être honnête. J'aurais dû me méfier. Harry porte un prénom d'homme et, lorsqu'on le lui fait remarquer, elle hausse doucement les épaules avec l'air de dire : « Ça aurait pu être pire. »

Au mur, un téléviseur d'un format ridicule, accroché trop haut pour permettre aux clients de regarder l'écran à leur aise, est branché sur une chaîne de sport en continu. En ce moment, Yellow Arrow et son cavalier franchissent le dernier obstacle d'un parcours que les commentateurs jugent difficile. Dans la foule, une femme émue aux larmes essaie de se contenir.

Harry a des yeux comme des ambitions, un long corps de beauté encombrante, des lèvres minces sur des phrases sèches.

— Je prends des anxiolytiques, je vous offre quoi ?

Je dis :

— Une bière pour moi, merci.

Frigor opine du chef.

— Deux bières donc, pour les compagnons du Moindre Effort.

C'est le nom du bar où nous venons d'échouer et, croyez-moi, on ne saurait mieux trouver pour décrire les lieux. Incapable de m'abandonner à la rudesse du monde extérieur après l'annonce dont il venait tant bien que mal de s'acquitter, le notaire m'avait proposé de l'accompagner le temps d'un dernier verre et j'avais eu la faiblesse d'accepter.

Harry prétend qu'être jeune occupe la majeure partie de son temps. Dès le matin, elle s'y applique et cela se poursuit jusqu'à tard dans la nuit. De discothèques en cafés, de salles de classe en boutiques, l'obligation d'être jeune ne la quitte pas. Elle se sent partout la responsabilité de célébrer ce don avant qu'il ne lui soit confisqué. À l'entendre, elle le dit sans prétention, comme si elle faisait passer une information qu'il ne viendrait à l'idée de personne de contester, son corps est devenu le point de mire d'une société malade de ses enfants, dans laquelle les mères, fières d'y être pour quelque chose, photographient secrètement les seins de leur fille pour les envoyer le lendemain sur les boîtes électroniques de collègues qui n'en reviennent pas.

Harry dit que, pour être jeune, il faut se donner du mal, soigner cet air mutin, écarquiller les yeux, mettre en valeur ceci, camoufler cela. Les meilleures jeunes, celles dont on remarque le moins les efforts, celles dont la joie de vivre paraît la plus authentique, celles qui débordent d'une confiance intacte en ce que leur réserve l'avenir, ne sont plus tranquilles nulle part tant ces qualités sont recherchées par les investisseurs. Voilà pourquoi elle vient traîner dans ce bar où elle se sent à l'abri, où personne ne songerait même à lui demander son nom.

— Être jeune aujourd'hui est un métier, précise-t-elle. Être jeune exige une maturité que la grande majorité des jeunes n'acquiert que beaucoup trop tard.

Harry a fait du cynisme une hygiène. C'est elle qui nous l'explique en passant une main rapide dans ses cheveux, une frange d'un blond asymétrique qui retombe exactement au même endroit après avoir été ébouriffée. Elle est venue ici toute seule, adore ce genre de piège à désœuvrés.

— Vous fêtez quelque chose ?

Frigor lui répond de façon assez mélodramatique que nous enterrons un homme.

— Je suis désolée, souffle Harry, dont les yeux disent pourtant le contraire, trahissent son envie de savoir.

Je n'ai pas besoin de prendre une mine de circonstance, la glace derrière le bar me renvoie l'image d'un homme à la peau terne, aux cheveux clairsemés. De face, je ne suis pas beau. Je découvre à l'instant que les femmes ayant prétendu le contraire m'aimaient, mentaient ou avaient la bonté de me considérer en permanence dans un angle ou une lumière favorable. On trouvera au mieux un équilibre dans le volume excessif de mes traits. Mon visage semble être le fruit d'une négociation, le résultat laborieux d'un traité de paix entre factions rivales.

— Vous le connaissiez bien?

Harry devait s'ennuyer à mourir dans ce bar avant notre arrivée pour insister de la sorte. Je me détourne pour suivre d'éventuels développements à l'écran. Yellow Arrow et son cavalier ne font pas mieux que treizièmes et, à ce que j'en aperçois, la jeune femme dans la foule essaie maintenant de cacher sa honte. Frigor jette un coup d'œil à sa montre, semble considérer le retard qu'il a déjà accumulé sur l'heure annoncée de son retour à la maison.

— C'était un ami, répond finalement le notaire.

Pendant que Sultan commet une erreur grossière à l'obstacle numéro 6, les sabots avant ayant fait valdinguer la barre, Frigor ajoute, avant de terminer d'un trait sa première bière :

— Un ami tout à fait bien portant.

Même altérée par l'alcool, la voix du notaire impressionne tant elle paraît sourdre des profondeurs de son être. C'est un vieux séducteur qui se remet en selle sous mes yeux, regards en biais, paupières mi-closes, épaules rejetées vers l'arrière, d'autant plus convaincant qu'il ne se soucie plus de l'enjeu. Les autres clients, ceux que la laideur des lieux n'a pas suffi à achever, continuent dans notre dos à s'abrutir de liqueurs, de concours hippiques en différé et de solitude en direct.

En quittant le cabinet de notaires Frimah, Frigor & Gourd, nous avions roulé une dizaine de minutes, le temps de franchir l'épaisse zone commerciale qui ceinture Ductile. Avant que je ne trouve le courage d'engager la conversation – Frigor restait obstinément muet, fixant la route comme s'il attendait d'elle une réponse –, nous étions arrivés dans le parking d'un de ces centres commerciaux dont la taille avoisine celle d'une agglomération de taille moyenne. Sous les lampadaires, les chariots donnaient l'impression d'un troupeau à l'enclos. La voiture, un coupé sport coréen qui faisait mauvais genre avec ses bandes de couleur thermocollées sur les flancs, s'était faufilée le long du bâtiment principal, là où les camions déchargent leur cargaison, où les employés viennent prendre l'air, desserrer un temps leur uniforme, flirter ou griller une cigarette entre les conteneurs à déchets et les cartons vides.

Il faisait chaud pour la saison. L'air poissait sur nos visages, comme si la nuit elle-même relevait nos empreintes, qu'elle accumulait des preuves pour la suite. Le parking était désert à l'exception de deux camionnettes de livraison stationnées côte à côte, et tout cet espace m'inspirait des idées médiocres, un sentiment déplaisant de mon corps, une impression de maladie en marche.

En m'éloignant de la voiture, alors que Frigor se trouvait déjà loin, qu'il n'avait même pas pris le temps de fermer les portières à clé tant il semblait pressé, je sentais mes os pointer sous la peau, toute la charpente bringuebaler. J'avais l'allure d'un parrain endimanché pour la première communion d'un filleul qu'il néglige depuis des années. Je titubais de l'intérieur, égaré dans un costume crème.

Frigor s'est arrêté aux abords du bâtiment sous une marquise de plastique qu'un spot jaunâtre peinait à éclairer. Il a poussé un soupir puis il s'est retourné pour vérifier, j'en suis sûr, que je ne m'étais pas écroulé entre-temps.

— Vous tenez le coup?

— C'est bon, j'arrive, ai-je grommelé en pressant le pas autant que me le permettait mon état.

Après avoir attendu encore quelques instants mon arrivée, Frigor a ouvert une porte métallique qui donnait sur un corridor éclairé par une double rangée de néons. On aurait dit une lumière de bloc opératoire et, pendant un moment, j'ai pensé que ce corridor serait l'endroit idéal pour que des chirurgiens spécialisés dans ce type d'intervention prélèvent ce qu'il restait d'authentique en moi à la suite de la prise de contrôle hostile lancée contre ma personne. Je me voyais tout à fait retirer mon costume, heureux de m'en débarrasser, le plier et le confier à Frigor, qui m'aiderait à m'allonger sur le sol. La procédure terminée, je demanderais au chirurgien me semblant le plus digne de confiance de faire parvenir à Alice, conservé dans une simple glacière, ce que ses collègues et lui auraient réussi à extraire.

La porte a grincé en se refermant derrière nous.

— On y est, a dit Frigor en indiquant le fond du couloir.

« Les Galeries Avenir, deux cent quatre-vingt-quinze magasins, dix-sept restaurants », s'enorgueillissait une publicité à la mise en pages paresseuse affichée sur le mur de béton bicolore, orange et pêche.

Passé les toilettes, entre les extincteurs, les abreuvoirs et les téléphones publics, avant le grillage empêchant de continuer jusqu'aux boutiques, une seconde porte, vitrée cette fois, permettait d'accéder au Moindre Effort. À l'intérieur, une douzaine de clients assis par deux sur des banquettes, un bar massif, plastique rouge et chromes, une mauvaise imitation des années cinquante, tabourets et barman assortis. Tout faux. Tout toc et carton-pâte. Faux cuir, faux jukebox, fausse piste de danse au-dessus de laquelle clignotait pour de très éventuels danseurs une série de spots de couleurs. À l'intérieur, l'atmosphère d'une fête de famille qui aurait mal tourné, quand ceux qui restent ne trouvent rien de mieux à faire que de se disperser au salon, de combattre le malaise en fixant l'écran. Et puis Harry. Harry qui s'avance jusqu'à nous. Harry, trop inattendue je vous l'ai dit, trop empressée pour être honnête.

40

— JE LÈVE mon verre à Mas Baldam, l'ami que nous enterrons ce soir, dit solennellement Frigor.

— À Mas Baldam, renchérit Harry, trinquant à la suite de cette histoire beaucoup plus qu'à la mémoire du disparu.

— À Baldam, ajoutai-je sans grande conviction, me demandant où cette pauvre mise en scène allait nous mener.

Frigor croisa mon regard et son sourire me fit une drôle d'impression. Harry s'en aperçut et, du bout des lèvres, sans que le notaire le remarque, m'envoya un baiser. Laissait-elle entendre un possible rapprochement entre nous ? Habituée à la rivalité des hommes se disputant son attention, cherchait-elle à suggérer que même silencieux j'avais des chances de repartir avec elle de ce bar ?

— Mas Baldam nous a quittés, débuta alors le notaire, coupant court à mes préoccupations, articulant exagérément, pensant peut-être de cette manière compenser une bouche rendue pâteuse par l'alcool. Mas Baldam est tombé ce soir sans avoir eu la chance de connaître ce qui avait entraîné sa chute. Et je voudrais profiter de votre présence à tous les deux pour réparer cette injustice.

Il considéra son verre avec gravité, jeta un coup d'œil plein de mépris sur le reste des clients, dont l'attention paraissait entièrement absorbée par le téléviseur qui agissait à la manière d'une divinité bavarde, juchée sur son autel, dispensant à flots continus sur ses fidèles une lumière mauve et grise.

— Pour comprendre la disparition de Mas Baldam, continua Frigor en plongeant au plus profond des yeux d'Harry, en déposant sa main sur la sienne comme pour lui signifier que ce qu'il allait lui apprendre ne devait pas l'effrayer et qu'il serait là, peu importe son émoi, pour la consoler, il faut d'abord se pencher sur l'histoire de la famille Baldam. On n'y échappe pas. Chaque famille a son secret et celui-ci a été longtemps et bien gardé.

Frigor inspira profondément.

— Si l'on en croit les registres de Ductile, des registres que la nature de ma charge de notaire m'a amené à consulter, il est indiqué qu'un couple d'immigrants venus de Sheffield dans le Yorkshire s'installa dans la région au tournant du siècle dernier. On sait qu'Edwin Baldam et sa femme Benedicta eurent trois enfants et que leurs deux filles périrent dans l'incendie qui ravagea la maison familiale. Cet incendie ne leur laissa que William, le fils aîné. Sans grande surprise, considérant le drame qui était venu bouleverser sa jeunesse, cet enfant devint un jeune homme taciturne, intelligent, là n'était pas le problème, mais solitaire, ça oui. Je dis solitaire mais ce n'est pas le mot qui convient. William vivait coupé du monde. Il répugnait à côtoyer ses semblables. William Baldam refusait d'aboyer avec la meute. Sa timidité était aussi une colère.

S'interrompant sur ce qu'il devait juger être une tournure habile, le notaire s'accorda un répit de quelques secondes le temps de se resservir à boire, de retirer sa veste pour bien montrer qu'il ne faisait pas les choses à moitié, que cette histoire, c'est à bras-le-corps qu'il s'en emparait. Avant de poursuivre, il reprit la main d'Harry entre les siennes.

— Lorsque le conseil municipal de Ductile, dans un souci louable d'assurer à la fois la prospérité de ses habitants au classement et le maintien de l'ordre, décida d'obliger ses citoyens à exercer le métier correspondant à leur nom de famille, il se produisit en ville une terrible commotion. Ceux dont le patronyme ne pouvait de près ou de loin être rapproché d'une profession furent expulsés de Ductile. C'est à cette époque que les Baldam se virent officiellement confier la fonction de premiers venus.

Le corps d'Harry était délicatement penché vers le notaire. Quelques degrés permettant de penser qu'il y a quelques années, s'il l'avait voulu, Frigor serait probablement parvenu à ses fins avec elle. Comme je l'aurais fait pour Alice, je jetai instinctivement un coup d'œil à ma montre. Depuis combien de temps Frigor avait-il pris la parole ?

— Et c'est ici, suivez-moi bien, que l'on touche au cœur du secret de la famille Baldam, continua le notaire, ici que s'éclairent enfin les circonstances ayant mené à la disparition de Mas, l'ami, le frère que nous enterrons ce soir. Après avoir examiné la question dans tous les sens, un préposé à l'onomastique plus habile que les autres parvint à composer l'anagramme *Lambda* à partir du nom de famille des Baldam. Comme ils avaient déjà été très éprouvés, on créa cette profession spécialement pour eux. C'est avec reconnaissance, malgré l'étonnement, que la famille accepta aussi bien son nouveau patronyme que la fonction qu'entendait lui confier le conseil municipal. Puisque les parents Lambda étaient trop âgés pour sillonner la ville en tous sens, c'est à William que revint le plus lourd des responsabilités inhérentes à leur charge. Il arpentait longuement les rues des différents quartiers, faisait l'allée et venue entre les lieux publics où il était susceptible de croiser le plus de gens, la poste, la gare, les parcs et les magasins des artères animées. La nuit, il prenait des trains qui l'emmenaient aux confins de la région pour accompagner dans leur périple des citoyens de Ductile que la réforme avait transformés en gardes forestiers, en bûcherons ou en éleveurs.

Harry était suspendue aux lèvres du notaire. On aurait dit qu'elle cherchait à enregistrer le moindre détail de son récit. De mon côté, j'écoutais raconter l'histoire de cette famille sans oser relever les incohérences dont elle me semblait pétrie. Pour moi, il ne faisait aucun doute que Frigor inventait le destin des Lambda au fur et à mesure de son inspiration, qu'il était prêt à mentir de façon éhontée pour soutenir l'intérêt de la jeune femme. Et pourquoi pas ? Alice n'était de toute évidence pas la seule à connaître l'astuce. Profitant de la situation, Frigor étirait au maximum la durée de ce qui avait déjà pris la forme d'un soliloque tout à fait convenable. Il avait procédé à quelques recherches et n'hésitait pas à se servir d'informations contenues dans mon dossier pour brosser le portrait larmoyant d'une famille d'immigrants du siècle dernier. Bien sûr, mon père qui est mort deux fois couvert de honte avait été élevé puis avait poursuivi un temps ses études à Ductile, mais là s'arrêtait la ressemblance. Le reste n'était que divagations d'un esprit déjà bien imbibé.

— En sa qualité de premier venu, William Lambda avait hérité de l'obligation inédite de se trouver partout à la fois, poursuivit Frigor en faisant courir ses doigts autour des poignets de la jeune femme, et il y parvint si bien que son anonymat n'en resta pas un longtemps. Certains Ductiliens dotés d'un sens de l'observation plus aigu que les autres eurent tôt fait de remarquer ce grand type à l'allure sévère, aux favoris impeccablement taillés, à la peau rougie par la lame du rasoir. William Lambda avait un visage émacié, trop fin pour ses larges épaules, des yeux sombres, enfoncés loin dans la tête, ce qui avait pour effet d'accentuer la distance avec laquelle il semblait considérer le monde. On ne le voyait pas et puis, une fois qu'on l'avait remarqué, cette intensité dans le désir de se faire oublier prenait toute la place. Même au milieu de la foule, même lorsqu'il flânait dans les grands magasins, attendait l'autobus, c'était lui que l'on apercevait d'abord. On se mit à guetter ses apparitions, à les noter. En comparant les observations, on fut abasourdi de découvrir le terrain parcouru en une journée par le jeune homme. Et c'est ainsi que William Lambda devint une attraction à Ductile. À force de glisser le plus discrètement possible d'un endroit à un autre, William avait attiré sur lui l'attention de ceux pour lesquels il ne devait être qu'une vague présence sur le trottoir. Les opposants se servirent de son exemple pour illustrer l'absurdité des réformes imposées par le conseil municipal. Le premier venu s'était transformé en objet de curiosité, ce décret ne pouvait être pris au sérieux. Il fallait l'abroger au plus vite sans quoi la ville serait transformée en…

— Betsey Johnson !!

Ce hurlement interrompit Frigor. Je sursautai, renversant une partie de ma bière sur la manche de mon costume. Aussitôt, un cercle sombre, bordé d'écume apparut, tandis que le liquide pénétrait le tissu jusqu'à la peau dans un frisson désagréable. D'un seul mouvement, les clients se retournèrent vers le fond du bar où l'on pouvait apercevoir, à travers le grillage, quelques-unes des boutiques qui faisaient la fierté des Galeries Avenir.

— Miu-Miu !! hurla à son tour un jeune homme très mince, t-shirt débraillé, sandales, cheveux longs, en se précipitant sur la vitrine de la boutique qui faisait face au Moindre Effort, de l'autre côté de l'allée centrale.

Ils devaient être une quinzaine, pas plus, pourtant leur agitation laissait croire à un groupe beaucoup plus important. Certains couraient d'une vitrine à l'autre, affolés. D'autres sanglotaient recroquevillés au pied de la porte close des boutiques, suppliant que l'on ouvre pour eux. Deux jeunes femmes restaient en arrêt, pointant du doigt un sac à main ou des escarpins, semblant se renforcer l'une l'autre dans l'idée que ces objets incarnaient si ce n'est un absolu, du moins la meilleure approximation qu'il en existât dans les environs.

— Ce sont les expéditions organisées par une association du coin, sentit alors le besoin d'expliquer Harry pour nous rassurer. C'est un projet-pilote. Une cure pour consommateurs compulsifs. Il paraît que ça marche pas mal. On les oblige à venir en dehors des heures d'ouverture ou alors on les force à acheter puis à rapporter ce qu'ils viennent de choisir, jusqu'à l'épuisement. On les voit souvent par ici, mais c'est immanquable, ils me foutent la trouille à chaque fois. Ceux-là viennent de commencer, ils m'ont l'air drôlement vifs.

Une jeune femme tenta d'introduire son bras sous la grille qui protégeait la vitrine d'une boutique de lingerie. Comme l'espace était insuffisant et que le fer de la grille pénétrant sa chair n'infléchissait en rien sa détermination, il fallut l'intervention de deux surveillants solidement baraqués pour mettre fin à l'épisode.

— C'est terrible, trancha Harry en se détournant de la scène.

Sans que personne ait eu à commander quoi que ce soit, le barman, un vieux beau gominé entré de force dans une chemisette noire datant du temps de sa splendeur, glissa trois autres bières sur le comptoir.

À l'écran, on repassait au ralenti l'image d'un cavalier désarçonné par son cheval refusant l'obstacle. Il y avait une grâce peu commune dans la chute de cet homme. Il ne combattait pas la force qui l'expulsait, n'essayait pas de s'agripper à la bride. L'homme tombait et y appliquait le meilleur de ses capacités. Repassée en boucle, la séquence agissait avec une telle force sur moi que j'en vins à penser que cette chute représentait le but ultime de la compétition et que le cavalier, enfin dissocié de sa monture, réalisait sous nos yeux la performance pour laquelle il se préparait depuis toujours.

— Six semaines après avoir obtenu la charge de premier venu, William Lambda fut expulsé de Ductile, déclama Frigor, soucieux de conserver l'ascendant que lui conférait cette histoire, également soucieux, à mon avis, de ne pas dépasser les délais fixés par la table des équivalences pour les interruptions dans le fil du soliloque. Il ne fait aucun doute dans mon esprit que William fut sacrifié pour l'exemple. Le premier venu devait demeurer anonyme, tout comme le boucher, boucher. C'est à ce prix que Ductile prospérerait. Le conseil municipal sacrifia William Lambda pour assurer la paix sociale et cimenter les fondements de la nouvelle organisation. Cet épisode n'est pas à l'honneur de notre petite ville, je m'en rends compte, mais les progrès ne se font jamais sans douleur. On ne sait pas exactement où William Lambda fut cueilli, qui l'arrêta, ce que fut sa réaction, mais on soupçonne, étant donné la soudaineté avec laquelle l'opération fut menée, qu'il eut à peine le temps de rassembler ses affaires avant d'être escorté hors de la ville. Aux yeux du conseil municipal, il paraissait sans doute logique que la disparition du premier venu ne laisse aucune trace dans les registres. On rétablissait ainsi en quelque sorte l'ordre des choses.

Sentant l'attention de la belle entièrement concentrée sur lui, Frigor se permettait une envolée grandiloquente qui me donna envie de pouffer de rire. Ce n'est qu'à grand-peine que je me retins, étouffant les premiers soubresauts dans une gorgée de bière.

— William Lambda s'était prêté au jeu, continua-t-il en montrant clairement qu'il ignorerait le mauvais esprit dont je faisais preuve, jouant de sa voix comme s'il avait voulu hypnotiser la jeune femme. Il avait accepté les préceptes édictés par le conseil municipal, il s'était acquitté au mieux de cette tâche absurde, titanesque, j'insiste, perdue d'avance, d'incarner le premier venu pour chacun des habitants de Ductile, et on l'avait puni pour ça. Quelle injustice ! Voilà pourquoi William Lambda, sacrifié sur l'autel d'une législation à laquelle il s'était conformé pour protéger ses proches, choisit sans surprise de reprendre le nom de William Baldam et de rayer cet épisode de sa vie.

— J'aurais fait la même chose, dit Harry.

— De toute façon, cela n'a plus aucune importance. Il semble que quelqu'un à Ductile se soit souvenu de cette histoire, qu'il ait retrouvé Mas Baldam, l'unique descendant de William Lambda, et qu'il ait décidé de s'en porter acquéreur.

Cette fois, je fus incapable de réprimer un éclat de rire, un mugissement, de l'air propulsé à toute vitesse par la bouche et les naseaux, moi qui ne ris jamais très fort.

Frigor et Harry, consentant un instant à briser la parfaite symétrie de leur conversation, se détournèrent pour m'observer.

— Pourquoi ne foutent-ils pas la paix à ce brave type, dis-je, encore hoquetant et suffisamment fort pour que plusieurs des clients du Moindre Effort expriment leur mécontentement de m'entendre brailler de la sorte.

— À cause de ses capacités, répondit sèchement Frigor sans me quitter des yeux.

Je ne pouvais plus me contenir, c'est aux éclats que je riais maintenant, la poitrine comprimée, respirant avec effort entre chaque secousse, sentant mes côtes s'entrechoquer comme des osselets. Je dus m'y reprendre à plusieurs fois pour réussir à articuler de façon à peu près compréhensible :

— Ses capacités? Vous voulez m'achever!

— Et pourtant, grogna Frigor, visiblement contrarié que l'on ne prenne pas plus au sérieux ce qui devait constituer dans son esprit l'aboutissement de ce drame familial, l'estocade qui laisse la belle pantelante, il se trouve que Mas Baldam correspondait au profil idéal de l'homme moyen.

— Je vous repaye à boire, glissa Harry, qui semblait maintenant redouter que tout ceci ne se termine mal, et que l'agressivité de Frigor jumelée à mon incrédulité bruyante ne la prive d'une conclusion satisfaisante.

Le notaire attendit son verre. Il ajouta à mon intention :

— Mas Baldam, et que cela vous permette de comprendre les convoitises qu'il a suscitées, incarne une perfection que personne n'aurait imaginée possible.

— Mais dites voir ! Dites-nous quelles capacités pourraient bien faire qu'à Ductile ou ailleurs, on décide de s'offrir un brave type végétant au classement ? hurlai-je d'une voix que je ne reconnaissais pas tant elle sautillait dans ma gorge. Répondez, monsieur Frigor ! Répondez à celui qui vient de perdre un ami ! Faites-le en mémoire de Mas Baldam !

Et je me mis à rire de plus belle.

À l'écran, le concours hippique se déroulait maintenant sous une pluie battante. Trempés, l'eau ruisselant de leur bombe, les cavaliers n'en demeuraient pas moins fidèles à la noblesse de leur sport. Malgré la mauvaise visibilité et les conditions déplorables du parcours, aucun d'entre eux ne laissait transparaître de signes d'impatience. Les éléments aussi pouvaient être domptés, il suffisait de s'en convaincre. Ni les pattes boueuses de leur monture, ni les refus répétés des chevaux à l'obstacle 8, une triple barre, ne pouvaient y changer quoi que ce soit.

L'alcool ingurgité ne me lestait pas. Au contraire, je me sentais devenir léger. Comme si mes os perdaient de leur densité, que mes nerfs se distendaient, que mes muscles s'atrophiaient jusqu'à laisser passer la lumière, un vrai cellophane; comme si mon corps réagissait à l'annonce de cette prise de contrôle hostile, qu'il prenait sur lui de libérer une dragée toxique, une forme de sabordement génétique, de mise à sac programmée des actifs. Que se présente au plus vite la nouvelle administration, sinon elle aurait la désagréable surprise de trouver en lieu et place de Mas Baldam un tas de chair flasque échoué au comptoir d'un bar.

Tandis que Frigor semblait sur une mauvaise pente, commandant à l'écart en plus de nos consommations de petits rhums au barman, j'avais l'impression que d'ici quelques heures à peine il ne resterait rien de moi.

— Un homme parfaitement moyen, soupira Frigor, dont la main s'enhardissait, maintenant posée sur la cuisse d'Harry, sur sa robe noire biseautée dans le sens de la frange, comme si sa personne en entier penchait de droite à gauche, une jeune femme bancale, habillée et coiffée pour rétablir un semblant d'équilibre, Harry qui se laissait faire, disposée de toute évidence à quelques sacrifices pour obtenir le fin mot de l'histoire.

— Un homme parfaitement moyen, répéta le notaire avec l'exaspération contenue de celui qui doit tout expliquer, vous comprenez que c'était une chance inespérée.

Il marqua un temps, regarda sa main posée sur la cuisse de la belle, sans doute surpris de sa propre audace, surpris qu'elle n'ait provoqué aucune rebuffade.

— Vous n'imaginez pas ce que Mas Baldam est susceptible de rapporter à ceux qui viennent d'en faire l'acquisition, susurra Frigor. Il était assis sur un trésor et il ne le savait même pas ! Ça paraît incroyable, je sais, mais Mas Baldam était trop médiocre pour se découvrir exceptionnel !

Tout cela ne m'amusait plus. Qu'il existe ou non une part de vérité dans ce que racontait le notaire, je ne désirais qu'une chose, c'était de sortir de ce bar sur mes jambes, que l'on ne remarque pas mon cou amaigri, mon torse malingre, mes bras flottant sous la chemise et la chemise sous ce costume crème taché à la manche. J'avais besoin de regagner la voiture de Frigor pour dormir une heure ou deux. Je tentai de me lever. Je retombai aussitôt sur le tabouret.

— Grâce à Mas Baldam, poursuivit Frigor, il sera désormais possible de déduire le goût du plus grand nombre à partir de l'opinion d'un seul ! Un répondant universel nous a été donné. Célébrons sa voix ! Recueillons sa parole !

Le notaire passa une main rapide sur son visage.

— Écoutez-moi, reprit-il avec gravité, vous rendez-vous compte ? Plus personne n'aura à subir ces sondages primitifs. Non, plus jamais un être humain n'aura à répondre à des questions idiotes alors qu'une armée d'observateurs rigole la bouche pleine derrière une vitre sans tain. Cela ne se produira plus, car il existe maintenant un moyen plus rapide et plus sûr, une technique sans douleur pour les millions d'innocents qui composent l'opinion publique. Pour savoir, il suffit de poser la question à Mas Baldam !

Avec un sens achevé de l'à-propos, le public rassemblé à l'hippodrome se leva d'un bond pour applaudir.

— Vous vous moquez de nous, dit lentement Harry.

— Pas du tout, répliqua Frigor en retirant d'un geste vif sa main des cuisses de la belle. J'ai les preuves de ce que j'avance. Mas Baldam, le seul descendant de William Lambda, a été acheté pour sa médiocrité, précisément pour elle.

— Une super médiocrité qui ferait de lui une occasion unique d'engranger de l'avant, un canasson à fouetter jusqu'au Cercle 5000, compléta Harry, desserrant à peine les lèvres.

— Vous m'avez compris. Un talent rare.

— Un talent révélé par le patronyme que ses ancêtres portaient avant d'être expulsés de Ductile ?

— C'est exactement ça.

— Un déterminisme du nom de famille, siffla Harry, de plus en plus exaspérée.

— Comme vous y allez, mademoiselle. Disons simplement que, sans l'indice de son nom de famille, il aurait été malaisé pour les repreneurs de retrouver un homme aussi parfaitement moyen.

— Ils n'avaient pourtant qu'à consulter le classement d'aujourd'hui et à viser à peu près au milieu ! Qu'est-ce que c'est que ces conneries…

— Je me permets de vous faire remarquer qu'ils ne cherchaient pas un homme médian…

— N'essayez pas de m'embrouiller avec vos finesses statistiques.

— Quand il est question de la vie d'un homme, vous m'excuserez de me sentir tenu à une certaine précision…

— Justement, soyez précis. Je ne comprends pas comment Mas Baldam aurait la moindre utilité au classement. L'homme que vous décrivez n'est pas moyen, il est neutre ! Parfaitement neutre ! Parfaitement incapable de se distinguer de qui que ce soit ! Aussi bien le déclarer mort !

— Ne vous énervez pas, mademoiselle. C'est exactement ce que je vous ai dit d'entrée de jeu. Nous enterrons ce soir un ami.

Assis au bar du Moindre Effort, face à Harry qui prétendait connaître des douzaines d'individus aussi férocement moyens, qu'il suffisait de regarder dans ce bar, ou derrière – le barman grinçait sur la musique, la ponctuait de : « Yé-yé » hasardeux –, Frigor s'était lancé dans la description méticuleuse de ce qu'il présentait comme mon pedigree. Il y avait là tant d'informations erronées, tant de raccourcis et j'étais si préoccupé par la dégradation de mon corps, par ce costume crème dans lequel on me retrouverait, seul, recroquevillé sur le siège avant d'une voiture de sport coréenne dont les bandes de couleur thermocollées trahissaient le mauvais goût de leur propriétaire, que j'avais simplement décidé de ne pas intervenir. Mes membres se dérobaient, ma peau devenait étroite, ce que racontait Frigor ne me concernait pas plus que s'il s'avait exposé la vie d'un autre, ce qu'il était d'ailleurs fort probablement en train de faire.

Quand elle n'était pas occupée par un verre, la main droite du notaire tordait la gauche. Il parla sans détacher un instant son regard du beau visage de la jeune femme, qui avait reculé autant que le lui permettait l'espace dont elle disposait entre son tabouret et le bar.

— Puisque la taille de Mas Baldam, son âge, son poids, la longueur de ses membres, celle de son sexe, débuta Frigor en fermant les yeux, comme s'il cherchait à rendre l'ordre exact dans lequel il avait pris connaissance de ces informations, puisque ses revenus, le périmètre de ses habitudes, son niveau d'endettement, sa pression diastolique, systolique, sa capacité pulmonaire, l'oxygène qu'il consomme durant l'effort ou au repos, et ce n'est pas fini, oh non, ça ne fait même que commencer, puisque ses goûts vestimentaires, littéraires, musicaux, culinaires, choisissez le domaine qu'il vous plaira, puisque sa marge d'erreur dans les affaires, dans la vie courante, le temps qu'il consacre à ses enfants, aux tâches ménagères, à l'hygiène, la hauteur à partir de laquelle il éprouve du vertige, l'étendue de son vocabulaire, laissez-moi vous éclairer, mademoiselle, vous qui le prenez en pitié, vous qui vous rangez d'instinct du côté de celui que vous pensez être l'opprimé, puisque le nombre de ses années d'études, de partenaires, de positions qu'il emprunte lors d'un rapport sexuel correspond en tous points aux indicateurs que nous possédons quant à la moyenne nationale, ah, merci aux bulletins d'intimité, puisque les domaines dans lesquels il s'éloigne de cette moyenne, où il fait mieux que les autres, une fois n'est pas coutume, personne n'est parfait, sont immédiatement contrebalancés par d'autres dans lesquels il fait pire, il n'y a pas de doute! Vous comprenez qu'il n'y ait qu'un fils Lambda pour cumuler de telles caractéristiques? Vous comprenez qu'il n'y ait aucune erreur possible?

— Je comprends, fit Harry en me prenant par le bras.

À travers le tissu, ses mains étaient chaudes. Je sentais son cœur battre dans ses paumes, puissant, régulier. Peut-être pourrait-il soutenir le mien en cas de défaillance? Elle m'attirait vers la sortie, mais je ne parvenais pas à bouger. J'avais la certitude qu'un mouvement trop brusque pourrait me rompre les os.

— Je comprends, répéta calmement Harry comme si le fait d'acquiescer la dispensait de poursuivre l'entretien, comme si elle cherchait à couvrir notre fuite.

— Je savais que l'on finirait par y arriver.

Frigor regarda sa montre, poussa un bref soupir et plongea le nez dans sa bière.

— Seize minutes, dis-je suffisamment fort pour que le notaire puisse m'entendre.

Harry essayait de m'entraîner au bas de mon tabouret, mais sans résultat : mes muscles s'effilochaient et il fallut une éternité avant que la traction ne se communique au reste du squelette.

Sans doute gêné par notre équipage, Frigor ne daigna plus nous regarder.

Après bien des efforts, Harry et moi étions dehors, face au stationnement des Galeries Avenir. Une lune grasse luisait sur l'asphalte. Au loin, un chien aboyait.

41

HARRY CONDUIT vite et bien. Elle se faufile entre les voitures, fait jouer le levier de vitesse pour s'assurer de meilleures reprises. Elle double un peu juste et plus d'une fois, alors qu'un chanteur à la voix sépulcrale gémit et enjôle dans l'habitacle, des phares arrivent droit sur nous en sens inverse. Je ne connais ni cette route, ni cette femme. Tout devrait me paraître étrange et, pourtant, je me sens en sécurité. Harry est concentrée, ses mains passent du volant à l'allume-cigarette qu'elle enfonce en serrant légèrement les lèvres. Elle me ramène chez elle.

— Vous allez voir, c'est modeste. Une chambre, un coin cuisine, un canapé-lit, c'est tout. Le quartier est calme, vous dormirez bien.

Après avoir hésité un moment – la voix que j'entends devrait m'être familière, ce n'est pas celle d'un débutant, il y a du métier dans ce désir, de la douleur dans la durée –, je demande en indiquant le lecteur CD :

— Qui est-ce ?

— Leonard Cohen, répond Harry en me tendant le boîtier. Mais je n'aime pas ses chansons. J'aime penser qu'il aurait pu tomber amoureux d'une fille comme moi.

En terminant sa phrase, Harry ébouriffe rapidement ses cheveux et sa frange retombe exactement au même endroit.

— Vous inspectez la voiture ? dit-elle, tandis que je cherche un endroit où poser les pieds en hauteur. Elle est à mon père. Ce sont des jeunes femmes qui se retrouvent d'habitude à votre place. C'est amusant, non ?

— Qu'est-ce qui est amusant ?

— Vous ne voyez vraiment pas ?

Elle me ramène « parce que je ne suis pas en état », que l'on me dirait « tout droit tiré de la tombe », qu'elle a connu « des agonisants qui avaient meilleure mine », mais que je n'aille rien m'imaginer, son petit ami « est certainement à la maison à l'heure qu'il est ». Elle remet la piste 8, elle peut l'écouter cent fois de suite à cause du refrain, de la façon qu'ont les chœurs de compenser les qualités vocales du chanteur.

— C'est comme un sauvetage en haute mer, m'explique Harry. Leonard s'est avancé trop loin de la rive, il a surévalué ses forces. Juste au moment où l'on sent qu'il va être englouti, les choristes surgissent pour le ramener à terre. Elles le déposent sain et sauf au prochain couplet. Et lui recommence, il repart de plus belle. Il recommence parce qu'il aime être sauvé, ce pervers.

Je baisse les yeux. J'ai l'impression que ce reproche pourrait aussi m'être adressé. Harry ne s'est-elle pas portée à mon secours ? Elle propose d'appeler ma femme pour éviter qu'elle ne s'inquiète. Affalé à la place du mort, les pieds calés sur le tableau de bord, la tête qui dodeline contre la vitre, je lui fais signe de ne pas insister. La sonnerie pourrait réveiller les enfants doubles et Alice ne me le pardonnerait pas.

— Je prendrai un taxi demain matin et je lui expliquerai.

Harry n'est pas d'accord.

J'imagine le téléphone posé entre les géraniums, les violettes, les ficus, camouflé par les feuilles, le temps qu'il faut pour le débusquer sur la petite table à l'entrée de la cuisine. Je laisse sonner cinq, six fois, en priant pour que les enfants doubles soient profondément endormis. À vrai dire, je ne tiens pas à ce qu'Alice décroche. Je ne me sens pas en état de lui expliquer mon absence ou cette musique qui s'étire avec langueur derrière moi. Je prépare une phrase qui ne l'alarmera pas, même s'il serait rentable de le faire, je suis fatigué, il est tard, au diable le classement pour ce soir et puis, Dieu merci, le répondeur se déclenche :

— C'est moi, écoute, j'ai eu un contretemps, mais ne t'inquiète pas, on s'occupe de moi, je te rappelle dès que je suis un peu mieux. Je t'embrasse, embrasse les enfants.

Nous roulons longtemps, peut-être devrais-je dire que le trajet me semble long dans l'état où je me trouve. Comme si elle incarnait l'exacte contrepartie de Frigor, que le mouvement rendait muet, Harry ne paraît plus vouloir se taire. Elle parle des formes de contestation passives à développer, des dérives occasionnées par le classement, de ces courses ridicules au rendement auxquelles les municipalités de la région sont condamnées si elles veulent rester compétitives, conserver leurs habitants et en attirer de nouveaux.

— La politique adoptée par Ductile est abjecte, maugrée Harry en tirant sur sa cigarette, je n'aurais jamais pensé qu'une ville aille aussi loin.

Nous ne devons pas être à plus d'une cinquantaine de kilomètres du quartier où j'habite, de notre maison encombrée par le délire botanique de mon aimée, pourtant je ne reconnais rien. Un restaurant ouvert vingt-quatre heures annonce le spécial du jour sur une affiche mauve dont les néons brillent d'un éclat surnaturel. On dirait une petite galaxie, un mécano d'étoiles échoué en rase campagne. Deux pick-up appartenant à la même entreprise d'aménagement paysager, une moto et une remorque bâchée sont stationnés devant la porte du restaurant.

— Bah… J'imagine que l'on doit s'y faire.

Je réponds sans conviction. En séchant, la bière a laissé une tache blanchâtre sur la manche de mon costume. J'ai beau l'observer, sa forme ne me fait penser à rien.

— Évidemment, puisque l'on se fait à tout, murmure Harry.

Ses mains agrippent le volant. Elle accélère en douceur, mais de façon continuelle. Devant, la route est avalée par les phares. Nous roulons beaucoup trop vite. Je me redresse sur le siège. Harry remet la piste 8 ; alors que les premières mesures se font entendre, je rassemble le peu d'énergie qu'il me reste pour dire :

— Déposez-moi ici, je vais me débrouiller pour rentrer.

Ma voix est ferme. Comme je veux être pris au sérieux, j'essaie d'ouvrir la portière, qui résiste.

— Ne faites pas l'idiot, le premier village est à des kilomètres, me répond Harry sans cesser d'accélérer.

— Laissez-moi descendre.

Il y a silence. Harry tire une dernière fois sur sa cigarette avant de l'écraser dans le cendrier.

— Maintenant que j'y pense, dit-elle en recrachant la fumée dans ma direction, faisant ostensiblement abstraction de ma requête, il y a Dévers. Ouais, Dévers a sans doute fait pire. Ma sœur habite là-bas, juste à côté en fait, à Pardevers. On ne se voit pas souvent. Depuis la mort de maman, elle est assez pénible.

Harry repasse une main dans sa frange. J'ai peur qu'elle ne lâche le volant alors je tends la main gauche pour le rattraper. Harry me laisse faire et nous restons comme ça quelques secondes, à partager la conduite.

— Ma sœur m'a expliqué qu'un soir de l'année dernière un grand type plutôt triste est entré dans la maison.

— Vous pourriez ralentir…

— Il a ouvert la porte, comme ça, exactement comme s'il était chez lui. Il s'est déchaussé, il a enfilé les chaussons qu'il avait apportés dans un sac de plastique, et puis il a traversé le salon pour l'embrasser, sur la joue, sans mauvaises intentions, enfin, c'est ce qu'elle m'a dit.

— Ralentissez…

— Il sentait fort le parfum, le parfum et la transpiration. Ma sœur est très sensible aux odeurs. Elle disait toujours que papa empestait l'alcool. Personne ne la croyait et, maintenant, le vieux se meurt d'une cirrhose. C'est pour ça qu'il me laisse sa voiture.

Chaque virage nous déporte jusque dans le gravier qui borde la route. Je n'ai mangé depuis ce midi qu'un bout de pizza tiède avalé en vitesse en bas de chez Monolite. Avec ce que j'ai bu depuis, j'ai l'estomac au bord des lèvres. Je ferme les yeux pour éviter le pire.

— Le type s'est installé dans le canapé, il a allumé la télévision, pas une explication, rien, c'est à peine croyable, je sais, il a desserré sa ceinture. Il est resté là une bonne demi-heure et puis il a sorti de son sac de plastique un repas surgelé qu'il s'est lui-même fait réchauffer au four micro-ondes. Il en a offert une portion à ma sœur et, comme elle refusait, il est tout bonnement retourné s'asseoir devant la télévision. Ma sœur regardait l'homme comme s'il allait finir par réaliser son erreur, se confondre en excuses. Pas du tout, il lui souriait sans oser engager la conversation. Bien sûr, elle aurait pu appeler la police, du moins menacer de le faire, mais comme le type ne semblait pas agressif, au contraire, il paraissait gêné, elle ne sait pas ce qu'il lui a pris, c'est vrai que ça ne lui ressemble pas, avec les hommes ma sœur est une vraie godiche, je vous jure, pourtant cette fois, allez savoir pourquoi, elle s'est assise à ses côtés sur le canapé. Ils sont restés comme ça une dizaine de minutes et puis l'homme a passé un bras autour de ses épaules. Le jeu télévisé qu'ils regardaient s'est terminé et l'homme est allé se coucher en demandant à ma sœur de ne pas faire de bruit quand elle viendrait le rejoindre, il commençait tôt le lendemain.

Les yeux toujours fermés, je demande :

— Elle l'a laissé faire ?

— Oui, elle a dormi sur le canapé et, quand elle s'est réveillée, le type était déjà parti.

— Il n'a rien emporté ?

— Rien du tout.

— Vous pouvez ralentir maintenant ?

En débouchant sur l'autoroute, Harry explique encore que Dévers vient de faire adopter par le conseil municipal son « Plan d'action pour la prospérité au classement ». Je pourrais le vérifier moi-même si ça me plaisait, ce plan prévoyait entre autres mesures l'établissement d'une rotation organisée des habitants visant à bouleverser les habitudes « qui constituent une entrave à la réalisation de soi, à la découverte et à l'appétit de vivre ».

Au moment où la voiture passe sous une de ces arches de béton qui relient les deux versants des haltes routières, Harry annonce triomphalement :

— Cent quatre-vingts.

Au milieu des champs, les pylônes ont l'allure de géants à l'arrêt, de pantins insomniaques.

Je résume. En forçant les Déversiens à sortir de chez eux et à s'installer le temps d'une nuit dans la maison de leurs voisins, les élus locaux espéraient redonner une place à l'incertitude dans les mœurs des habitants de la ville, réputés casaniers. Il s'agissait de doper leurs bulletins d'intimité en les plaçant en situation d'inconfort. Il suffisait d'identifier une date butoir, de préciser qui resterait sur place pour accueillir les voisins, qui partirait rendre visite aux siens.

Bien entendu, ce plan avait le désavantage de séparer les familles, d'encourager la promiscuité sexuelle, mais encore une fois, aux yeux des élus municipaux, cela valait mieux que de ne rien tenter et de voir les autres villes, des villes comme Mille ou Ductile, progresser pendant que Dévers s'enlisait, perdait sa jeunesse au profit de communes offrant un cadre plus dynamique. À l'évidence, il convenait de garder cette mesure secrète afin qu'aucune autre municipalité ne s'en inspire pour réaliser sa propre législation. C'est ce qui expliquait, selon Harry, la surprise de sa sœur et l'erreur de ce pauvre type.

Il avait franchi sans le savoir les limites de Dévers et s'était retrouvé à Pardevers, la commune voisine, dans une maison étrangère à la rotation. On pouvait comprendre sa méprise, car rien, aucune borne, aucune pancarte, n'indiquait la délimitation entre Dévers et Pardevers. Il était généralement considéré dans la région qu'à partir de la rue du Val, à peu près au milieu, quand l'inclinaison de la chaussée passait de huit à treize pour cent, l'on quittait un territoire pour pénétrer dans l'autre. Dans les faits, personne ne parvenait à déterminer à l'œil nu l'endroit exact où cela se produisait.

Harry me confie que sa sœur, se remettant de ses émotions, se découvrant bien plus bouleversée que ce qu'elle n'avait d'abord voulu admettre, déposa le lendemain après-midi une plainte au poste, où un très jeune agent enregistra sa déposition. Comme il n'y avait pas eu effraction, que les mobiles étaient nébuleux, l'affaire resta sans suite. On lui conseilla de fermer la porte à clé et de ne plus tolérer la présence d'inconnus, même polis, désireux de passer la nuit chez elle. Et puis, dans les semaines suivantes, d'autres Pardeversois ayant en commun d'être domiciliés rue du Val vinrent déclarer le même type d'incident. Cette fois, une enquête fut ouverte et les répercussions ne se firent pas attendre.

Si Dévers, pour sortir de sa torpeur et propulser sa population au classement, avait réussi à organiser une rotation de ses habitants, Pardevers se devait de faire mieux. C'est ainsi que, furieux d'avoir été maintenu dans l'ignorance du plan mis en place par la commune voisine, sans penser aux conséquences désastreuses que cette décision entraînerait, le conseil approuva en pleine nuit, après une séance de brainstorming sommaire, la résolution suivante : Pardevers imposerait dorénavant le mensonge comme unité de base des rapports sociaux. Toute personne surprise à dire la vérité serait condamnée à des amendes variant selon la gravité de l'offense. On ne sait pas comment leur vint cette idée, car personne, ni dans les registres, ni par la suite, n'en réclama jamais la paternité.

On se mit à mentir sur tout à Pardevers. D'abord un peu frileusement sur son âge, son origine, ses allées et venues, puis, avec l'expérience, une certaine aisance venant, sur sa paternité, ses revenus, ses compétences. De fil en aiguille, on se mit bientôt à mentir sur la sécurité des installations, sur la qualité de l'eau potable, le prix des équipements, les modes de financement des partis politiques, l'équilibre du budget municipal.

Si les habitants en profitaient pour générer de l'avant et progresser au classement, la ville n'en sombrait pas moins dans le chaos. Incapables de démêler le vrai du faux, dépassés par l'imagination de leurs enfants, de leurs collègues, de leurs conjoints, épuisés d'ambiguïté, à bout de nerfs, nombreux étaient les habitants qui cherchaient à sauver leur peau. Ils entassaient en vitesse l'essentiel de leurs affaires dans des camionnettes et partaient se réfugier où ils pouvaient, chez des parents, des amis installés dans des municipalités où les conditions de vie leur semblaient plus supportables.

Devant l'afflux d'une population qu'elle considérait, sinon indésirable, du moins indigne de confiance, Dévers ferma ses frontières en faisant ériger et garder une barricade au beau milieu de la rue du Val. À bout d'arguments, certains Pardeversois tentèrent alors de faire valoir que l'inclinaison des rues dans lesquelles ils vivaient était inférieure à treize pour cent et que cela les dispensait de facto des préceptes édictés à Pardevers. Ils manifestèrent plusieurs jours, réclamant le droit d'être rattachés à Dévers. Plusieurs d'entre eux allèrent jusqu'à déposer des recours en justice afin d'être habilités à former des enclaves déversiennes en territoire pardeversois.

— Pardevers est très vite devenu un sale coin. Ma sœur et mon père sont, comme les autres, partis vivre ailleurs, conclut Harry en remettant la piste 8.

Je n'ai plus peur. J'observe la pochette, la tête blafarde du chanteur et j'imagine Harry entre ses bras. Je ne sais pas pourquoi, j'imagine aussi ma femme et le rapporteur lovés dans cette musique, nus sur le lit de notre chambre. Je vois le sexe du rapporteur décapuchonné en vitesse, bout de chair violacée, ses efforts pour s'insinuer en Alice. Je pense brièvement à mon père qui est mort deux fois, à ce qu'il aurait dit de la jeune femme assise à mes côtés, de cette jeune femme en biseau, beaucoup trop grande pour moi. Ce doit être la fatigue, les contrecoups de la prise de contrôle, je peine à organiser tout ça.

42

JE SUIS DEBOUT devant les enfants doubles. J'ai déplacé les plantes de façon à ce que la lumière entre largement par les fenêtres du salon et l'endroit est méconnaissable. Tout cet espace, soudain.

J'esquisse quelques pas de danse, je saute de cercle en cercle, dans les empreintes laissées par les pots sur la moquette. Les enfants doubles éclatent de rire. De la musique provient de leur chambre, une comptine entêtante. Alice est sortie, j'ignore avec qui, ni pourquoi, je sais simplement qu'elle s'est absentée et que c'est le moment d'agir.

Je m'arrête, l'air grave. Les enfants doubles me regardent avec des yeux étonnés, ils ne reconnaissent pas leur père, pauvres petits. Ils ne me reconnaissent pas dans cette posture, le regard décidé, prêt à en découdre, un père inédit, faisant bloc, dans un costume luisant, du feutre noir sur lequel danse la lumière de l'après-midi.

Je veux leur expliquer que leur père possède un talent inédit, que leur vie va changer, c'est sûr, qu'ils ne l'ont pas remarqué parce qu'ils sont trop jeunes, trop occupés à se baver dessus, à se tripoter, à faire sous eux, à se poursuivre avec des ciseaux, des épingles, des tuteurs, à s'écorcher les genoux, à se crever les yeux, à boire l'eau croupie des soucoupes, mais c'est officiel, leur père, celui-là même qu'ils ont tous les jours sous la main, qui prépare leur petit-déjeuner, les aide à se vêtir, les berce, les calme, les gronde et les endort, celui-là même qu'ils ne remarquent plus tant son affection paraît acquise, voilà que leur père, sans qu'ils aient conscience de rien, s'est retrouvé promu au rang de génie du commun, de quidam suprême, celui qui résume tous les autres, les contient.

Leur père, nouveau champion des sociétés gouvernées par le nombre.

Leur père, une démocratie à lui tout seul.

Je veux leur dire qu'un messie vit avec eux, que sa parole est vérité, que ses opinions président au destin des nations, et que ce messie, pourtant, les aime tels qu'ils sont dans leur vie d'enfants banals et qu'il ne me viendrait jamais à l'idée d'exiger d'eux des prouesses dans leur anonymat, qu'une existence honnête d'enfants honnêtes me conviendra parfaitement, qu'ils n'ont pas à se comparer, même si j'ai placé la barre au plus haut, que je me suis élevé au-dessus d'autrui et de la masse grouillante de nos contemporains, en faisant mieux que de les représenter, en les incarnant.

Je veux leur dire que leur père, celui-là même qu'ils voient traîner en pantoufles, en slip, un journal à la main, celui-là même qu'ils découvrent le week-end échoué dans la baignoire, les organes génitaux affleurant à la surface de l'eau, les aime au-delà de tout. Je veux leur dire que, si j'ai le ventre flasque, c'est que je porte tous les hommes en moi, qu'une humanité, forcément, ça vous charge une silhouette. Je veux le dire, mais au moment où j'ouvre la bouche, c'est la voix d'Alice que l'on entend. J'ai beau lutter, refuser le maléfice, c'est bien sa voix haut perchée, aigrelette ; je veux leur dire, mais les enfants hurlent de peur et je me réveille au moment exact où j'entreprends l'escalade du meuble télé.

À côté de moi sur le canapé-lit que l'on a ouvert sans prendre la peine d'y installer les draps, une adolescente qui ne doit pas avoir plus de quinze ans dort à poings fermés. Ses cheveux roux dégagent une odeur âcre. Elle a gardé ses chaussettes et des jeans sales qui s'évasent à la cheville. Un gros sac en toile lui fait office d'oreiller.

Je ne garde aucun souvenir de la façon dont elle a pu atterrir là.

Les choses sont un peu différentes pour l'homme au pied bandé qui somnole appuyé contre le mur qui me fait face. Je me rappelle une conversation en bord de route, sa tête ahurie, penchée par la fenêtre du passager. Je me souviens de ses yeux vides, de l'insistance qu'Harry mettait à le secourir. Plutôt que de repartir après lui avoir proposé de monter, elle s'était entêtée à le raisonner. Il avait besoin d'aide, ça sautait aux yeux, jamais elle ne se pardonnerait de l'avoir abandonné comme ça, elle lirait les journaux le lendemain, se brancherait sur Nouvelles d'autrui, serait morte d'inquiétude.

La scène était pitoyable : une berline suédoise de milieu de gamme avançant au ralenti, les feux de détresse enclenchés, deux pneus sur la route, deux pneus sur l'accotement, la portière du passager maintenue entrouverte afin de permettre à la conductrice d'inviter à bord un homme ayant enfilé à la va-vite une veste de smoking noire sur un pyjama. Je vis passer un capteur accroché à un panneau publicitaire qui me conjurait d'organiser ma mort de mon vivant. « Payez maintenant, profitez-en le plus tard possible », ironisait une maison offrant des préarrangements funéraires.

L'homme ne voulait rien entendre. Il ne venait pas de quitter une femme pour retomber immédiatement dans les filets d'une autre. Il avait de l'argent, pouvait très bien se payer un hôtel, des vêtements, se demandait ce qu'elles avaient toutes ce soir, qu'on lui fiche la paix, et non il n'irait pas passer la nuit chez une inconnue, encore moins chez une inconnue qui avait déjà de la compagnie – il me désigna du menton. Il pouvait très bien se débrouiller tout seul ; la preuve, il était parti sans ses chaussures et il marchait depuis des heures. Pour que l'on comprenne sa détermination à poursuivre sa route, le type essaya de shooter dans une cannette, mais il ne parvint qu'à s'écorcher la plante du pied. Saisissant l'occasion, Harry descendit de voiture, ne fit ni une ni deux, installa le type qui grimaçait de douleur à ma place à l'avant. Je me souviens avoir été assez contrarié par la tournure que prenaient les événements. J'avais été secouru le premier, il me semblait donc normal que le nouvel arrivant, ses blessures n'étaient pas si graves, son pied saignait à peine, soit celui qui s'accommode de l'espace restreint qu'offraient les places arrière.

Le jour va bientôt se lever. Tout est bleu dans la pièce. Des verres vides traînent à même le sol ; des assiettes sont empilées sur le comptoir qui sépare le salon de la cuisine. Je distingue la veste de mon costume posée sur le dossier d'une chaise pliante. Il n'y a pas de table. Mes chaussures ont été soigneusement rangées près de la porte, talons contre le mur. Ça manque d'air ici. Je voudrais me lever, entrouvrir une fenêtre, mais je n'ose pas bouger de peur de réveiller l'adolescente, qui respire péniblement à côté de moi. Le pansement du type qui me fait face est maculé de sang. Son pyjama ouvert sur sa poitrine laisse apparaître une impressionnante toison grise. Ses deux mains soulèvent un peu sa cuisse comme s'il cherchait dans son sommeil à se soulager du poids de son propre corps. Des voix parviennent de derrière la cloison. Le blessé ouvre les yeux, puis les referme. Combien sommes-nous dans ces quelques mètres carrés ? Combien à avoir échoué dans cet appartement ?

L'homme que j'entends n'a pas l'air commode. Il demande avec insistance : « Comment ça, trois ? » Sa voix est étrange, comme s'il laissait passer une grande quantité d'air entre les mots. Peut-être s'exprime-t-il réellement comme ça. Peut-être est-ce dû à l'obstacle que constitue la cloison.

— Le lundi, c'est toujours une mauvaise soirée, tu vas pas m'engueuler, quand même ?

C'est une femme qui lui répond. Une femme qui pourrait être Harry.

— Je me fous que ce soit lundi ou dimanche, on tient au moins à cinq dans la voiture de ton père !

— Et j'en ai ramené seulement trois, tu vas pas en faire un drame !

Je reconnais la voix d'Harry. C'est bien elle.

— Et comment ! insiste l'homme. Tu vas me dire qu'il y avait personne à récupérer dans les bars ? Que t'as fait la sortie des urgences ? Les églises ? T'as fait les églises ?

— Non, j'ai pas fait les églises…

— Et tu veux me faire croire que tu pouvais trouver personne d'autre ? Pas un veuf ? Pas un sans-abri ? Pas une fugueuse ? Même pas un nouveau divorcé ? Merde, Harry ! Y a qu'à se pencher pour en ramasser ! hurle le type en tapant sur quelque chose qui émet un bruit mou, le matelas ou peut-être son ventre que j'imagine proéminent et recouvert de vergetures.

— D'abord, j'ai ramassé une fugueuse et, ensuite, calme-toi, ils sont juste à côté.

— Je suis chez moi et je gueule si j'en ai envie !

Pendant un instant, je n'entends plus que la respiration contrariée de la jeune fugueuse qui dort à mes côtés. Elle n'a pas dû se laver depuis des jours, ses cheveux emmêlés lui collent contre la nuque. Tandis qu'elle s'étire, je me déplace pour éviter que sa jambe n'entre en contact avec la mienne. Le canapé-lit s'enfonce au centre et j'ai à peine le temps de faire contrepoids en étendant le bras.

— C'est pas comme si j'avais eu l'embarras du choix, continue Harry de l'autre côté de la cloison. Qu'est-ce que tu voulais que je fasse, que j'aille braconner directement à la morgue ?

— C'est une idée…

— Que j'aille sonner là-bas en disant au gardien : pardon, vous auriez un client en pas trop mauvais état à me confier ? Y a plus assez de désespérés dans les rues, vous comprenez, la compétition est tellement forte dans le secteur de la compassion qu'on est maintenant obligés d'aller leur porter secours vraiment très loin en aval. Ah, soulager son prochain, c'est plus ce que c'était, mon bon monsieur…

— Bon, ça va, Harry, t'arrêtes…

Il y a un autre silence. Au fur et à mesure que le jour pénètre par la fenêtre du salon, l'appartement m'apparaît de plus en plus sordide. Pas une plante, pas un livre, des meubles achetés en kit et montés avec une évidente mauvaise volonté. Comment expliquer autrement que le canapé-lit sur lequel je me trouve menace de se refermer au moindre mouvement ?

— Pourquoi tu l'as pris ? demande l'homme au bout d'un moment.

— Il a été victime d'une OPA hostile.

— Quoi ?

— Le type que j'ai ramené, qui dort dans le salon, eh bien, quelqu'un l'aurait racheté, mais sans lui demander son avis, tu comprends ?

— Tu sais ce qu'on risque si t'as embarqué un bien portant ?

— Je sais, mais t'énerve pas, Philippe. Je te jure qu'on se fera pas piquer.

— Est-ce qu'il chialait au moins ?

— Non, je l'ai pas vu pleurer.

— Il a pas menacé d'abandonner son travail, sa famille ?

— Non plus, il était pas spécialement loquace, mais ça va, je me suis débrouillée, je sais tout ce qu'il y a à savoir sur ce type, il avait vraiment besoin d'aide.

— Je veux bien, mais pourquoi tu l'as ramassé ? C'est lui qui te l'a demandé ? Il te plaisait ?

— Non, enfin, je viens de t'expliquer, qu'est-ce que tu veux savoir ?

— Je veux savoir ce que le type qui est vautré dans le salon va nous rapporter, Harry. Tu ramènes que du petit gibier depuis des mois !

— T'exagères…

— Ah ouais ? Tu sais ce que Richard a ramassé hier, hein ? Non, tu sais pas ? Je vais te le dire, moi : tout un groupe de touristes. Leur autobus est tombé en panne pas loin d'ici. Ça t'étonne ? Vingt-deux vieillards pleurnichards et reconnaissants. Deux pacemakers ! Il a fait trois voyages, il en a logé jusque chez ses parents, tu sais ce qu'il va toucher, Richard ? Il a même récupéré leurs bagages, ce salaud !

43

LA CONVERSATION se poursuit dans la pièce voisine et les événements de la veille me reviennent à l'esprit. Je revois toute la séquence en accéléré, le coup de téléphone de Frigor, la collection de figurines au fond de son bureau, le bar du Moindre Effort. Je pense à ma femme, aux enfants doubles. J'imagine leur inquiétude de ne pas me trouver à la maison ce matin. Je pourrais téléphoner, bien sûr, mais si Alice, bouleversée par mon message, n'avait pas fermé l'œil de la nuit et qu'elle venait tout juste de s'endormir ?

Je décide que j'ai encore le temps de rentrer avant qu'ils ne se réveillent. Je me glisse hors du canapé-lit que je maintiens en place d'un bras pour éviter qu'il ne se referme. La fugueuse resserre contre elle le sac qui lui sert d'oreiller et prend le parti d'occuper immédiatement la place laissée libre sur le matelas. J'avance de quelques pas en faisant attention aux bouteilles de bière et aux verres sales, enjambe le type dont le pansement imbibé de sang donne de plus près l'impression d'une grosse fleur marron, me penche pour récupérer mes chaussures, entrouvre la porte et me faufile dehors en abandonnant ma veste derrière moi.

— Hé ! Où tu vas ?

Je suis dans la cage d'escalier.

— Je t'ai demandé où t'allais !

Je dévale les marches sans me retourner. J'entends une flopée de jurons suivie de quelques pas rapides, puis d'un bruit sourd. Philippe doit sauter d'un palier à l'autre. Arrivé au bas de l'escalier, au moment d'ouvrir la porte d'entrée à côté de laquelle sont entreposés des sacs de ciment, je me retourne un instant pour constater que, contrairement à ce que j'avais imaginé, Philippe est maigre comme une prière sous son t-shirt *No Problem.*

J'ai le temps de réfléchir que, dans l'éventualité d'un affrontement à mains nues, il ne serait pas impossible que je le terrasse, mais mes chances de le prendre de vitesse me semblent meilleures. Je sors de l'immeuble en courant et débouche sur un chantier : des planches empilées, des rouleaux de grillage, des amoncellements de briques, des paquets d'isolant posés sur le sol boueux. La porte de l'immeuble ne s'est pas encore refermée derrière moi que j'entends :

— C'est comme ça que tu nous remercies !

Philippe n'est qu'à quelques mètres de moi, pieds nus lui aussi.

— Je vais te faire signer, tu vas voir !

Je cours un moment dans ce qui m'apparaît être la direction la plus appropriée pour prendre la fuite, celle où se concentrent le moins d'obstacles, en me disant que je ne devrais avoir aucun mal à le semer, vraiment, avec l'entraînement que je m'impose, mais à quoi bon ? Je m'arrête net. Tout ça est ridicule. Que je signe ce qu'il veut me faire signer et que l'on n'en parle plus.

Visiblement, Philippe n'est pas d'accord, car sa première réaction au moment où je me retourne pour lui signifier la nature nouvelle de mes intentions est de m'écraser son poing dans la figure. De ma main libre – je n'ai pas lâché mes chaussures –, je me tamponne le nez qui étrangement ne saigne pas tout de suite. Ce n'est qu'une fois au sol, le bras gauche maintenu de force derrière le dos, le genou pointu de Philippe enfoncé dans la joue, que je le sens ruisseler jusqu'à mes lèvres. Philippe souffle comme un buffle. C'est une mince consolation, mais j'ai la certitude que j'aurais pu le semer. Nous restons comme ça un instant. Harry nous rejoint et j'imagine la fugueuse et le grand blessé, réveillés en sursaut par cette agitation dans l'appartement, se précipiter à la fenêtre pour ne rien rater de la scène et décider d'un commun accord de se tenir tranquilles. Le quartier étant en construction, je ne m'étonne qu'à moitié de ne pas trouver de capteur pour immortaliser ces instants au potentiel de rendement élevé.

Harry a enfilé de vieilles Reebok sans mettre de chaussettes. Je suis à peu près sûr qu'elle ne porte rien non plus sous ses leggings noirs. Je me dis qu'elle est sortie pour éviter que son Philippe ne me fasse du mal, que ses sentiments pour moi ont eu le temps d'évoluer depuis la veille. Je vois ses lèvres qui bougent, mais aucun son ne me parvient. J'ai une oreille plaquée contre terre et l'autre écrasée par la main de son petit ami. Harry s'accroupit. J'aperçois très distinctement le renflement de son sexe à travers le tissu élastique. Elle reste comme ça un moment, les talons sous les fesses, puis elle s'allonge à mes côtés. Ses cheveux sont sales. Elle a dû transpirer beaucoup pendant la nuit. Harry déplace la main osseuse de Philippe, qui, abandonnant l'oreille, vient maintenant se crisper sur ma mâchoire.

— C'est pour l'attestation de compassion, me dit-elle avec gentillesse, alors que, dans mon dos, Philippe resserre encore sa prise. Nous aurions besoin de votre concours.

Voilà les choses devenues bien sérieuses. Je fais signe de la tête que oui, ils peuvent compter sur moi, c'est la moindre des choses, tout effort mérite salaire. Au-dessus, Philippe émet un râle de satisfaction.

— Je vais faire vite, ajoute Harry en extrayant de je ne sais où un stylo-bille sur lequel Lynn Linber-Lowe sourit avec grâce, ainsi qu'un jeu de fiches détachables à adjoindre au bulletin d'intimité.

— Quand je pense qu'on aurait pu remplir ça à la maison autour d'un café…

Harry parcourt rapidement les instructions qui se trouvent sur la fiche du dessus, prend appui sur son genou pour remplir la section *Identification du bénéficiaire*.

— Mas Baldam, c'est ça ?

Je hoche encore la tête. Dans d'autres circonstances, je serais à même de lui expliquer que le carton sur lequel elle tente d'ordonner les événements qui se sont déroulés ces dernières heures me semble dangereusement mince, qu'ainsi froissé le carbone va laisser des stries sur les copies, que l'attestation risque d'être illisible et qu'il ne m'étonnerait pas que leur déclaration soit irrecevable, mais comme je l'ai expliqué, je ne me trouve pas dans une position particulièrement propice au dialogue.

— Estimez-vous que notre rencontre a eu un effet très positif, positif, assez positif, négatif ou n'a eu aucune incidence sur la nature de vos préoccupations ?

— Très positif, répond Philippe avant que je n'aie eu le temps de clarifier ma pensée sur le sujet.

— Bien, dit Harry en encerclant sur la fiche le choix de réponse correspondant. Maintenant, Mas, si l'une de vos connaissances se trouvait dans une situation délicate de même nature que la vôtre, seriez-vous enclin à lui recommander l'aide des soussignés, ci-après désignés dans ce document sous le terme de *bienfaiteurs* ?

Je réussis à articuler « San jéjiter », afin de ne pas laisser à mon bourreau la satisfaction de répondre à ma place encore une fois.

— Pardon ? fait Philippe en m'enfonçant un peu plus son genou dans la bouche, si bien que je sens maintenant l'intérieur de mes joues l'un contre l'autre. Tu disais ?

— Il disait que le fait d'avoir été secouru par nous est une chance, qu'il est extrêmement reconnaissant et qu'il n'hésiterait pas à recommander une de ses connaissances à notre attention dévouée, tranche alors Harry en complétant une section exigeant un peu plus de développement au milieu de la fiche numéro 2. Ça y est, dit-elle en relevant la tête.

— Ben voilà, mon grand, tu vois bien, c'était pas la peine d'en faire toute une histoire, conclut Philippe en m'envoyant, plus pour la forme qu'autre chose, un dernier coup dans les côtes.

Comme s'il relevait d'une longue maladie, tout pâle et chétif, incertain en tous les cas quant à sa volonté de s'extirper du néant, le soleil apparaît derrière la charpente d'un duplex en construction où le vent fait battre des sections entières d'isolant. Je pense à rentrer chez moi. Harry dépose le stylo-bille Lynn Linber-Lowe dans ma main droite et, avec sollicitude, m'aide à signer l'attestation de compassion. Aussitôt après, comme s'il ne goûtait finalement pas ce genre de confrontation, que le contact de mon corps avait quelque chose de repoussant, Philippe relâche sa prise et se relève en vitesse.

Je m'assois sur le sol, fait gicler le plus loin possible dans leur direction le mélange de terre et de salive ensanglantée que j'ai dans la bouche. Tandis qu'ils regagnent leur appartement où les attendent la fugueuse et le grand blessé, j'entends Philippe beugler :

— Qu'on veuille se payer un abruti pareil, ça me dépasse !

VII

44

J'AI MARCHÉ pieds nus une bonne demi-heure dans une zone pavillonnaire qui rendait plutôt mal ce que les affiches réalisées en 3D promettaient une fois les travaux complétés, entre les pelleteuses et les tas de matériaux empilés, le temps de trouver un taxi qui accepte de me conduire jusqu'aux Galeries Avenir. J'ai dû supporter les acrobaties du chauffeur qui terminait sa nuit et qui avait visiblement envie que s'achève au plus vite cette dernière course. Il a fallu que j'argumente pendant une dizaine de minutes pour qu'il accepte de me laisser sortir dudit taxi, puisque mon porte-monnaie était resté dans ma veste qui était elle-même restée chez Harry. La retrouvant dans le parking des Galeries, je me suis étendu sous la Subaru afin de récupérer la clé de secours que ma mère qui rajeunit au-delà du raisonnable m'oblige à coller sous le pare-choc arrière « au cas où, Mas, on ne sait jamais », puisque les clés se trouvaient dans la même veste, et me voilà finalement prêt à monter à bord.

En entrouvrant la portière que la rouille menace, je suis accueilli par une odeur familière, un mélange de tissu moisi, de fruits en décomposition et de lingettes parfumées. Sur la banquette arrière, entre les sièges des enfants doubles et les vieux kleenex, je récupère un récipient de plastique orné d'une montgolfière en relief dans lequel une pêche a atteint un niveau de fermentation plus qu'acceptable. J'ouvre la fenêtre, celle du passager, le mécanisme côté conducteur est coincé, et me dirige vers la maison, sans un regard pour le bar du Moindre Effort, dont l'enseigne lumineuse représentant un chien couché sous un tabouret demeure allumée malgré l'aube.

À cette heure matinale, le soleil est éblouissant de l'autre côté de la voie rapide. Je me suis souvent demandé, coincé dans l'habitacle de la Subaru, alors que le ralenti fait des siennes et que je dois donner un grand coup d'accélérateur pour qu'il retrouve une vitesse normale, si cet aveuglement n'était pas une condition nécessaire à ce qu'une telle quantité d'autrui accepte quotidiennement de prendre le volant pour venir s'entasser ici. En vue de me remettre de mes émotions de la veille, j'avale un bout de pêche fermenté qui me poisse entre les doigts avant de me pétiller sur la langue. Je pourrais penser à mon père qui est mort deux fois couvert de honte, il serait logique que je le fasse pendant que je suçote distraitement le noyau, mais non. Je pense que Monolite, leader régional en stratégie de management interstitiel, devra se passer de moi aujourd'hui. En remontant la longue colonne de voitures qui attend de se déverser dans les bureaux et les parkings du centre-ville d'Estampes, je me retiens de klaxonner. J'allume la radio et syntonise Nouvelles d'autrui.

« Mas Baldam, qui était la cible d'une offre publique d'achat hostile, a été acquis tard hier soir. Les conditions exactes de l'entente survenue entre les actionnaires et le nouveau propriétaire n'ont pas été révélées... »

Pendant un instant, je suis heureux que les repreneurs n'aient pas changé d'avis. Je souris en tentant de vérifier si, dans les voitures bloquées en sens inverse, de l'autrui réagit à l'annonce de cette prise de contrôle hostile réussie contre ma personne. J'aimerais surprendre un regard étonné, une moue incrédule, mais je n'ai pas le temps de ralentir. On m'attend à la maison. L'opération est un succès et je dois lutter pour ne pas avoir l'impression d'y être pour quelque chose. L'équipe des repreneurs aurait pu se raviser, réfléchir que le jeu n'en valait pas la chandelle et pourtant, non, elle a persévéré, conclu l'entente. Je me prends à espérer qu'en ce moment même, ma mère qui rajeunit au-delà du raisonnable est à l'écoute, qu'elle entend mon nom prononcé sur les ondes de Nouvelles d'autrui et qu'elle se dépêche de prévenir ses collègues du catalogage : « Oubliez la seconde mort de son père, oubliez cette honte, je vous avais dit que Mas sortirait de sa torpeur. Je vous l'avais dit, oui ou non ? »

Poussé à bout, en cinquième, le moteur fait un bruit de tracteur. J'ai la bouche ensablée, le pied et les paupières lourdes. Je cherche d'une seule main, sous le siège arrière, de quoi me désaltérer. Combien de fois ai-je vu traîner là de vieilles bouteilles d'eau, des cartons de jus de fruits, les gobelets des enfants doubles ? Je ne trouve que le squelette d'un téléphone portable, une peluche dont les membres ont été mâchouillés jusqu'à l'amputation. De toute façon, j'arrive à la maison dans quelques minutes. Je quitte l'autoroute, rétrograde en bout de sortie, grille le stop et m'engage sur le tronçon que je connais si bien, ces quelques kilomètres le long de la rivière au bord de laquelle s'égrènent des fermettes dont le terrain a été vendu en lotissements, des chalets d'été qui, attendant d'être transformés en résidences multigénérationnelles, se dirigent clopin-clopant vers leur ruine. Autour de leur campement, les agglutinés ont disposé des lits pliants qui mordent sur la chaussée et je dois me rabattre en catastrophe dans la voie inverse pour ne pas provoquer une hécatombe. Bientôt, on ne pourra tout simplement plus circuler ici.

Au cas où cela vous préoccuperait, sachez que je ne m'émeus pas de la complicité de mes proches dans l'opération. Je sais qu'Alice et ma mère ont agi dans notre intérêt commun, le mien, le leur et celui des enfants doubles. Je ne pense pas complot ou trahison. Non, j'ai plutôt envie en ce moment d'être celui qui leur annonce qu'elles ont gagné leur pari. Je souhaite que la bonne humeur avec laquelle j'accueille la nouvelle de cette OPA convertie témoigne de ma volonté de ne pas faire obstacle à ce qu'elles ont échafaudé. En rentrant à la maison, tout de suite après l'annonce officielle sur Nouvelles d'autrui, je désire me ranger du côté de celles qui ont investi temps et énergie pour conclure la transaction. Je me demande ce qu'elles ont obtenu en retour. Je me rassure en pensant qu'elles ont négocié avec diligence.

Alors que je ne suis plus qu'à une centaine de mètres de la maison, passé le restaurant asiatique et la médiathèque en travaux, que je peux déjà apercevoir la cime des grands saules qui culminent au-dessus des arbres voisins, que j'ai le cœur qui bat à l'idée de retrouver Alice et les enfants doubles, que je réfléchis à ce que je vais dire pour expliquer mon absence de la veille, des coups de poing se mettent à pleuvoir contre la portière.

— Libérez Mas Baldam !! hurle un jeune homme emmitouflé comme s'il faisait moins trente en plaquant contre la vitre un tract sur lequel je reconnais une photo de moi prise en vacances il y a plusieurs années, une photo qu'Alice aime bien, où je suis assez à mon avantage pour tout dire, accroupi et bronzé devant un catamaran sur lequel je n'ai jamais mis les pieds.

Je ralentis encore. Comme il m'est impossible de baisser la vitre côté conducteur, le jeune homme, cramoisi dans son parka, finit par glisser le tract sous l'essuie-glace avant de repartir à la poursuite d'une sous-compacte qui laisse échapper une impressionnante fumée bleue.

J'y suis presque. La maison va se dévoiler, familière, émouvante dans ses défauts. Je sais que les volets ont besoin d'être repeints, que le ciment dont je me suis servi pour colmater les fissures de la cheminée a bavé sur la brique, que le drain avant est bouché et que l'eau s'accumule dans le garage, où Alice, en poussant le chauffage à bout, recrée pour ses plantes les plus délicates un climat quasi tropical. Je sais que l'extérieur aurait besoin d'attentions, mais j'aime que les choses restent comme ça, dans l'attente que je m'y mette. J'aime qu'il existe des conséquences tangibles à mon inaction. J'aime penser que je contrôle ce délabrement.

Je fais tourner le volant. Les roues avant franchissent le trottoir, les amortisseurs grincent de douleur. «RESPECTONS LA DIFFÉRENCE JUSQUE DANS SON ABSENCE !» clame la banderole suspendue entre les grands saules devant la maison où s'est rassemblé un groupe que j'estime, à vue d'œil, être composé d'une trentaine d'individus. J'immobilise la Subaru dans l'entrée, presque au niveau de la rue, tout simplement parce que je ne peux pas aller plus loin. Le moteur cliquette sous le capot, comme si, après l'effort, quelques bêtes efflanquées, mortes de soif, secouaient leurs chaînes.

Un type que je n'ai jamais vu m'adresse un vague signe de la main tandis que, derrière, de l'autrui supplémentaire en est à tendre l'auvent d'une tente-roulotte. La technique me paraît hasardeuse. Les cordes qui partent des poteaux de soutien passent au-dessus de l'asphalte pour rejoindre deux piquets de métal fichés dans l'herbe, plusieurs mètres plus loin. Au moindre coup de vent, toute l'installation risque de foutre le camp.

Je reste dans la voiture, essayant de déchiffrer par transparence le tract qui se trouve sous l'essuie-glace. Et puis Alice, les cheveux défaits, plus courts, d'un blond plus nuancé aussi que dans mon souvenir, plus jolie pour ne pas vous mentir dans ce pull ajouré, ce pantalon de toile à taille basse, vient m'accueillir. Je ne suis pas idiot, je vois de l'autrui mâle et femelle qui la reluque tandis qu'elle enjambe les cordes qui retiennent l'auvent de la tente-roulotte. J'ouvre la portière en souriant. Je ne sais pas pourquoi je prends soin d'apporter avec moi le contenant de plastique dans lequel je fais sauter ce qu'il reste de la pêche moisie.

— Ça va mieux ? Ton message m'a inquiétée.

Je hoche la tête. Je souris avec dignité. Je fais comme si tout cet autrui devant la maison relevait du plus grand naturel.

— Tu t'es fait couper les cheveux ?

— Ça te plaît ? dit-elle en repoussant d'une main négligente une mèche au-dessus de son oreille.

— C'est joli. Ça te change. Les enfants sont là ?

— Ils finissent de déjeuner avec ta mère.

45

À L'INTÉRIEUR, je ne la reconnais pas tout de suite, car son visage est entièrement dissimulé par un bouquet posé au centre de la table – des fleurs gigantesques, ouvertes jusqu'à l'indécence, qui répandent dans la pièce un parfum entêtant de lotion anti-moustique. Cela me paraît peu probable, mais c'est pourtant l'odeur qui m'assaille, celle de la lotion anti-moustique des enfants doubles, répulsive, vanille et fruits de la passion. Et puis, je me rapproche de la cuisine en louvoyant entre les pots, les anneaux de plastique, les blocs, les balles qui jonchent le tapis du salon ; un *P* de styromousse rouge est accroché dans l'hibiscus, exactement comme s'il avait germé et fleuri. Je dois avouer que ça me fait tout drôle de la voir installée là, à peine maquillée, la sangle de gros écouteurs retenant ses cheveux vers l'arrière, Lynn Linber-Lowe à table avec les enfants doubles, étonnamment détendue, occupée à leur distribuer à la cuillère des céréales dont une bonne partie a déjà atterri sur leur bavoir. Et ma mère qui rajeunit au-delà du raisonnable assise en face, hésitante, intimidée, qui, en se penchant exagérément vers le micro posé devant elle, parvient à articuler :

— J'ai peur de ne pas pouvoir vous répondre. C'était une occasion à saisir, son père aurait été d'accord, vous savez. On nous a approchés, c'est tout.

Ensuite, comme Linber-Lowe ne reprend pas la parole, qu'elle laisse s'étirer un silence de plusieurs secondes, la petite cuillère à la main suspendue au-dessus de la table de la cuisine, ma mère, à contrecœur me semble-t-il, mais comment savoir, de poursuivre :

— Ce sera mieux pour tout le monde. Je pense sincèrement que ça sera mieux.

Il y a un autre silence.

— Je vous retrouve après la pause, consent finalement à dire Linber-Lowe avant de rendre l'antenne.

— Ça allait ? s'inquiète ma mère.

— C'était pas mal, lui répond Lynn en mettant de l'ordre dans ses notes.

Quand ma mère soulève les sourcils, son visage remonte en bloc. Je ne serais pas étonné qu'après tout ce qu'on lui a réduit, tendu, lissé, l'expression de certains sentiments lui soit désormais interdite. La compassion, par exemple.

Je tends la main à Lynn Linber-Lowe, qui avance une paume désagréablement moite.

— Mas Baldam, dis-je.

— Vous avez mauvaise mine.

— Je sais. J'ai passé une nuit difficile.

Tandis que je me penche pour embrasser ma mère, qui a un bref mouvement de recul, les enfants doubles en profitent pour projeter sur le plancher en linoléum le contenu de leurs bols. Une gerbe blanche vient bouleverser le tranquille arrangement des motifs floraux. Alice retourne en soupirant vers la cuisine chercher de quoi nettoyer tout ça. Je reste planté à côté de la table. Deux techniciens dans la vingtaine, cheveux ras, vestes matelassées à manches courtes, bayent aux corneilles, retranchés avec leur matériel sur le balcon arrière. Pour leur montrer que je reconnais leur contribution, que je ne suis pas uniquement préoccupé par la présence chez moi de Lynn Linber-Lowe, je les salue d'un hochement de tête. Aucune réaction. Je regarde ma mère qui ne réagit pas davantage, hypnotisée par la présence à ses côtés de la journaliste-vedette de Nouvelles d'autrui. Je crains soudain qu'elle ne bondisse de sa chaise pour essayer de fourrer sa langue entre les lèvres de la journaliste. Je pourrais certainement tenter la même chose. Peut-être devancer ma génitrice, lui couper l'herbe sous le pied ?

— Comment va Dario ?

Linber-Lowe ne m'a pas entendu. Les deux mains appuyées sur les écouteurs, les yeux vissés sur le linoléum souillé, elle semble occupée à trouver une signification cachée dans l'enchevêtrement des lignes.

— Ne la dérange pas, tu vas lui faire rater son entrée, me chuchote ma mère, à qui la poignée de minutes qu'elle a déjà passée avec l'équipe confère le droit de me traiter comme un néophyte.

Je m'assois à table, en repoussant du pied les fils qui courent jusque sur le balcon arrière. Les enfants doubles babillent, un niveau sonore tout à fait acceptable pour qui en a l'habitude, mais Linber-Lowe leur fait brusquement signe de se taire. Et, comme ils n'obtempèrent pas, qu'ils se mettent au contraire à pousser de petits cris d'excitation, des grognements, une variété de bruits de gorge qui modulent le contentement qu'ils éprouvent à l'idée que quelqu'un s'intéresse enfin à eux, elle hausse la voix :

— Est-ce que je pourrais avoir deux secondes de silence !

Les enfants doubles fondent en larmes sous le regard impuissant de ma mère dont les traits n'ont pas bougé mais que je devine bouleversée par le mouvement d'humeur de cette jeune femme dont les reportages lui paraissent d'ordinaire « si sensibles, si pleins d'humanité ».

Les enfants doubles en rajoutent dans un effet pleurs en canon auquel je n'avais jamais assisté. Alice, une lingette à la main, rapplique immédiatement de la cuisine, l'air mauvais :

— Qu'est-ce qui se passe ?

— Ça va être à nous ! hurle Linber-Lowe à l'intention des deux techniciens qui fument sur le balcon. N'oubliez pas mon indicatif !

J'extrais un des enfants doubles de sa chaise haute pour le consoler tandis qu'Alice récupère l'autre. La lingette humectée d'eau dégouline sur la table, ma chemise est couverte de céréales.

— Maman est là, ma chérie, maman est là, roucoule ma femme à la petite, qui sanglote de plus belle.

— C'est à nous ! vocifère Lynn Linber-Lowe. Putain, les gars, mon indicatif !

Je regarde Alice, qui regarde ma mère, qui n'a pas quitté la journaliste des yeux. Même les enfants doubles s'interrompent, et puis, au moment exact où elle reprend l'antenne, ils se mettent d'accord sur une note stridente qu'ils décident de tenir sans respirer.

— Je suis toujours en direct de chez Mas Baldam, qui vient d'être l'objet d'une prise de contrôle hostile, débute Lynn Linber-Lowe en tentant de percher sa voix par-dessus le vacarme. Je suis à table avec ses enfants, que vous entendez sans doute derrière moi, des enfants bouleversés, visiblement, par les événements. Je ne vous cache pas qu'il est assez étrange de se retrouver là, dans l'intimité de cette famille qui a choisi les grands moyens pour générer de l'avant et peut-être, qui sait, voir enfin l'un des siens parvenir jusqu'au Cercle 5000.

Alice enjambe les céréales répandues sur le sol et emmène à l'étage la petite, imitée par ma mère, qui peine à faire monter dans les marches l'autre unité vociférante des enfants doubles. Je devrais les suivre, consoler celui des enfants qui me semble le plus calme dans l'espoir que sa sérénité se communique à l'autre. Cela fait, prendre une douche, me raser, enfiler des vêtements plus présentables, or je reste sur place. J'ai envie de témoigner, d'expliquer à l'autrui qui nous écoute que c'est avec soulagement que j'abandonne les commandes du module ego, que cette distance que l'on m'impose avec moi-même me sera des plus salutaires, que je ressentais de toute façon une certaine lassitude, qu'après toutes ces années passées à bord de ma petite personne, un peu de changement me fera grand bien.

J'ai envie de légèreté, de suggérer qu'il est temps de se libérer de la sacro-sainte idée d'un soi souverain. Je suis prêt à défendre l'idée d'une individualité en réseau, d'une humanité perméable, l'abandon du libre arbitre comme une manifestation éclatante de notre bonne foi collective. J'imagine une forme de libre-échange à l'échelle intime, l'établissement de frontières poreuses entre les êtres comme un premier pas vers un idéal de tolérance :

— J'ai tellement confiance en vous que je vous accueille en moi.

Je compte rouler avec les coups, débattre, voire même convaincre.

— Bien sûr, certaines questions demeurent entières, continue Linber-Lowe la bouche très près de son micro, une fois n'est pas coutume, comme si elle cherchait à forcer une intimité avec les auditeurs. Comment Mas Baldam s'est-il retrouvé exclu de sa personne ? Qui l'a vendu ? En échange de quelles compensations ? Et, surtout, qui a intérêt à en faire l'acquisition ? C'est ce que je cherche à savoir, et c'est certainement ce qui vous préoccupe aussi.

Je fais sautiller la pêche dans sa montgolfière. D'un geste vif, la journaliste me confisque le récipient.

— Les enfants sont montés, le calme est revenu chez les Baldam et, malgré l'abondance de la végétation qui complique ici le moindre déplacement, malgré l'humidité qui règne, cette odeur prenante de terre, nous allons enfin y voir plus clair, puisque Mas est là, à mes côtés, les traits tirés, épuisé par une nuit de doute.

Je me racle la gorge. Il me semble que j'avais trouvé une façon élégante de présenter les choses. Je voulais disculper ma mère, épargner Alice, en tous les cas éviter que l'opération prenne les allures d'un règlement de comptes, d'une sordide histoire de famille. Oui, j'étais partie prenante de la décision. Non, je n'étais pas masochiste. Mais maintenant, tout se bousculait dans ma tête. J'allais débiter des âneries sur un ton emprunté. Ne devrais-je pas plutôt profiter de la tribune que l'on m'offrait pour jouer les martyrs ? N'était-ce pas le meilleur moyen d'être à la hauteur des efforts déployés par les miens pour générer de l'avant et me faire contre toute attente pénétrer le Cercle 5000 ?

Je devais au contraire charger ma femme, ce monstre de dissimulation, remonter jusqu'à l'épisode de la Régionale des talents pour faire la preuve de la perfidie d'Alice, établir qu'elle ne m'avait jamais aimé, qu'elle avait tout manigancé depuis le début. Il me fallait accabler ma mère, qui ne m'avait jamais pardonné la double mort de mon père, qui se débarrassait de moi ; mieux encore, qui m'avortait à quarante ans passés. Ulcérée par mon pauvre classement, elle s'employait à reprendre la vie qu'elle avait donnée.

N'épargner personne, convoquer mon père, le double défunt. Démontrer qu'il savait depuis toujours, bien entendu, que ses décès à répétition ne changeaient rien à l'affaire, qu'en léguant tout ce qu'il possédait de moi à ma mère dans son testament, il me jugeait incapable de mener ma vie, que la distance depuis laquelle il opérait au quotidien était fort pratique pour camoufler ses bassesses, que ce père non pas absent, mais lointain, ce dérivé de père avait été le premier à me déshériter de moi. Que les auditeurs de Nouvelles d'autrui ne se fassent pas d'illusion, cette OPA hostile était l'aboutissement d'un complot ourdi depuis ma naissance, bravo, je n'avais rien vu venir.

Il doit approcher huit heures. Filtrée par le rideau de plantes suspendues devant la fenêtre qui surplombe l'évier, un peu de la lumière du matin vient s'échouer sous la table de la cuisine. Je n'entends plus rien à l'étage, ni cris, ni pleurs, ni pas sur le plancher.

— Bien sûr, oui, en première question, minaude Lynn Linber-Lowe, visiblement contrariée par ce qui vient de lui être demandé depuis les studios de Nouvelles d'autrui. Elle hausse les épaules, cherche un réconfort du côté des techniciens sur le balcon, qui lui font signe de continuer, que ce n'est pas le moment de faire la bravache.

Je lève les yeux vers la journaliste, qui soutient mon regard. Je ne me laisserai pas faire. Elle me braque le micro sous le nez, l'actualité a faim de confidences, mais je me décide : mes lèvres sur les siennes. Elle ne recule pas, bien au contraire. Elle contre-attaque, enfonce sa langue dans ma bouche. Il y a une courte lutte. Le processus produit quantité de salive et des bruits de succion désagréables. Je pense aux techniciens, aux auditeurs d'abord intrigués puis à coup sûr rebutés par ce clapotis.

Penché sur le côté, c'est dans un angle inhabituel que je vois Alice descendre les marches quatre à quatre, renverser à mi-parcours les violettes, qui entraînent dans leur chute les cactus, les crassulas, une bouture d'hibiscus, le petit arrosoir de métal. De la terre se répand sur le linoléum et vient s'accumuler contre la baguette de bois qui délimite la cuisine et la moquette du salon. J'embrasse Linber-Lowe. Sa bouche est amère. Je ressens un malaise, une impression contre nature à chaque fois qu'elle répète ce mouvement de va-et-vient entre mes lèvres. Je me demande si je ne dois pas tenter d'inverser les rôles. Je trouve dommage de ne pas trouver plus de plaisir à cette étreinte alors qu'un baiser en direct avec la journaliste-vedette de Nouvelles d'autrui, quand même, voilà qui devrait donner du tonus à mon bulletin d'intimité. Je pense un temps l'entraîner jusque devant la maison afin de poursuivre notre étreinte devant le capteur des Stevensen, mais avec tout ce bazar végétal entre la table de la cuisine et la porte d'entrée, j'ai peu de chances d'y parvenir.

La porte moustiquaire claque, j'entends le loquet de métal qui continue de bringuebaler alors qu'un des techniciens tente de me séparer de la journaliste. Alice s'interpose :

— Vous voyez bien qu'ils n'ont pas fini.

Le technicien recule, interloqué. Après un instant de silence, Linber-Lowe reprend le micro.

— C'était très tendre. Je vous remercie.

Les enfants doubles sont au pied de l'escalier. En fait, ils sont dans les bras de ma mère qui est au bas de l'escalier. Les yeux rougis, ils ont la respiration saccadée de la fin des gros chagrins. Alice empoigne la lingette humide qui était restée sur la table et s'accroupit pour nettoyer le plancher.

46

JUSQU'ICI, appartenir à autrui ne m'a pas tellement changé de moi. Il eût été élégant, me semble-t-il, qu'afin de faire démarrer notre association sur des bases solides, afin de donner un peu d'humanité à ce qui s'annonçait comme une collaboration d'une intimité absolue, mon nouveau propriétaire, en plus de la lettre que j'ai reçue – l'en-tête portait le logotype d'une entreprise de rénovation, un pick-up stylisé équipé d'une pelle mécanique rouge à l'avant –, me fasse parvenir quelques mots tracés de sa main, rien de compliqué, un « Bienvenue, monsieur Baldam, nous sommes heureux de vous accueillir au sein de notre équipe. Nous avons hâte de faire votre connaissance et espérons que cette embauche marquera le début d'une relation fructueuse pour tous », etc.

Je m'attendais à recevoir une liste de prescriptions, un ordre de mission, voire un cahier des charges me renseignant sur la nature des travaux à entreprendre pour rendre mon être plus concurrentiel, du matériel didactique me permettant de potasser les opinions, les sentiments, les défauts et qualités de ce Mas qui devait, selon ce que m'avait confié Frigor lors de notre entretien à son étude, moyennant quelques retouches, être en mesure d'approcher le Cercle 5000.

J'espérais trouver un jeu de CD-ROM, des cahiers d'exercices à la difficulté visant à me libérer de mes habitudes de stupéfait, une convocation à la Clinique du renouveau continuel plus devant préparer ma mue, mais non. J'eus beau fouiller l'enveloppe blanche de format standard qui venait d'aboutir à la maison, même pas par courrier recommandé, tout simplement déposée comme ça parmi les factures, les prospectus et les photos de femmes à la nudité impérieuse – l'une d'entre elles, Alice avait intercepté l'envoi et s'était esclaffée en découvrant la montagne de chair blanche et mauve, un empilement de plis et de replis qui constituait par strates le postérieur d'une blonde dont on n'apercevait qu'une partie du visage rubicond entre les cuisses relevées, une position très étudiée qui avait l'avantage de révéler à la fois l'ubac et l'adret de ce cul aux alpines dimensions, ainsi l'une de ces femmes prétendait-elle pouvoir venger l'affront dont j'avais été victime : à en croire la légende qui accompagnait le cliché, il me suffirait, lors des moments de désespoir qui ne manqueraient pas de survenir à la suite du changement de propriétaire, de m'aventurer dans l'abyssal canyon formé par son sillon fessier pour revenir à un état de conscience antérieur, un moi précédant la prise de contrôle ; cet imposant mammifère, cette anomalie de l'évolution arrêtée à la frontière exacte du minéral et de l'animal, utilisant ses fesses comme tenailles, par asphyxie génitale en quelque sorte, disait prolonger l'orgasme chez les hommes assez longtemps pour leur assurer le plus acrobatique des *rebirth* et précisait, d'une écriture ronde, ample, sans complexes, qu'elle se tenait à mon entière disposition –, j'eus donc beau tourner et retourner dans tous les sens l'enveloppe qui était arrivée à la maison, elle ne contenait rien de plus.

Je lui répétais que ça ne servait à rien d'insister, qu'il n'y avait ni code à déchiffrer ni message dissimulé, mais Alice lisait et relisait les quelques phrases crachotées à simple interligne par une imprimante dont la cartouche aurait eu bien besoin d'être remplacée : « Les entreprises de rénovation R.M.L. sont heureuses d'annoncer qu'elles ont réalisé votre acquisition. Afin de nous permettre de vous présenter votre nouvelle équipe, merci de vous présenter le 27 en matinée au chantier situé à l'adresse indiquée ci-après. »

— C'est absurde, tu ne sais rien faire de tes mains, maugréait Alice en agitant la lettre comme si elle attendait de ce mouvement qu'il lui permette de réorganiser les phrases d'une manière plus convaincante.

Alors que les enfants doubles traînaient sur le tapis, qu'ils disparaissaient entre les pots derrière lesquels ils ne manqueraient pas de se gaver de terre, qu'ils profitaient en quelque sorte de notre étonnement pour retourner à l'état sauvage, Alice accumulait les allers-retours entre la cuisine et le salon. On aurait dit une slalomeuse projetant au sol d'un mouvement d'avant-bras les troncs et les branches qui avaient le malheur d'entraver sa trajectoire :

— C'est une stratégie. Pourquoi ils se seraient donné ce mal, sinon ? Ils ont payé un max pour t'obtenir, mon chéri. Je ne t'ai pas bradé, je veux que tu le saches, et tout le monde était d'accord là-dessus, la tante et son mari, la cousine, ne va pas t'imaginer des choses. J'ai réussi à mettre la main sur du Lynn Linber-Lowe dans la transaction, tu te rends compte, pas beaucoup, bien sûr, des poussières d'elle, mais du Lynn Linber-Lowe quand même, sans compter les participations en un jeune chef d'orchestre qu'elle fréquente. Lynn dit que ce type a la peau plus douce qu'une jeune fille, qu'il la lèche avec dévotion, un virtuose qui lui fait rendre des sons d'une pureté inouïe. J'en ai aussi profité pour racheter de mes propres actions, tu vois, au cas où les retombées de la prise de contrôle jumelées à la performance de mes nouvelles acquisitions me rapprocheraient du Cercle 5000.

— Et maman ?

— Tu t'en doutes, non ? Elle veut s'offrir le corps qu'elle n'a jamais eu. Elle passe ses nuits à écumer les sites pornographiques. Elle cherche les cuisses, les seins, le cul de négresse, les grandes lèvres dont elle rêve depuis toujours. Rien n'est jamais assez bien pour elle. Une maniaque, je te dis. Elle compare les nuances de rose, elle imprime à l'échelle les vulves de blondes et de brunes, exactement comme on se renseigne pour décorer son intérieur. Ne t'inquiète pas, elle ne va pas tarder à t'en parler, elle en parle à tout le monde.

J'aperçus par la fenêtre un éclat blanc, ce devait être le soleil qui rebondissait sur la tête d'une des filles Stevensen.

« Hier a été une journée faste pour autrui », annonça à la radio un homme qui zézaye avec l'assurance de celui qui sait qu'il ne se débarrassera jamais de ce défaut d'élocution, « un mouvement à la hausse que les spécialistes expliquent par une recrudescence des cas de lévitation sur courte distance et par un accroissement significatif du nombre de mariages qui s'en vont dès les premières semaines à vau-l'eau. »

À Geindre-le-Vieil, durant le discours inaugural d'un nouveau tronçon autoroutier, un édile municipal dont les motivations demeurent nébuleuses aurait répété une cinquantaine de fois : « L'obéissance est une ruse monotone » avant que la foule à bout de nerfs ne se précipite vers la tribune improvisée entre les voies dans l'intention de le lyncher. Un homme aurait réussi à se soustraire à la mort grâce à une astuce comptable qu'il ne tardera pas à divulguer. Une femme aurait changé de couleur de peau en même temps que d'amant lors d'une soirée échangiste, un caméléonisme inédit qui ouvrirait la voie, selon des esprits optimistes, à une meilleure compréhension des différences entre les races. Quelqu'un aurait mis au point un inconscient diffusant jusqu'à vingt mètres, un inconscient capable de brouiller le signal de ceux se trouvant dans le périmètre et de se substituer à eux, l'objectif de l'opération étant de permettre à l'émetteur d'observer l'influence de cette modification sur les agissements de parfaits inconnus afin d'en arriver, paradoxalement, à une meilleure connaissance de soi. L'énumération des exploits réalisés par autrui durant la dernière semaine aurait pu continuer de longues minutes, n'eût été l'impatience d'Alice qui, lors d'un de ses intempestifs trajets cuisine-salon, éteignit le poste en jurant.

— Mais j'écoute ! protestai-je.

Alice réfléchissait, cherchant du coin de l'œil un espace où se percher, ce qui me fit craindre l'imminence d'un autre soliloque. Après avoir louvoyé un moment entre ce qui encombrait la pièce, elle se ravisa, vint se planter à quelques centimètres à peine de moi et posa une main étonnamment fraîche sur ma joue :

— J'ai compris. Ils veulent que tu continues à agir avec naturel.

Comme je ne réagissais pas, elle précisa :

— Ceux du pick-up rouge, ils ne veulent pas te heurter, c'est ce qui explique cette lettre qui ne veut rien dire, ils essaient d'éviter que le changement de propriété ne t'abîme, que tous ces chambardements n'altèrent ton don. À ta place, je leur ferais confiance. Oui, Mas chéri, je sais que ce n'est pas facile, mais je leur ferais confiance.

Alice avait essayé de se composer une expression rassurante, mais avec la congestion de ses traits au milieu du visage, je vous jure que ce n'était pas simple et elle donnait davantage l'impression de s'apprêter à vomir ou à éternuer.

À demi camouflé derrière un ficus – on apercevait ses petits pieds recroquevillés, deux virgules enfilées dans des chaussettes antidérapantes sales –, l'un des enfants doubles fit un bruit de chat qui régurgite. Au même moment, un camion de recyclage qui se dirigeait à toute vitesse vers le centre de tri ébranla la maison jusque dans ses fondations. On entendit les assiettes s'entrechoquer dans le vaisselier. Je rallumai la radio et, alors que l'animateur expliquait qu'un type exposerait aujourd'hui sous une tente montée en plein centre-ville d'Estampes la totalité de ce que son organisme avait produit durant les soixante dernières années, et que ce type avait méticuleusement recueilli et conservé l'ensemble de ses productions organiques depuis l'âge de huit ans en vue d'en faire une œuvre d'un investissement total, une réflexion sans compromis sur le temps qui passe, le calcul exact, au gramme près, prétendait-il, de ce qu'on laisse dans l'existence, ongles, cheveux, poils et cérumen, morve, larmes, sperme, urine, excréments, toutes sécrétions méticuleusement classées selon l'année de production – l'animateur, qui avait été convié à l'avant-première, attirait l'attention des auditeurs de Nouvelles d'autrui sur le millésime 1978, il dit « zoizante diz-zuit », année durant laquelle, vu la quantité de larmes recueillies dans d'élégantes bouteilles de vodka, l'exposant avait dû beaucoup souffrir –, Alice se laissa lourdement tomber sur le canapé. Comme elle ne s'asseyait pour ainsi dire jamais, les enfants doubles entreprirent aussitôt de se hisser sur elle avec une sorte d'incrédulité joyeuse. Encore une fois, je suppose qu'il s'agissait d'une incrédulité joyeuse, je vous avoue que je ne les ai pas questionnés sur la nature précise de ce qu'ils éprouvaient à ce moment-là.

— Tu as rencontré les repreneurs? demandai-je à Alice tandis que les enfants doubles lui piétinaient les cuisses.

— Non, dit ma femme d'une voix faible. Tant qu'ils y mettaient le prix, j'avais demandé à Frigor de ne rien connaître d'eux. On m'a promis que tu continuerais à vivre avec nous, et c'était l'important pour moi, tu comprends. Le reste était plutôt une question technique.

47

LE SOLEIL EST À PEINE LEVÉ quand je quitte la voie rapide après avoir roulé trois quarts d'heure vers le nord. Passé la zone de services, une station d'essence, un stand à légumes barricadé, une misérable cantine flanquée de deux hot-dogs géants, je longe un lac au milieu duquel une île surplombée, en guise de mât, par un bouleau malingre semble dériver.

De l'autrui légèrement vêtu s'astreint à de très approximatifs exercices sur un ponton qui s'avance au milieu de l'eau. Insensible aux efforts déployés par son maître, un chien jaune est allongé derrière lui. J'écoute le moteur qui regimbe lorsque je rétrograde pour négocier les virages qui étranglent cette petite route grugée par les hivers. Pour éviter d'attirer l'attention de ceux qui campaient toujours devant la maison ce matin, pour m'assurer de ne pas être suivi jusqu'au lieu du rendez-vous, j'ai dû pousser la voiture hors de l'entrée, puis dans la rue jusqu'au stop avant de la faire démarrer. L'épaule appuyée contre la carrosserie froide, la main droite crispée sur le volant, je terminais la manœuvre quand j'ai vu un jeune homme se faufiler par la porte latérale qui mène au sous-sol des Stevensen. Il n'a pas remarqué les tentes dressées sur le gazon, comme si une équipe de scientifiques en route vers le pôle avait décidé de bivouaquer là pour la nuit. Il n'a pas vu la banderole accrochée entre les saules, les tracts répandus sur le trottoir. Il a enfilé de gros écouteurs, remonté les sangles de son sac à dos, puis il a craché par terre avant d'enfourcher son vélo, donnant l'impression que le monde venait d'être créé à l'instant pour son bon plaisir.

Je me suis demandé laquelle des filles Stevensen ce jeune homme venait de trousser. L'image de leur mère m'est aussi brièvement venue en tête. J'ai pensé que je devrais lui demander son nom afin de guetter le moment où il serait introduit à la Régionale des talents, qu'une telle confiance en soi, en ce que la vie a à offrir, une telle absence d'inhibitions, ça ne tarderait pas à rapporter. Que ce jeune homme s'effondre ou qu'il réussisse dans la totalité de ses entreprises, ce serait tout bénéfice pour ceux qui auraient eu le flair d'investir à temps. Alors que je profitais de la pente, que je laissais la Subaru au point neutre rouler d'elle-même vers le stop, j'ai réfléchi que c'était sans doute le genre de raisonnement que mon propriétaire attendrait de moi à l'avenir.

Je me stationne à côté d'un pick-up rouge dans l'entrée en U d'une maison à tourelles dont la fenestration disposée sur trois étages ne donne pas sur le lac, mais du côté de la forêt. Cela m'apparaît idiot. Il n'y a que ce lac pour expliquer l'envie de venir s'enterrer si loin de tout. Il est six heures. Pour ma première journée sous contrôle étranger, j'ai mis un point d'honneur à être d'une ponctualité exemplaire. J'inspecte les lieux : une fontaine aménagée dans un bloc de granit exsude une eau qui vient se perdre dans une vasque imitant la coque d'un gros coquillage. À côté, une balançoire décorative pendue à la branche d'un grand pin, deux allées de gravier clair qui serpentent avant de se perdre vers l'arrière, un système d'arrosage automatique dont les têtes de distribution affleurent ici et là, seules aspérités au milieu d'un gazon d'un vert indécent, puis plus loin, sous les frondaisons des bouleaux qui marquent la lisière de la forêt, des sacs de plastique et une poignée d'outils alignés le long d'une remise recouverte de bardeaux d'aluminium.

J'attends à côté du pick-up que l'on vienne me chercher. Je songe à sortir mon portable, à poser un geste qui puisse signifier, si jamais l'on m'observe depuis la maison, que, malgré les circonstances, je ne suis pas aussi désœuvré que j'en ai l'air. Une voiture passe lentement sur la route qui longe le lac. La conductrice est minuscule derrière le volant. Le ciel se reflète un instant sur le pare-brise, puis la voiture disparaît, avalée par le premier virage. J'imagine que l'on m'a donné rendez-vous chez le patron des entreprises R.M.L. et que, pour ma première journée, fait exceptionnel, celui-ci se propose de m'accompagner jusqu'au chantier. Je me dis qu'il ne va pas tarder à surgir par l'immense porte d'entrée de cette maison qu'il a construite lui-même, qu'il va descendre les marches sans se presser, ennuyé par une mauvaise hanche, un genou difficile, usé par une vie de labeur. Je me dis qu'il va se diriger directement vers moi, me présenter une poignée de main virile avant de me prendre dans ses bras sans prononcer une parole. Je respecterai ce silence. Peut-être continuerons-nous jusqu'au lac et me faudra-t-il le soutenir dans la descente. Arrivés au bout du quai qui s'enfoncera un peu sous notre poids, tandis qu'à la surface de l'eau, l'huile rejetée par les embarcations à moteur tremblera comme un spectre, nous échangerons des phrases brèves pour ne pas troubler davantage la quiétude des lieux. Je nous vois dignes, unis par le désir commun de faire de cette rencontre une réussite.

J'ai enfilé des jeans que je n'ai plus portés depuis des années, un t-shirt récupéré lors du dernier congrès des ventes de chez Monolite, des bottes de randonnée. J'ai même trouvé en fouillant le garage, entre les plantes, les lampes chauffantes et le système d'arrosage improvisé par Alice, une chemise de toile épaisse et une paire de gants à peu près propres. Je ressemble à un travailleur clandestin invité à déjeuner chez le riche propriétaire qui l'exploite.

Au bout d'une dizaine de minutes, me sentant ridicule et craignant d'être en retard, je décide d'emprunter l'un des sentiers qui contournent la maison. Je me retrouve tout de suite devant un large trou que surplombe une excavatrice montée sur chenilles. Posée au bord du trou, en équilibre sur un tas de bonne terre d'où s'échappe un fouillis de racines, trône une mini-chaîne dont l'égaliseur agonise. Trois bandes mauves désynchronisées, à peine capables d'imprimer un mouvement à ce qui devrait danser, donnent l'impression que l'appareil s'apprête à rendre son dernier souffle. Je m'avance jusqu'au bord de la fosse. Son corps flottant comme un gros pinceau à la surface de l'eau boueuse, un écureuil s'y est noyé.

— Qu'est-ce que vous foutez là ?

De l'autre côté du trou, un homme me fait face. Il a la soixantaine avancée, peut-être plus, les cheveux gris en bataille, une veste de nylon bleue marine trop ajustée passée sur un pantalon de sport, le menton fuyant, la mâchoire comme un tiroir que l'on aurait enfoncé dans une commode. Je me demande comment j'ai pu ne pas le voir. Son exclamation a tôt fait d'attirer l'attention de ses collègues, qui déboulent depuis l'autre côté de la maison. Le plus petit des deux est armé d'une pelle. Le grand a couru avec son thermos. Ils viennent se planter à côté de celui qui semble être le chef ici. Une piscine de ciment octogonale somnole sur des cales derrière eux, attendant sa mise en place.

Je sors l'enveloppe de ma poche, en extrais la lettre ornée du pick-up rouge, espérant que ce soit suffisant pour faire comprendre la raison de ma présence en ces lieux, mais comme aucun des trois membres de l'équipe ne réagit, en fixant le vieux à la mâchoire enfoncée, de ma voix la plus claire, je dis :

— On m'a convoqué.

— Montrez-moi ça, répond-il de façon exaspérée en commençant à contourner la fosse et en retirant avec difficulté une grosse main de la poche de son coupe-vent brodé aux initiales R.M.L.

Le vieux se déplace lentement, le terrain n'est pas sûr, de la boue s'accumule sous ses bottes et il lui faut une bonne minute pour arriver jusqu'à moi, minute qu'il passe la main tendue devant lui comme s'il s'attendait à me rejoindre d'un moment à l'autre, comme s'il se refusait à admettre qu'il n'a plus sa vélocité d'antan. Quand il parvient finalement à mes côtés, le visage empourpré par l'effort, je lui remets la lettre qu'il lit en diagonale avant de s'esclaffer, la bouche pleine de salive :

— Il est venu ! C'est pas possible ! Mais qu'est-ce que vous foutez ! Monsieur va pas rester ici trois plombes ! Allez me chercher l'appareil !

Sans doute afin de meubler l'intervalle, le vieux se penche pour augmenter le volume de la minichaîne qui crachote à ses pieds. On entend les premières mesures d'une chanson cubaine, les tropiques font irruption, le Malecón, la misère chaloupée de femmes aux cuisses épaisses, d'hommes tendus par l'appel du large, tandis que les deux comparses se précipitent d'abord vers l'excavatrice, puis vers les boîtes à outils posées le long de la maison, puis enfin sur le balcon arrière pour fouiller les poches de manteau et les boîtes à lunch. En m'attrapant fermement par le bras, refermant ses doigts sales sur mon poignet comme s'il voulait prendre mon pouls, l'annihiler, ralentir mon métabolisme au point de rendre ma fuite impossible, le vieux marmonne :

— Pas une chance sur mille que ça marche, mais vous voilà, nom de Dieu, et prêt pour le travail en plus !

J'acquiesce même si je sens bien que je suis en train de me faire escroquer.

— Ça vient ? hurle le vieux.

— Ça vient ! répond le plus petit, qui rapplique vers nous en remontant la roulette d'un appareil Fuji jetable.

En l'apercevant, le vieux desserre sa prise et passe un bras puissant autour de mes épaules.

— Je peux vous offrir un café ? Avec du rhum ? Allez, vous prendrez bien un café le temps qu'on fasse nos petites photos, hein, c'est pas tous les jours qu'on côtoie de l'autrui de votre stature. Ça vous embête pas, j'espère, deux trois petites photos pour nos bulletins d'intimité…

Ça ne m'embête pas. Aussi bien m'habituer à ce que les événements se produisent en dépit de ma volonté. De toute façon, l'épisode ne dure pas longtemps : je m'en tire par une session de photos, bras dessus, bras dessous avec de l'autrui visiblement enchanté d'avoir piégé la sensation du moment au classement, souriant sans conviction, mais sans déplaisir non plus, les yeux fixés sur l'écureuil boursouflé, les pieds s'enfonçant lentement dans la boue. Je m'en tire par l'ingestion d'un café alcoolisé servi avec une gentillesse exagérée, par quelques autographes pour la famille et une déclaration sur l'honneur, vu l'absence de capteur en ces lieux reculés, de ma présence au 1435, chemin des Cèdres, chantier placé sous la surveillance de Lucien Moguard, responsable des installations de piscines pour le compte des entreprises R.M.L.

On profite du fait que je sois encore sous le coup de ma notoriété nouvelle, incapable de gérer l'effervescence provoquée par l'annonce de cette prise de contrôle hostile lancée contre ma personne, pour me délester de mes gants, de ma casquette et de ma chemise. Malgré l'insistance du plus petit des ouvriers, qui désire rapporter un souvenir à sa femme, je refuse de me séparer de mes bottes et de mon t-shirt. Aussitôt dans la voiture, je téléphone à Alice.

De retour à la maison, quelques heures seulement après l'avoir quittée résigné et serein, persuadé de partir à la rencontre de mon nouveau propriétaire, je trouve ma femme et les enfants doubles dans la cuisine, les yeux lourds de sommeil et toujours en pyjama. Je retire dans l'entrée mes bottes couvertes de boue. Sur la table, entre les plantes repoussées à une extrémité, les boîtes de céréales, les pots de confitures, parmi les clichés de femmes dénudées, certains tirés sur de très beaux papiers, les petits paquets – tisanes, épices, thé russe, bêtises de Cambrai – et les diverses manifestations de soutien, Alice a mis en évidence une douzaine de lettres arrivées par le courrier du matin, dans lesquelles de l'autrui, réparti de façon à peu près équivalente entre particuliers et entreprises, prétend lui aussi avoir réalisé mon acquisition.

— Tu marches fort, me dit-elle en souriant. Regarde. Et ça vient de loin, en plus. À ce rythme-là, on va devoir engager quelqu'un pour s'occuper de ta correspondance.

— Un secrétaire personnel. Avec des lunettes en écaille et un diplôme de philo.

— Arrête, Mas, tu ne vas pas te trimballer comme ça d'un bout à l'autre du pays chaque fois qu'un crétin a l'idée de proclamer être ton nouveau propriétaire. Ce n'est pas sérieux. Il va falloir filtrer. Il y a même un illuminé qui jure être ton frère et qui exige une analyse génétique.

Je passe la main pour ébouriffer les cheveux de la petite, aplatis par l'oreiller.

— Tu as vérifié les courriels ?

— Non, mais ils ont interviewé sur Nouvelles d'autrui un type qui se prétend plus moyen que toi. Il t'a provoqué en duel, mais je n'ai pas bien compris en quoi consisterait la confrontation, les enfants faisaient un bruit pas possible. Ils vont en reparler tout à l'heure.

Je rassemble les enveloppes ouvertes sur la table, les soupèse comme s'il s'agissait d'un trésor.

— Ne t'inquiète pas. Il n'a aucune chance contre moi.

— Mas…

— Ma neutralité est terrifiante. Le pauvre n'aura même pas le temps de dégainer que j'aurai réduit ses prétentions à néant.

48

LE PREMIER TYPE à se présenter est ascétique, moustachu, l'œil globuleux et la voix étranglée par le col de sa chemise, où mord une cravate de soie. L'homme est tellement grand qu'il doit se voûter pour frapper du poing le comptoir derrière lequel je suis retranché. Je ne me démonte pas. Au contraire, je prends sur moi de déplacer le téléphone et le socle sur lequel le combiné mains libres se recharge afin de permettre à mon vis-à-vis d'exprimer sa colère dans de meilleures conditions. J'en suis conscient, ce geste pourrait passer pour de la provocation, mais là n'est pas mon intention. Peut-être est-ce l'habitude de libérer le terrain pour les enfants doubles, de prévoir ce qui est susceptible de présenter un danger dans leur environnement.

Je détache une feuille de papier d'un bloc-notes et m'apprête à y inscrire les récriminations de mon interlocuteur. Pourtant, comme je ne lui accorde pas l'attention qu'il estime de toute évidence mériter, en s'avançant au-dessus du muret censé différencier nos fonctions respectives, moi à l'accueil, lui à l'insatisfaction, l'homme à la cravate de soie tape de nouveau sur le comptoir, la main ouverte cette fois, et deux stylos-feutres à pointe fine roulent sur le côté, entre la cloison et l'ordinateur, là où il est impossible de les récupérer.

— Vous vous foutez de notre gueule ! Vous vous êtes regardé ? Non mais, vous vous êtes vu ?

Sa voix se contorsionne, passe de l'aigu au très grave. Je pense immédiatement à une irrégularité du larynx, à un tempérament de doux que l'on brusque, à une hyperémotivité l'empêchant de formuler une opinion tranchée, une remarque un peu directe. Pourtant non, « Saloperie de parasite, putain de vautour, sale hyène » ne manquent pas de tonus.

— Tout ce gras ! Tout ce mou ! Rien qu'à te voir, ça donne envie de se supprimer !

À ces mots, alors que je corrige mentalement « de se supprimer » par « de te supprimer » – je ne vois pas comment mon physique pourrait faire naître chez qui que ce soit l'envie irrépressible d'attenter à ses jours – afin de rendre plus concrète son argumentation, l'homme se penche prestement au-dessus du comptoir dans l'intention de m'agripper l'excès, mais en reculant sur la chaise à roulettes, je réussis à l'éviter de justesse.

— Je vais te dire, moi, ma femme n'avait rien à voir avec le tas de chair qui te sert de corps ! On s'est compris ? Tu me l'enlèves de ta carcasse d'homme moyen ou je m'en occupe moi-même ! OK ?

Et là, l'œil sombre, l'homme sort de sa poche un couteau à cran d'arrêt qu'il utilise pour désigner successivement mon ventre, mon cou, mes côtes.

Ce n'est peut-être qu'une coïncidence. Après ma courte visite aux creuseurs de piscines, le rêve que je viens de raconter s'impose à moi trois nuits de suite. Chaque fois, bien que je sois incapable d'identifier le moindre indice qui me permette de le relier aux entreprises R.M.L., le moustachu qui me fait face progresse non seulement dans son irritation, mais aussi dans la rapidité avec laquelle il dégaine son couteau. À moins d'un revirement inattendu, je vois mal comment je pourrais échapper lors de notre prochaine rencontre nocturne à ses instincts de boucher.

49

L'INTRODUCTION de Saudade Tessier à la Régionale des talents est d'une sobriété réservée aux rejetons des familles déjà solidement installées au classement. La scène est nue. Une lumière rasante provient des coulisses. À peine reconnaît-on, çà et là, carcasses dérisoires, les restes des présentations orchestrées par les autres candidats : serpentins, feux de Bengale ou bas de survêtement argenté ayant servi à camoufler un temps le postérieur d'une bondissante pom-pom girl, par ailleurs capable de s'accompagner de la bouche aux percussions.

Pour Saudade Tessier, le vide est un accessoire encombrant, comme si, en cherchant à se dépouiller de tout, elle ne parvenait au contraire qu'à exposer une absence, un manque qui s'accroît. Ce n'est pas la pensée exacte qui me vient à l'esprit, alors qu'assis entre Alice, dont les cheveux remontés en chignon grâce à des extensions donnent l'impression d'un papier tue-mouche (« Ça va, chéri, tu vois quelque chose ? »), et une demi-douzaine d'autres invités du cabinet Frimah, Frigor & Gourd – associés aux costumes structurés, aux cravates finement rayées, aux chemises luisantes qui dissimulent là un corps massif, de gros poignets, des avant-bras exagérément poilus (Frimah), ici une silhouette triste, des épaules asymétriques, un organisme destiné à la souffrance dont la vocation pour l'instant contrariée connaîtra sans aucun doute un dénouement heureux, une maladie de Crohn, voire un cancer des ganglions (Gourd), clients essayant d'oublier, un verre de vin rouge aux tanins agressifs à la main, qu'ils ont payé cher le privilège d'assister à cette foire annuelle « du talent et de la jeunesse », comme le répète l'animateur de « cette soirée placée sous le signe de la réussite » – j'enfourne un vol-au-vent dont l'origine se situe à mi-chemin entre les pâtes et papiers et la pâtisserie ; ce n'est pas la pensée exacte qui me vient à l'esprit, disais-je, mais cela s'en approche. Frigor n'est pas là. Il est représenté par une jeune femme au visage impassible, aux mains fortes et à l'agaçante manie de disposer les couverts de façon absolument parallèle de chaque côté de son assiette. Elle n'arrête pas de s'excuser au nom du notaire, qui « aurait voulu être là, mais vous savez ce que c'est, avec la famille, tout ça, enfin, vous savez ».

Nous sommes arrivés en retard à la Régionale, les enfants doubles rechignant à passer la soirée avec ma mère qui rajeunit au-delà du raisonnable. Elle est entrée dans la maison en coup de vent.

— Quel bordel ici ! J'avais autre chose à faire, c'est vraiment parce que vous avez insisté.

Elle portait un audacieux paréo mauve et vert à motifs noué à la va-vite sur une tunique aux manches transparentes. À ce moment-là, avec ses faux cils inspirés des plus récents progrès de l'aéronautique, on aurait dit une quinquoctogénaire cherchant l'aventure dans un club de vacances.

En l'entendant, les enfants doubles se sont traînés depuis la moquette où ils tentaient d'emboîter de gros blocs de couleur dans la forme géométrique correspondante. Ils ont zigzagué entre les plantes de façon experte avant de ralentir dans la dernière ligne droite pour s'avancer avec prudence vers leur mamie bariolée.

— Je vous préviens, pas question que je les soulève, on vient de me retirer deux côtes, a lancé ma mère sans les regarder, se dirigeant aussi rapidement que ses côtes restantes et la succession des végétaux le lui permettaient vers la cuisine pour mettre fin à l'épisode que la table des équivalences décrit sous la rubrique « Premières minutes de l'accueil réservé à une personne liée par le sang ».

Les petits sanglotaient, le téléphone portable d'Alice

n'arrêtait pas de sonner, dans la cuisine ma mère s'était attaquée à la vaisselle avec une vigueur indiquant qu'elle en faisait assez, qu'elle ne comptait pas participer en plus au cérémonial du coucher.

Nous avons mis les enfants doubles au lit nous-mêmes et il a fallu une bonne demi-heure pour qu'ils se calment et s'endorment enfin. Ils voulaient savoir si l'on rentrerait tard, tenaient à s'assurer que l'on vienne les embrasser dès notre retour. Avant que je ne quitte sa chambre, le plus grand m'a dit :

— Mamie ressemble à un lézard.

C'était un peu vrai, mais j'ai répondu :

— Mais non, mon bonhomme, c'est la peau des vieux qui est comme ça, toute plissée, tu sais bien.

— Mamie n'est pas plissée du tout.

Bien entendu, les enfants doubles ne parlaient pas encore, mais rien ne m'empêchera de penser que ce sont les mots qu'ils auraient prononcés s'ils avaient pu s'exprimer.

Dans la voiture, Alice s'inquiétait pour ma mère (« Tu penses qu'elle aurait aimé venir avec nous ? »), pour sa robe « qui allait sentir le moisi, Kenzo et le moisi », me demandait tous les trois kilomètres si l'on voyait son soutien-gorge. On apercevait effectivement le tissu noir sous la mousseline, mais l'effet était agréable. Elle paraissait heureuse ce soir-là, se penchait vers moi pour déposer la tête sur mon épaule ou m'embrasser. Nous sortions tous les deux et ce n'était pas si fréquent. Elle avait apporté la cassette d'une chanteuse portugaise dont la voix me foutait le cafard, mais je n'avais rien dit, et Alice murmura des paroles qu'elle ne comprenait pas durant le reste du trajet.

J'ai garé la Subaru n'importe comment, deux roues sur le terre-plein, au milieu du boulevard, juste en face du Palais des congrès, dont le stationnement débordait de voitures sombres brillant sous la lumière des réverbères. On aurait juré qu'elles venaient d'être sorties de l'eau, leur peau luisante se terminant sous le pare-chocs avant par de drôles d'ouvertures. Autant de gueules de cétacés censées filtrer pour les occupants de l'habitacle les impuretés du monde extérieur.

À l'entrée, un des préposés à l'accueil, équipé d'un talkie-walkie et d'une dentition surnaturelle, l'émail de ses incisives attaqué par les traitements blanchissants laissant échapper d'inquiétants reflets bleus, a eu l'air soulagé que nous soyons arrivés.

— À la bonne heure, vous voilà ! On essaie de vous joindre depuis deux heures !

Il s'est dépêché de nous accompagner jusqu'à nos places. En entrant dans la salle du Palais des congrès, je n'ai rien reconnu. Le plafond à caissons, la moquette aux entrelacements compliqués, les appliques dorées le long des murs représentant, à intervalles réguliers, des têtes d'animaux dont on avait modifié les proportions – fouines et belettes dépassant désormais en taille ours et orignaux –, bestiaire cauchemardesque faisant écho, j'imagine, à la possibilité offerte à chacun de transcender la donne initiale pour s'illustrer au classement. C'est comme si je n'avais jamais mis les pieds à cet endroit. Exit ma propre initiation à la Régionale des talents, une nouvelle génération avait pris le relais.

En chemin, alors que le préposé avançait devant nous à petites enjambées de geisha, Alice a salué une femme à bijoux que je ne connaissais pas, un geste mesquin de la main, ses préoccupations semblant plutôt porter sur le postérieur du garçon qui la précédait. Ledit postérieur, je le remarquais aussi, se balançant avec une affectation qui rappelait de manière indiscutable la démarche d'un gallinacé dont la prétention tout entière serait venue se loger en un cercle parfait autour du croupion. Le jeune homme s'est incliné vers nous dans une révérence qu'il avait dû passer un temps considérable à peaufiner compte tenu de l'excédent de poids qui l'entraînait vers l'arrière, a tiré une chaise pour Alice qui, me laissant en plan, s'est dépêchée de s'asseoir, visiblement soucieuse d'effacer notre retard, de trouver au plus vite une place dans le fragile écosystème de cette soirée.

Non, pas de décor ni de présentation pyrotechnique pour l'introduction de Saudade Tessier. Rien qu'une silhouette à la maigreur assumée, des jambes tranchantes qui s'avancent dans la pénombre. Saudade est la fille d'Hervé Tessier, dont la femme est morte il y a quelques années en glissant de la grande terrasse qui surplombe leur maison. Le corps a été retrouvé intact, la tête délicatement posée sur le sol, les cheveux noués, un peu comme si cette brune au caractère énigmatique avait été cueillie au vol, que l'on avait négocié pour elle avec la gravité afin de lui éviter jusqu'à la vulgarité du choc. La femme d'Hervé Tessier était enceinte. Tout le monde connaît l'histoire. Quelques privilégiés dont je fais partie découvrent maintenant l'une des protagonistes principales.

Saudade Tessier s'installe face à la foule réunie dans l'enceinte du Palais des congrès sans se presser, la tête très droite, avec l'allure de celles à qui le chagrin confère une grâce un peu raide.

— Certains d'entre vous me connaissent peut-être, débute-t-elle d'une voix ferme, je suis la fille d'une suicidée, d'une suicidée doublée d'une meurtrière, et je sais que cela m'assure déjà parmi vous une certaine notoriété.

Saudade Tessier, après avoir jaugé l'assistance, déplaçant son regard comme si elle voulait signifier que nous serions tenus responsables quoi qu'il arrive, frappe contre le plancher de la scène trois coups royaux du talon. La sono amplifie le choc de façon dramatique, le dernier coup me donne l'impression de venir mourir non loin de la régie, un peu à notre droite. Une nouvelle salve de trois coups. Saudade insiste, mais ce qui devrait commencer ne commence pas. Elle regarde vers les coulisses, quitte un moment la scène, revient se planter exactement là où elle se trouvait. La lumière ne me permet pas de distinguer le visage de la jeune femme. D'où je suis assis, des ombres bleutées se disputent ses traits. Peut-être ressemble-t-elle à ce que ma mère deviendra quand elle sera jeune.

Alice bouge sur sa chaise tandis qu'un malaise parcourt la salle. Devant moi, une bouchée de vol-au-vent à demi mastiquée dans chaque joue, Gourd trouve le moyen, à travers la pâte, d'émettre un rire nerveux. Dégoûtée, ma voisine de table détourne la tête en ma direction.

Sur la scène, essayant de compenser un début de prestation difficile, Saudade tente un rapprochement. Elle s'avance vers nous, paumes ouvertes, hausse les épaules dans un mouvement qui semble involontaire, toussote :

— Je suis désolée…, dit-elle. Je suis désolée mais le spectacle que vous attendez a déjà eu lieu. Je sais que vous auriez aimé la voir tomber. Je le sais parce que j'ai aimé la voir tomber. Mais pas ce soir, vous arrivez trop tard.

Et la jeune femme mime une chute ridicule, le buste penché vers l'avant, une jambe repliée derrière, un bras battant l'air, chuintant : « Tchhhhhhh, tccchhhhhhhh » dans le micro-cravate tandis que de sa main libre elle étire une poignée de ses longs cheveux vers le haut pour suggérer l'action du vent.

— Comme je suis malheureuse ! Je suis riche et belle et mon mari m'adore ! Tchhhhhh, tchhhhhh, je veux mourir sous les yeux de ma fille, elle seule comprendra, elle seule me pardonnera, tccchhhhhh, tccccchhhhhhh. Comme le sol est loin, comme je suis partie de haut, comme le vent est doux et cet enfant dans mon ventre léger, comme je suis bien maintenant…

Alors que certains des convives ayant pris place dans la salle du Palais des congrès commencent à battre en retraite, qui vers les canapés matelassés du lobby, qui vers le bar ou les toilettes asphyxiées de marbre, bien décidés à faire l'impasse sur cette présentation, pas question d'investir dans cette candidate, et que d'autres, moins nombreux il faut l'admettre, rigolent de bon cœur, les premières notes d'un synthétiseur se font entendre.

— Allez, oublions ma mère, oublions la sainte madone de l'apesanteur – notre mère qui êtes sous terre, que votre règne cesse, tchhhhh, tchhhhhhhh –, oublions-la puisque c'est de moi qu'il est question ce soir, persifle la jeune fille en se redressant d'un seul coup.

Des applaudissements épars se font entendre. Le caméraman chargé de capter les réactions de la salle pour alimenter l'écran géant qui occupe le fond de la scène s'attarde sur une femme aux cheveux d'un blanc impeccable dont les deux mains sont plongées dans le sac à main posé sur ses genoux. En découvrant que son image est reproduite à l'avant, la femme glousse, de la peau excédentaire se balance un temps sous son menton avant qu'elle ne réussisse à la stabiliser en agrippant le bras de son mari hilare. L'assistance se détend. Alice se retourne vers moi. Elle me recoiffe du bout des doigts, ajuste le col de ma chemise.

— Ça va ?

— Le vin est dégueulasse.

Il se passe quelques secondes durant lesquelles j'ai l'impression qu'elle cherche à me dire quelque chose, son visage douloureusement comprimé en son centre, ses lèvres luisantes, ses narines dilatées, ses yeux cherchant dans les miens la réponse à une question jamais formulée. À dire vrai, je me sens mal tout d'un coup. Ces parfums répandus et mélangés, l'âcreté de la transpiration des hommes, celle plus oblique des femmes, l'odeur des corps pointant partout sous la grande nappe des fragrances chimiques, les jus des designers peinant sous l'assaut des humeurs, la violette, le santal, le jasmin mélangés aux odeurs de cuisine. C'est comme si je ne percevais plus que les détails, les ceintures trop serrées, la chair qui retombe sur les tissus étirés, les cuisses collantes sous les jupes, les problèmes de circulation, les maladies de peau, les cuirs chevelus qui démangent, les bruits de couverts, la grande mastication de mes congénères, leurs rires de plombages, de gencives, d'aphtes. Tout cet autrui occupé à ingérer la viande morte, à déglutir, à pousser plus loin la nourriture dans leurs organes qui peinent à la contenir me donne la nausée. Et puis je comprends.

— Maintenant ?

Alice hoche doucement la tête. Quelle idée funeste. La foule me paraît glaciale. Je vais être ridicule. Alice me fait signe de me lever. Je refuse. Qu'ils viennent me chercher. S'ils m'ont choisi entre tous, qu'ils aient au moins l'élégance de m'escorter jusqu'à la scène, qu'ils soient enfin à la hauteur, ces escrocs.

«Je suis tombé sur des minables», voilà ce que je me répète alors que le préposé à l'accueil après avoir posé la main sur mon épaule me demande avec affectation de le suivre. Il susurre quelque chose dans son talkie-walkie, se retient d'éclater de rire. J'imagine à l'autre bout le bellâtre au physique complémentaire qui reçoit les confidences. Voilà bien le conspirateur le plus empressé, le plus jovial que vous puissiez imaginer. La trahison lui donne une mine radieuse, un aplomb qu'il ne connaîtrait pas autrement. Je termine mon verre d'un trait et puis je suis debout.

Alice me sourit.

— C'est ici que nous nous sommes rencontrés, dit-elle en passant rapidement le revers de la main sur mon sexe. Tu te souviens?

Ses yeux s'embuent. Il faut s'appliquer pour la voir pleurer, car aussitôt sécrétées ses larmes disparaissent entre ses lèvres. En toutes circonstances, ma femme demande une attention soutenue.

— Ça va bien se passer, on va rentrer à la maison tout à l'heure et on va tout recommencer. Je suis si fière de toi.

La musique se fait plus présente. Des chœurs féminins murmurent. Une série de spots synchronisés passent l'espace au peigne fin. Deux accessoiristes, sac de plastique noir à la main, terminent de dégager la scène de ce qui l'encombrait. Saudade ondule légèrement, les mains serrées à la hauteur de la poitrine comme si elle s'apprêtait à formuler une prière :

— Chers amis, je sais, c'est inhabituel le soir de la

Régionale des talents, mais qu'est-ce que voulez, nous sommes comme ça chez les Tessier, pensez à ma mère qui n'en finit plus d'offrir sa souffrance. Ce soir, j'ai un cadeau pour vous.

Quatre choristes aux hanches de foraines entrent en chaloupant sur scène. La lumière tourbillonne autour d'elles, ricoche sur des robes de lamé dont elles emplissent jusqu'à la moindre parcelle. Au beau milieu des autres convives, sans prendre la peine de camoufler la manœuvre derrière un paravent, comme si c'était la chose la plus naturelle qui soit, l'assistant au sourire phosphorescent m'aide à enfiler un harnais renforcé à la fourche auquel il fixe d'autorité des mousquetons.

— Tenez-vous ici et ne regardez pas en bas.

Malgré la musique qui enveloppe la salle principale du Palais des congrès, je distingue un bruit de treuil. Et, beaucoup plus vite que je ne l'aurais imaginé, me voilà suspendu à plusieurs mètres du sol. Deux câbles tendus devant moi tracent une voie directe jusqu'à la scène. J'ai maintenant une vue plongeante vers Saudade Tessier, qui a rejoint les choristes pour esquisser de timides pas de danse.

En contrebas, Alice m'envoie des baisers. Les autres convives ne me voient pas. Frimah, Gourd, la femme aux couverts parallèles, tous se comportent comme si de rien n'était. Je suis un Christ à harnais dont l'ascension mécanisée se déroule à quelques mètres, mais cela ne suffit pas à attirer l'attention. Les choristes roulent des hanches, moulées dans le rythme moite. En les observant bouger de la sorte, je me prends à espérer une erreur de trajectoire, une dérive m'assurant une réception pneumatique. Je m'imagine surgir de l'ombre de la salle, glissant le long des câbles en blasphémant, une érection spectaculaire m'ouvrant le passage, précipité depuis le ciel jusqu'à l'épicentre des plaisirs terrestres, fermant les yeux avant d'empaler les choristes alignées pour l'occasion par quelque volonté divine.

Mon portable vibre dans la poche de mon pantalon. Je me contorsionne dans l'espoir de répondre, mais les pieds dans le vide, les côtes comprimées par le harnais, j'abandonne rapidement. Ce doit être ma mère qui cherche à savoir si l'on en a encore pour longtemps. Un coup d'œil à la table du bas confirme mon intuition : Alice est au téléphone et hoche la tête.

Je glisse brusquement le long des câbles tendus, mais on me stoppe au bout de quelques mètres. Une autre manœuvre de ce genre et je vomis mes vol-au-vent sur les dignitaires ayant le malheur de se trouver sous mon parcours. Je suis encore secoué par les câbles que ma descente reprend, mais à un rythme beaucoup plus mesuré cette fois. En me penchant vers la salle, j'évalue ma vitesse à deux tonsures-seconde. Des spots latéraux s'allument et s'éteignent sur mon passage, créant un curieux miroitement aquatique. Sous prétexte de préserver la spontanéité de mon numéro, les organisateurs de la soirée ne m'ont pas fourni le déroulement exact des événements. Alice a prétendu n'être au courant de rien non plus. Tout ce que je sais, c'est que, dans quelques minutes, peu importe l'accueil qui me sera réservé, peu importe le commanditaire de cette farce absurde, j'en aurai fini avec la prise de contrôle.

Le cou tordu dans une attitude de perplexité adorable, une jeune femme à la robe rouge ornée de motifs westerns ne me quitte pas des yeux. Malgré les contraintes de mon attirail et une prenante envie de rendre, je réussis à tendre les deux pouces vers le haut, l'air de dire : « Tout va bien, ma mignonne. Je vais me poser dignement sur cette scène. N'aie pas peur, va, vis ta vie et aime sans risque. »

En passant à proximité des haut-parleurs fixés au milieu de la salle, j'entends la voix amplifiée de Saudade annoncer :

— Pour vous ce soir, en primeur mondiale, nous vous donnons les moyens de vous offrir l'homme moyen !

J'atterris sur scène alors que les voix des choristes vont crescendo et que des gouttes de sueur scintillent dans la lumière qui nimbe leur visage. À la manière des parachutistes, j'ai le réflexe heureux de projeter les pieds vers l'avant et d'enchaîner quelques enjambées d'une vigueur étonnante. Saudade me regarde avec tendresse. Je fais dos à la salle, mais grâce à un ingénieux système de projection, mon image est reproduite et décuplée sur l'écran géant. On me voit les yeux écarquillés, les mains crispées sur les mousquetons, le pantalon relevé par le harnais à hauteur du mollet. Deux accessoiristes se précipitent hors des coulisses. À ma gauche, bien que mon atterrissage se soit déroulé sans encombre, les choristes continuent à agiter les bras comme si elles cherchaient à guider un Boeing en perdition sur le tarmac.

Je me penche pour tirer sur le bas de mon pantalon, cherche à me retourner pour saluer le public qui applaudit. Les câbles me gênent, je ne parviens qu'à pivoter la tête, à l'incliner à deux ou trois reprises pour témoigner ma reconnaissance. La salle baigne dans une lumière vive. Contre les murs, gueules béantes, des bêtes à crocs jettent leurs ombres sur les humains aux épidermes turgescents. Sous les tissus chers, les organismes exultent : c'est la foire de la veinule, le grand bazar des capillaires, dans lesquels s'intensifie la contrebande gazeuse entre le sang et les cellules.

— Bravo ! me crie à l'oreille un jeune homme à la barbe clairsemée en décrochant d'un geste vif les mousquetons.

Il entreprend ensuite de m'aider à retirer le harnais. Après quelques instants d'efforts communs infructueux, il se résigne et quitte la scène. Je me vois à l'écran. J'ai l'allure d'un scarabée dont la carapace met en évidence un sexe noir, luisant, hypertrophié.

Je m'avance vers Saudade, espérant si ce n'est une excuse, du moins un contact franc ; au même moment, provenant de colonnes disposées de chaque côté du fond de la scène, un puissant flash se déclenche. Je titube. Je me bute aux corps moites des choristes, ferme les yeux comme si cela avait le pouvoir de changer quelque chose à mon aveuglement. À travers mes paupières, les formes persistent en un violent contre-jour.

— Faut que tu te bouges ! m'ordonne l'accessoiriste, qui, revenu à la charge armé de je ne sais quel outil, parvient à me libérer du harnais.

La musique me traverse le corps. Les basses impriment une nouvelle pulsation à mon sang, comme si un cœur groovy, impérieux, avide de vivre, avait remplacé le battement indécis de la pièce d'origine. Les choristes s'égosillent. Je suis persuadé que des couples se forment dans le Palais des congrès, que ça se pelote sous les tables, que des doigts insistent à la commissure des cuisses.

— Bouge !

Je repousse l'accessoiriste d'un geste vif. Et là, avant que je ne puisse décider quoi que ce soit, propulsée dans un sifflement au-dessus de nos têtes depuis le fond de la scène, une nuée de cartons se met à pleuvoir sur la salle. L'écran géant sur lequel mon visage était fixé dans un état de stupeur constituant un prélude on ne peut plus crédible à une crise mystique explose en une constellation scintillante. Je me retourne à temps pour apercevoir, en apesanteur au-dessus de la salle, tout mon être diffracté. Une communion au canon, l'entièreté de mon corps livrée aux spectateurs réunis dans l'enceinte du Palais des congrès.

— Voilà votre homme ! lance Saudade. Investissez en moi et obtenez en prime un peu de lui !

Je vois ma chair reproduite sur cellule photosensible glisser sous l'œil carnassier des fouines et des furets, planer dans la lumière franche, atteindre une distance étonnante, peut-être même rejoindre Alice, qui, là-bas au fond, hésite un temps avant de me ramasser sur la moquette imprégnée de produits chimiques et de sauces industrielles. Sans doute exige-t-elle de ses voisins de table qu'ils lui rendent ce qui lui appartient ; peut-être insiste-t-elle pour offrir sa part.

Saudade me tend l'un de ces cartons dont la surface poisse au toucher. On dirait un polaroïd avant qu'il n'ait eu le temps de sécher. Elle tient son micro tel un sceptre et il émane de tout son corps une autorité douloureuse. J'ai beau chercher, je ne reconnais pas la partie de mon visage que je tiens entre les mains. À l'endos du carton, placé sous le haut patronage de l'étude Frimah, Frigor et Gourd, est imprimé le code permettant, Saudade vient de l'expliquer au public, de réclamer dès ce soir sur le site Internet dédié à l'opération sa participation en Mas Baldam. L'avant-bras replié devant la poitrine, elle conclut un peu sèchement :

— S'il nous incarne tous, que l'homme moyen appartienne à tous !

J'aimerais prétendre que des convives d'une parfaite dignité se jettent à quatre pattes, que des octogénaires disputent à des gendres souffreteux le carton ayant eu le malheur d'atterrir dans la corbeille servant de frontière entre leurs places respectives, mais ce serait mentir. Chacun reste d'une inébranlable courtoisie. Pour activer la distribution, le personnel de service doit se résoudre à disposer sur chacune des tables ce qui a été dispersé dans la salle. De petites piles que les invités se partagent en plaisantant. L'humeur est légère, et cette atmosphère bon enfant trahit l'absence d'enjeu. La musique s'est arrêtée. Saudade salue l'assistance avec raideur. Tandis que les accessoiristes, anticipant l'arrivée du prochain candidat, balaient en vitesse, je cherche Alice du regard.

TABLE

LE QUARTANIER
Collection Polygraphe

ARCHIBALD, Samuel
Arvida
BAEZ, Isabelle
Maté
BOCK, Raymond
Atavismes
COPPENS, Carle
Baldam l'improbable
LEBLANC, Perrine
L'homme blanc
ROY, Patrick
La ballade de Nicolas Jones

Achevé d'imprimer au Québec en septembre 2011
sur les presses de l'imprimerie Gauvin.